*Marcelo Nocelli*

# São Paulo - Köln

Roman

Aus dem brasilianischen Portugiesisch von
Wiebke Augustin und Carla Martins de Barros Köser

Arara Verlag

Die brasilianische Originalausgabe erschien 2007 unter dem
Titel O Espúrio bei LCTE Editora, São Paulo, Brasilien.

Die Deutsche Nationalbibliothek verzeichnet diese Publikation in der Deutschen Nationalbibliografie; detaillierte bibliografische Daten sind im Internet über http://dnb.d-nb.de abrufbar.

1. Druckausgabe Oktober 2016
©2014 der deutschen Ausgabe Arara Verlag
©2007 Marcelo Nocelli
Covergestaltung: Emil Herzenstiel
Druck und Bindung: Esser PrintSolutions, Bretten
Gedruckt in Deutschland auf RecyStar Natur
www.arara-verlag.de

ISBN 978-3-9818090-1-5

# 1

Ich war auf dem Weg nach Hause, nachdem ich einen der wichtigsten brasilianischen Literaturpreise erhalten hatte. Überreicht hatte ihn ein bekannter TV-Moderator, der sich mit zwei oder drei veröffentlichten Büchern bereits als Schriftsteller fühlte. Reine Prahlerei.

Im Taxi dachte ich daran, wie mich all diese brasilianischen und ausländischen Journalisten belagert hatten. Das Leben hatte es gut mit mir gemeint, ich hatte mein fünftes Buch veröffentlicht, genoss internationales Ansehen, das letzte Werk war in mehr als zwanzig Sprachen übersetzt und in zwölf Ländern ein Erfolg. Ich musste an die Zeit vor zwanzig Jahren denken, als ich Herausgeber einer Stadtteilzeitung war. Jetzt war ich ein bedeutender Schriftsteller, das brachte mich immer durcheinander. Im Geist dankte ich dafür, obwohl ich vier ermüdende Stunden der Auszeichnung hinter mir hatte, förmliche Gespräche, Lob, Freunde, Leser, Feinde und Journalisten... Ich habe eine Abneigung gegen Journalisten, auch wenn ich selbst einer bin, was ich manchmal vergesse. Oder vielleicht habe ich einfach aufgehört, mich für einen zu halten.

Wir fuhren die Rua Augusta hinauf. Es war Freitag, ein Uhr morgens. Die Jugendlichen übernehmen die Straße, um die Nutten aufzumischen. Die meisten der Frauen kannte ich mit Namen. Das Leben ist wirklich witzig, von den Journalisten und Schriftstellern bei der Literaturpreisverleihung, Leuten, die mich nie vorher gesehen hatten, erhielt ich Lob und wurde mit Respekt behandelt. Dagegen hatten mich viele dieser Mädchen bereits beleidigt, kannten meine Fehler und Schwächen und auch wenn sie wussten, dass ich ein bekannter Schriftsteller war, zogen sie das ein oder andere Mal wohlhabendere Kunden vor, die jünger und vor allem unterhaltsamer waren. Wenn sie bei mir blieben, dann wegen des Geldes, das ich, anders als sie dachten, nie hatte, oder weil es keine Kunden gab, vielleicht sogar aus Mitleid, was noch viel schlimmer war. Seit wann haben Huren Mitleid? Einige von ihnen haben es, dafür verbürge ich mich.

Wir überquerten die Avenida Paulista und endlich fühlte ich mich zu Hause. Erschöpft betrat ich die Wohnung, ein paar Briefe waren unter der Tür durchgeschoben worden. Ohne sie anzuschauen, hob ich sie auf und legte sie auf den Tisch. Ich verzichtete auf den gewohnten Drink, genehmigte mir nicht einmal ein Bier, duschte auch nicht, sondern fiel mit Kleidern und Schuhen ins Bett und sank in einen tiefen, traumlosen Schlaf.

# 2

Um elf Uhr morgens wachte ich auf. Ich machte mir einen starken Kaffee, nahm die Korrespondenz, legte die Rechnungen ohne sie zu öffnen an die Seite, einige Einladungen, zig Werbeschreiben und zuletzt ein Brief aus dem Ausland. Ein Brief von Geovanna. Mein erster Impuls war, ihn zu zerreißen, wie ich es mit den anderen, die kurz nach ihrer Abreise gekommen waren, getan hatte, doch dieses Mal schaffte ich es nicht, seit dem letzten Brief war so viel Zeit vergangen, dass ich mich von ihrer Macht über mich befreit fühlte.

Ich entschied mich, den Brief zu öffnen:

*Eric,*

*schon lange wollte ich dir schreiben, aber mir fehlte der Mut. In den achtzehn Jahren seit unserer Trennung habe ich jeden Tag an dich gedacht. Ich weiß, dass du meine Gründe nie akzeptiert hast und nicht einmal wissen wolltest, was ich zu sagen hatte, als ich gegangen bin. Das Leben ist voller Überraschungen, ich habe Brasilien verlassen, um in Italien zu leben und gleich in der ersten Woche lernte ich Otto kennen, einen Deutschen, der sich aus beruflichen Gründen in Mailand aufhielt und einen Monat später in sein Land zurückkehren sollte. Bis heute weiß ich nicht, ob ich mich tatsächlich verliebte oder hoffte, mein Leben verändern zu können. Tatsache ist, dass ich mit ihm nach Deutschland gegangen bin. Ein paar Monate später heirateten wir. Ich musste ein Dauervisum bekommen, um in Europa bleiben zu können. Seither lebe ich in Köln. Hier wurde Klaus geboren. Otto hat die Vaterschaft anerkannt, ohne Fragen zu stellen, obwohl er von Anfang an wusste, dass Klaus nicht sein Sohn war. Als ich Brasilien verließ, war ich schwanger. Ich frage mich noch immer, ob ich es nicht erzählte, weil du mir nicht die Gelegen-*

*heit gabst oder weil ich nicht den Mut dazu hatte.*

*Otto ist ein guter Ehemann, ein bisschen distanziert, das stimmt. Aufgrund seiner Arbeit muss er fast das ganze Jahr über durch die Welt reisen. Nie hat er es zu Hause an etwas fehlen lassen, doch er bemüht sich nicht sonderlich darum, bei uns zu sein. Mit Klaus spricht er das Nötige, auch wenn er immer alles für ihn getan hat.*

*Trotz meiner erst zweiundvierzig Jahre bin ich sehr krank, unglücklicherweise gibt es keine Heilung, ich weiß, dass mir nicht viel Zeit bleibt. Deshalb habe ich mich entschlossen, Klaus die ganze Wahrheit zu erzählen. Ich wünsche mir sehr, dass er seinen Vater kennenlernt, ich glaube, es ist sein Recht, seine Geschichte zu erfahren. Du warst immer sehr besonnen und ich weiß, wie viel Liebe du einem Menschen geben kannst, das ist der Hauptgrund, warum ich möchte, dass ihr euch kennenlernt. Er ist jetzt achtzehn Jahre alt, du kannst dir vorstellen, wie sehr all das, was ich erzählt habe, einen Jungen in seinem Alter verwirrt. Klaus hatte nie eine enge Beziehung zu Otto, vielleicht weil sein Stiefvater so oft abwesend war, aber er sieht ihm ähnlich, das ist merkwürdig, oder? Ich persönlich glaube, dass Klaus ein großer, kräftiger und sehr hübscher Junge ist, weil er immer irgendwelchen Aktivitäten nachgeht, Radfahren, Fitness und Skaten. Deshalb sagen alle, er ähnelt seinem Vater. Otto ist auch groß und kräftig, doch was die Persönlichkeit betrifft, finde ich, dass er wie du ist. Sentimental und gutmütig. Ich weiß nicht, wie viel Zeit mir noch bleibt, mein Leben besteht darin, zwei- oder dreimal pro Woche ins Krankenhaus zu gehen. Ich habe Otto von diesem Brief erzählt und, wer weiß, deinem möglichen Besuch, es hat ihn nicht die Bohne interessiert. Klaus macht sich Sorgen, sagt jedoch nichts zu dem Thema, jedes Mal, wenn ich versuche, mit ihm zu sprechen, erfindet er eine Ausrede, um mir auszuweichen. Er zeigt sich total gleichgültig, sagt, er hat nicht das geringste Interesse, dich kennenzulernen, und dass Otto sein wirklicher Vater ist. Aber ich bin mir sicher, dass sich das ändern wird, sobald ihr euch treffen werdet.*

*Deine Bücher wurden hier in Deutschland sehr gelobt, ich habe Klaus das letzte gezeigt, aber er wollte es nicht lesen, sondern hat sogar noch unterstellt, dass ich uns nur deinem Geld näher bringen wolle. Er hat klargestellt, dass er nichts von dir wolle und sich nicht an einen neuen Vater verkaufen würde. Ich habe ihm geschworen, und das tue ich auch jetzt vor dir, dass ich keinen Augenblick daran gedacht habe.*

*Ich möchte die Gelegenheit nutzen, dir zu deinen Büchern zu gratulieren. Wer hätte das gedacht? Wer weiß, vielleicht entschließt du dich, deinen Sohn zu treffen, bevor mich die Krankheit verzehrt hat und ich habe das Glück, dich ein letztes Mal zu sehen.*

*Unsere Adresse:*
*Geovanna Gomes da Silva König*
*Maybachstr. 104*
*50670 Köln*
*Einen Kuss von der Frau, die dich immer geliebt hat.*
*Geovanna*

Auch wenn ich die Briefe, die vor Jahren gekommen waren, nie geöffnet habe, hatte sich diese Adresse in mein Gedächtnis eingebrannt. Während meiner seltenen Reisen nach Deutschland fürchtete ich mich davor, Geovanna zu treffen. Jedes Mal, wenn ich in Frankfurt gelandet war und obwohl ich wusste, dass ich mich auf einem der größten Flughäfen der Welt befand, schaute ich mich nicht um, aus Angst sie könnte plötzlich vor mir stehen.

Ich blieb reglos sitzen und tauschte den Kaffee gegen einen doppelten Whisky ein. Die Erinnerung an Geovanna war nie aus meinem Gedächtnis verschwunden. Ich konnte mir nicht vorstellen, wie es ihr jetzt ging, erinnerte mich aber genau daran, wie sie war, als sie mich verließ. Wunderschön, mit einem Lächeln, das mich hypnotisierte. Sie redete viel und bewegte die Hände, als wären die Gesten Teil der Worte. Ihrer Mutter ähnelte sie nicht, besser gesagt, fast nichts an ihr erinnerte an die einfache Frau aus dem Nordosten Brasiliens, von der ich nicht einmal genau weiß, aus welchem Ort sie stammte.

Ihr echter Name war Gilvânia, so steht es in ihrem Personalausweis. Ein Name, für den sie sich schämte, weshalb sie ihn mit zwölf Jahren selbstständig in Geovanna änderte, mit zwei N, sie bestand darauf zu sagen Geovanna mit Doppel-N.

# 3

An dem Tag, an dem ich Geovanna kennenlernte, war ich mit Leuten von der Uni im Nachtclub Estação Plaza, ganz am Anfang der Rua Augusta. Ich war das erste Mal an einem solchen Ort, ein paar Frauen tanzten auf einer kleinen, verspiegelten Bühne, andere schlängelten sich um einen Chrompfosten. Geovanna saß bei einer Gruppe Holländer. Ich trank irgendeinen billigen Whisky zum Preis des teuersten importierten, saß da und beobachtete Geovanna schüchtern. Dann bemerkte ich, dass mein Blick erwidert wurde, auch wenn ich nicht verstand warum, da die Männer neben ihr viel älter und mit Sicherheit reich genug waren, um sie sehr gut für wenig zu entschädigen. Das war der Typ Kunde, den die Nutten bevorzugten – wie ich etwas später herausfand, Alte, Reiche, Verheiratete und total Besoffene. Ich erzählte einem Freund von meinem Interesse, er meinte, ich sollte etwas Geld in der Tasche haben, wenn ich weiter flirten wollte, sonst würde es nichts werden. Ich kümmerte mich nicht weiter um seinen Kommentar und wandte meine Aufmerksamkeit wieder dem Mädchen zu, das mich lächelnd beobachtete, während sie sich bei dem Holländer einschmeichelte, auf dessen Schoß sie saß, ein Typ fast so weiß wie ein Albino.

Eine halbe Stunde später erhob sich Geovanna und ich nutzte ihre Abwesenheit, um aufs Klo zu gehen. Als ich wieder herauskam, traf ich sie, sie lächelte. Nie werde ich dieses erste Lächeln vergessen. Ich versuchte mich ihr anzunähern, der Whisky machte mir Mut. Beherzt sprach ich sie an und sagte, dass ich das Lokal nur in ihrer Begleitung verlassen würde, sie antwortete, dass sie bereits in Begleitung wäre und sich nur bei einer anderen Gelegenheit mit mir unterhalten könnte. Gleich darauf verließ ich den Club, den ganzen Weg nach Hause erinnerte ich mich an dieses Lächeln und im Morgengrauen träumte ich von ihr. Tagelang dachte ich an Geovanna, gab mich meinem Wunschdenken hin. Ich konnte mir dieses wunderschöne Mädchen nicht als Nutte vorstellen, sondern sah in ihr die perfekte Frau, in die man sich ernsthaft verliebt, die man heiratet und mit der man glücklich für immer zusammenleben will. Es mag merkwürdig klingen, aber in meinen Träumen sah ich genau das: ein Haus, Kinder, ein Leben mit der schönsten Frau, die ich je in meinem Leben gesehen hatte. Ich stellte mir Geovanna glücklich an meiner Seite vor, wie wir gemeinsam Händchen haltend an Orten, an denen sie es sich nie erträumt hätte, spazieren gehen.

Zwei Wochen später ging ich wieder in den Club, dieses Mal allein. Ich bemühte mich, früh dort zu sein, so früh, dass das Lokal noch geschlossen war und ich vor dem Eingang warten musste, von wo aus ich die Ankunft der Mädchen beobachtete. Sobald der Club öffnete, trat ich ein. Zehn Minuten später traf ich Geovanna, ich wollte kein Risiko eingehen, sie an einen anderen Kunden zu verlieren. Wir unterhielten uns ein bisschen und ich entschied, dass wir unsere Unterhaltung in einem anderen Lokal fortsetzten sollten. Ich fühlte mich in diesem Ambiente unwohl, musste dieses Gefühl von Kunde, Nutte und bezahltem Sex loswerden, deshalb schlug ich eine Bar oder ein Restaurant in der Nähe vor. Daraufhin erklärte sie mir, dass ich, damit sie um diese Zeit das Lokal verlassen konnte, einen Spezialdrink bezahlen müsste, der nur den Mädchen serviert wurde, und da es sehr früh sei, dem Türsteher vielleicht ein ordentliches Trinkgeld geben müsste. Ich rief den Kellner, es war nicht einmal nötig, zu bestellen, Geovanna schaute den Jungen nur an und machte eine Geste mit den Händen. Zwei Minuten später brachte ein anderer Kellner eine kleine Schale mit einem bunten Getränk. Sie stellte das Glas auf den Tisch, ich probierte, es war eine Art alkoholfreier Cocktail, der mich ein Vermögen kostete. Es war der teuerste auf der Karte, dennoch überzeugte mich Geovanna, einen weiteren zu bestellen. Nachdem sie ihn in einem Zug geleert hatte, nahm sie meine Hand und wir gingen zum Ausgang, wo sie mich erneut darum bat, dem Türsteher ein üppiges Trinkgeld zu geben.

Mein Restaurantvorschlag wurde nicht akzeptiert, Geovanna erklärte mir, dass sie nicht gerne in einem Restaurant oder einer Bar sitzen würde und überredete mich, dass wir direkt in ein Motel in der Nähe des Clubs gehen sollten. Als wir das kleine, enge Zimmer betraten, das dreckig wirkte, wurde ich verlegen, im Gegensatz zu meiner Begleiterin, die, während sie die hochhackigen

Sandalen mit Lederbändern, die sich vom Knöchel bis fast zum Knie hochwanden, abstreifte – ich muss zugeben, das erregte mich ein bisschen – erklärte, dass sie für die bunten Drinks Kommission erhielt, und dass die Zeit mit einem Freier auf maximal zwei Stunden begrenzt war. Deshalb hätten wir zwei Stunden, ab dem Zeitpunkt, an dem wir den Club verlassen hatten, danach müsste sie wieder zurück in den Club. Sie sagte auch, dass sie in einer guten Nacht bis zu drei Freier schaffen könnte, was mich frustrierte. Ihr Kommentar rief so etwas wie Ekel und Mitleid in mir hervor. Das bemerkte sie, lächelte und sagte, dass sie bereits vorhergesehen hätte, dass es mit mir anderes laufen würde, deshalb auch das Trinkgeld für den Türsteher. Diese Freundlichkeit befreite sie von der Verpflichtung, im vereinbarten Zeitraum in den Club zurückzukehren. Lächelnd ging sie ins Bad und ließ die Tür offen. Ich hörte, wie sie die Dusche aufdrehte und fünf Minuten später saß meine schöne Begleiterin auf dem Bett, nackt und noch feucht. In diesem Moment meldete sich mein männlicher Instinkt. Nach kurzem Zögern bat ich sie, wenigstens ihren Slip anzuziehen. Doch dieses winzige Kleidungsstück, das kaum ihr Geschlecht verbarg, hatte einen anderen als den erwarteten Effekt. Sie sah noch verführerischer aus, was mich umso mehr erregte.

Wir unterhielten uns lange. Geovanna erzählte, dass sie seit drei Monaten in dem Club arbeitete, vorher war sie Verkäuferin in einem Modegeschäft. Eine Freundin hatte ihr den Vorschlag gemacht. Die Tatsache, in einer Woche so viel zu verdienen wie sonst in einem ganzen Monat und das, obwohl sie nur abends arbeiten musste, hatte sie begeistert. Der Job war nur etwas Vorübergehendes für sie, lange wollte sie dort nicht bleiben, nur etwas Geld zusammensparen, um eine Ausbildung bezahlen zu können, die ihr eine ehrenwertere Arbeit mit der sie mehr verdiente ermöglichte. Vergeblich versuchte ich, sie davon zu überzeugen, sich einen anderen Job zu suchen. Unsere Unterhaltung verlief angeregt, wir taten nichts, außer miteinander zu reden. Die Gegensprechanlage klingelte, es war die Rezeption, man machte uns darauf aufmerksam, dass die Zeit abgelaufen war und wir das Zimmer verlassen sollten. Ich bat sie, mit mir im Motel zu übernachten, wir unterhielten uns weiter. Irgendwann versuchte ich, das Thema zu wechseln, begann über mein Praktikum bei der Zeitung zu sprechen, über meine Zukunftspläne und ich erzählte, was ich meinen besten Freunden verschwieg: von meinem Traum, Schriftsteller zu werden. Ich versprach, ihr meine Gedichte und ein paar Erzählungen zu zeigen. Geovanna gab sich Mühe, interessiert zu wirken, ich nahm es als Versuch, mir zu gefallen. Doch vielleicht dachte sie auch: „Nie habe ich in den letzten drei Monaten so leicht Geld verdient, indem ich einfach den ganzen Abend mit einem Trottel spreche."

Wir schliefen umarmt, im Fernsehen lief der Hotelkanal, in dem rund um die Uhr Pornos gezeigt wurden. In der Nacht versuchte ich mehrmals umzuschalten, aber Geovanna bestand darauf, zu diesem Kanal zurückzukehren. Ich weiß nicht, ob sie versuchen wollte, mich zu erregen, sie schien sich mir gegenüber wie eine Betrügerin vorzukommen, weil wir keinen Sex hatten. Etwas, das normalerweise jeder Kunde fordern würde. Es gelang mir lediglich, den Ton abzuschalten und sie davon zu überzeugen, dass mir diese Bilder überhaupt nicht helfen würden, im Gegenteil...

Am nächsten Morgen wachte ich früh auf, suchte meine Uhr auf dem Nachttischchen ohne Schubladen neben dem Bett, es war acht Uhr, und weckte Geovanna, die sich wegen der Uhrzeit große Sorgen zu machen schien. Ich fragte nach dem Grund und nachdem ich nicht locker ließ, beichtete sie ihn schließlich. Sie hatte ihrer Mutter gesagt, dass sie bis fünf Uhr morgens in einer Bingohalle arbeitete, deshalb sollte sie längst zu Hause sein. Schnell stand sie auf, zog sich an, ordnete ihre Haare und bat mich, zu gehen. Bevor wir das Zimmer verließen, erinnerte sie mich daran, dass ich sie für ihre Arbeit als Begleiterin bezahlen müsste. In diesem Moment war das für mich ein Schock und als sie mein erschrockenes Gesicht sah, erklärte sie mir irritiert, dass jeder Kunde das Recht hätte zu tun, was er wollte. Ich hätte mich fürs Unterhalten entschieden, dies bedeutete jedoch nicht, dass sie irgendeinen Nachlass geben würde, letztendlich wurde man in ihrem Beruf pro Stunde bezahlt, es sei denn, der Kunde würde ganz besondere

Dinge wünschen, in diesem Fall könnte der Preis geändert werden, jedoch nur heraufgesetzt, ganz abhängig von den Fantasien des Kunden, und normalerweise müsste alles vorher ausgemacht werden. Ich bezahlte verlegen, sie nahm das Geld und zählte nach, kontrollierte die Summe erneut, wie ein Bankangestellter, faltete die Scheine auseinander, strich sie glatt, drehte zwei, bei denen sich das Bild auf der entgegengesetzten Seite befand, und legte sie exakt aufeinander.

Wir verließen das Hotel und nahmen ein Taxi, mit dem ich sie zu Hause absetzte. Beim Aussteigen bat sie mich, nicht mehr in den Club zu kommen. Ich war jetzt ein besonderer Kunde und musste sie nicht dort treffen, wollte ich sie wiedersehen, sollte ich anrufen, dann würden wir den Tag, die Uhrzeit und einen angemessenen Ort ausmachen.

Zu Hause angekommen, überschlug ich kurz meine Ausgaben und kam zu dem Ergebnis, dass ich in nur einer Nacht, mit dem Eintritt in den Club, Taxi, Hotel, Trinkgeld für den Türsteher und der Bezahlung von Geovanna, genau die Hälfte meines gesamten monatlichen Einkommens ausgegeben hatte. Aus diesem Grund wollte ich wenigstens ein paar Tage warten, um sie wiederzusehen. Doch es gelang mir nicht und ich rief sie am nächsten Tag an.

Wir sprachen wenig, ich bemerkte, dass sie gerade aus irgendeinem Grund nicht reden konnte, vielleicht hatte sie einen Kunden, dann verabredeten wir ein Treffen im Ibirapuera Park, am Samstag, um zwei Uhr nachmittags. Ich zählte die Tage, die Stunden, die Minuten.

Viel früher als vereinbart erreichte ich den Park. Ich wollte sie treffen, bevor sie mich traf, leider erfolglos. Nachdem ich ein paar Minuten gewartet hatte, spürte ich eine Hand auf meiner Schulter und drehte mich um. Geovanna war heute noch schöner als an dem Abend im Club, das Make-up nicht so übertrieben aufgetragen. Ich berührte ihr Gesicht und fühlte ihre zarte Haut, schaute ihr in die Augen und ein paar Sekunden verharrten wir, bevor Geovanna mich sanft an sich zog und wir uns lange küssten. Es war wie ein Traum, ich verlor das Bewusstsein, eine Mischung aus unerklärlichen Gefühlen der Leidenschaft, Begeisterung und Scham, alles gleichzeitig, wie der Beginn einer Liebesbeziehung von zwei Jugendlichen, mehr als das, der Anfang einer Liebe, bei der man den Blick nicht von der geliebten Person abwenden kann. Wir sprachen nicht, unterhielten uns mit verliebten Blicken, hielten uns an den Händen, drückten sie hin und wieder, gaben uns kurze und lange Küsse, wie es die Blicke zuließen.

Bei Einbruch der Nacht verließen wir den Park, aßen in einem kleinen japanischen Restaurant in der Liberdade, danach fragte ich, ob ich sie im Club absetzen sollte. Sie zögerte kurz, dann antwortete sie, dass sie spätestens um einundzwanzig Uhr dort sein müsste, jedoch nach einem solch wunderbaren Tag nicht arbeiten, keinen Kunden bedienen könnte. Ich lud sie ein, die Nacht mit mir zu verbringen, ohne zu wissen, wo. Da ich mir mit vier Kommilitonen eine kleine 3-Zimmer-Wohnung teilte, konnte ich sie nicht dorthin mitnehmen. Also verbrachten wir die Nacht in einem Motel – weit entfernt von dem Club. Es war wunderbar. Am nächsten Morgen setzte ich sie zu Hause ab und wir verabredeten uns erneut für die kommende Woche.

Meine Sehnsucht war nicht zu übersehen, bei der Arbeit wollten alle den Grund wissen: Neue Freundin? Arbeit? fragten sie. Ich versuchte, mich mit anderen Dingen abzulenken, der Uni, Bars, beim Billard mit Freunden, doch meine Gedanken waren immer woanders, besser gesagt bei jemand anderem. Meine Freunde vermuteten, dass ich ein schwerwiegendes Problem hätte. Tatsächlich hatte ich das, und es war so schwerwiegend, dass ich nicht mehr wusste, was ich tun sollte. Nächtelang lag ich wach und dachte darüber nach, wie ich Geovanna von diesem Leben fernhalten und mit ihr zusammen sein könnte. Aber wie? Mir fiel nichts ein, was realisierbar gewesen wäre. Ich träumte von mehreren Lösungen, doch in meiner aktuellen Situation würde sich keine verwirklichen lassen.

*****

Dieses Mal holte ich sie, wie am Telefon ausgemacht, zu Hause ab. Ich lernte ihre Mutter kennen, wurde als ein

Freund vorgestellt, außerdem ihre Schwester und ihren kleinen, zehnjährigen Bruder. Dona Ermelinda berichtete, wie schwer es wäre, allein mit ihrer Arbeit für die Kinder zu sorgen. Deshalb dankte sie Gott dafür, dass Geovanna den Job in der Bingohalle bekommen hatte, denn die finanzielle Unterstützung war zu Hause sehr willkommen. Sie lud mich zum Mittagessen ein und gegen Geovannas Willen sagte ich zu. Ich unterhielt mich sehr lange mit ihrer Mutter, die mir viele Fragen über meine Arbeit stellte und mir erzählte, dass sie alles getan hatte, um Geovanna ein Studium zu ermöglichen, jedoch ohne Erfolg.

Nach dem Mittagessen beschloss Dona Ermelinda über ihren Ehemann zu sprechen, einen Italiener namens Lúcio, der nach dem Ende des Zweiten Weltkriegs, er war noch ein Kind, nach Brasilien gekommen war. Sie hatte ihn in São Paulo kennengelernt, in der Stadt, in die Dona Ermelinda aus dem Nordosten gezogen war, um – wie sie sagte - als Hausmädchen bei sehr reichen Leuten zu arbeiten. Ihre Arbeitgeber hatten mehrere Angestellte, Lúcio war der Gärtner des Hauses, sie verliebten sich, heirateten und gründeten eine Familie. Zwei Jahre später fand Lúcio eine neue Arbeit als Metallarbeiter in einer großen Haushaltsgerätefabrik. Er besuchte Weiterbildungskurse für die Mitarbeiter, doch nach einiger Zeit verlor er seinen Job, weil die Zahl der Angestellten reduziert wurde, nachdem neue, modernere Maschinen angeschafft worden waren, die die Arbeit von bis zu fünf Männern ersetzen konnten – wie Dona Ermelinda mit einem gewissen Staunen im Blick berichtete. Dann nahm er die Abfindung und reiste nach Italien, in der Hoffnung, dort mehr Glück zu haben, versprach jedoch zurückzukommen und die Familie zu holen. Er hat sich nie wieder gemeldet.

Dona Ermelinda wusste nichts über den Aufenthaltsort ihres Mannes, nicht einmal in welche Stadt er gegangen war oder ob er tatsächlich in Italien lebte. Mit Tränen in den Augen verstummte die sympathische Dame und erhob sich mit der Entschuldigung, Kaffee kochen zu wollen. Um den Späßen von Geovannas Bruder zu entgehen gab ich vor, mich für ein Fußballspiel im Fernsehen zu interessieren. Es funktionierte jedoch nicht, der Junge ließ mich nicht in Ruhe mit seinen idiotischen Spielchen und Fragen, die noch nervender waren. Ich musste mir etwas einfallen lassen, um dieser unangenehmen Situation zu entkommen. Deshalb schlug ich Geovanna und den Geschwistern vor, ein Eis essen zu gehen. In der Eisdiele machte sie sich keine Gedanken mehr darüber, dass sie zu Hause erzählt hatte, wir wären lediglich Freunde, sie umarmte und küsste mich vor ihren Geschwistern. Die jüngere Schwester lächelte nur, doch der Junge hörte nicht auf, Dinge zu sagen, die mich noch verlegener machten, weshalb ich den Ausflug abkürzte. Nachdem ich die drei zu Hause abgesetzt hatte, fuhr ich weiter, ohne noch einmal hineinzugehen und mich von Dona Ermelinda zu verabschieden.

Von da an trafen wir uns häufig, auch wenn Geovanna weiterhin in dem Club arbeitete, was mir in meinem Innersten wehtat. Andererseits hatte ich die Zustimmung Dona Ermelindas, die sich über unsere Beziehung sehr freute und mich wie einen Sohn behandelte. Ich spürte ihre tiefe Zuneigung und ihren großen Respekt, fast Dankbarkeit, als wüsste sie insgeheim, dass ich mit ihrer Tochter ein besseres Leben teilen wollte.

Am Ende dieses Jahres beendete ich mein Studium, bekam eine feste Anstellung bei der Zeitung und kaufte mein erstes Auto. Ich war zweiundzwanzig Jahre alt, Geovanna zwanzig, noch immer arbeitete sie in dem Club, doch da sie schon lange dort tätig war, genoss sie einige Vorteile, beispielsweise früher aufhören zu dürfen und sogar ein paar Nächte zu fehlen, trotzdem konnte ich den Gedanken daran nicht mehr ertragen.

Mein Leben hatte sich verbessert und ich beschloss, ein Apartment in Vila Maria zu mieten, das in der Nachbarschaft des Viertels lag, in dem Geovanna mit ihrer Familie wohnte. Nach drei Monaten hatte ich es eingerichtet. Ich war Mitglied der Gemeinschaft ‚Freunde des Viertels' und schrieb ein paar Artikel für die Stadtteilzeitung. Es dauerte nicht lange und man schlug mir vor, Verleger des kleinen Blattes zu werden. Ich nahm an. Dies verhalf mir zu guten Kontakten und ich gewann an Einfluss. Für Geovanna fand ich eine Stelle als Geschäftsführerin bei einem Anzeigenkunden unserer Zeitung, der ein großes

Kaufhaus besaß. Sie stimmte zu, obwohl sie wusste, dass sie den ganzen Tag über hart würde arbeiten müssen und sogar an manchen Wochenenden, außerdem würde sie sehr viel weniger verdienen als in dem Club. Ich fragte sie, ob sie mit mir zusammenziehen wollte. Wir lebten ein normales Leben und waren trotz der finanziellen Schwierigkeiten glücklich. Samstagabends gingen wir ins Restaurant, und sonntags aßen wir bei Dona Ermelinda zu Mittag.

Hin und wieder beschwerte sich Geovanna, wie schwierig alles wäre. Natürlich konnte sie mit dem Gehalt aus dem Laden nicht denselben Lebensstandard halten, trotzdem bestand sie darauf, Dona Ermelinda zu helfen, was ich absolut unterstützte, und ich bemühte mich, dazu beizutragen.

Mit der Zeit wurden Geovannas Klagen häufiger und oft gerieten wir in Streit. Die Besuche bei der Kosmetikerin, Parfüms, Kleidung, mit dem Bus statt mit dem Taxi fahren zu müssen, es gab immer einen Grund sich aufzuregen, egal, wie sehr ich versuchte, sie zu beschwichtigen, indem ich ihr manchmal mein Auto daließ oder zum Kauf des einen oder anderen Schönheitsprodukts beitrug. Geovanna wollte immer mehr, etwas fehlte, das Geld fehlte. Sie war an den Verdienst aus dem Club gewöhnt und jetzt war sie nicht bereit, die Ausgaben, die ich für unnötig hielt, zu kürzen.

Eine Zeit lang hatte Geovanna keinen Kontakt zu den

Mädchen aus dem Club, doch dann stellte ich fest, dass sich ihre Anrufe und Besuche häuften. Bis heute weiß ich nicht, ob Geovanna sie aufsuchte oder es tatsächlich Zufall war – nach jedem dieser Besuche spürte ich ihre zunehmende Unzufriedenheit mit dem harten Leben, in dem sie Arbeit und häusliche Pflichten in Einklang bringen musste. Und wenn die Freundinnen sie nach ihrem Leben fragten, antwortete Geovanna kurz und wenig begeistert „alles in Ordnung" und wechselte schnell das Thema, erkundigte sich neugierig nach den Abenteuern und Enttäuschungen der Mädchen im Club.

Ich war kurz davor, mein erstes Buch abzuschließen. Dank des Einflusses, den ich durch viel Arbeit sowie einige Gefälligkeiten der kleinen Zeitung gewonnen hatte, verhandelte ich schon vor Beendigung der Arbeit mit einem Verlag. Es war meine große Chance, einen Traum zu verwirklichen und Geovanna ein besseres Leben zu ermöglichen.

An einem Samstagnachmittag besuchte uns Lucimara, eine Freundin, die mit Geovanna im Club gearbeitet, jedoch noch vor ihr gekündigt hatte. Lucimara erzählte, dass sie nur vorübergehend in Brasilien wäre, vor einem Jahr hatte sie Brasilien auf Einladung eines Italieners, den sie im Club kennengelernt hatte, verlassen. Sie arbeitete als Tänzerin in einem Show Club in Mailand und verdiente sechs- oder siebenmal mehr als in dem Club in São Paulo. Dann geschah das, was ich immer befürchtet hatte. Lucimara lud Geovanna ein, mit ihr nach Europa zu kommen. Sie hatte eine Woche Bedenkzeit. Es war die schlimmste Woche meines Lebens. Geovanna versuchte mich davon zu überzeugen, sie zu begleiten. Mehrmals am Tag wiederholte sie: „Dort muss ich mich nicht verkaufen, nur tanzen, mein Geliebter." Ich verbrachte die meiste Zeit damit, ihr diese Idee vom leichten Geld auszureden. Unsere Streitigkeiten nahmen zu. Ich sagte ihr, dass sie mich, würde sie sich tatsächlich zur Abreise entschließen, nie mehr aufsuchen sollte. In den verbleibenden Tagen hörte ich auf, ihre Fragen zu beantworten, sprach sie nicht mehr an. Ich brach unsere Beziehung ab, in der Hoffnung, sie würde ihre Meinung ändern. Doch es nützte nichts. Sie reiste ab, ohne eine Nachricht zu hinterlassen. Am Abend, als ich von der Arbeit nach Hause kam, stellte ich fest, dass ein großer Teil ihrer Kleider – zumindest die besten Stücke – nicht mehr im Schrank hingen. Ohne eine Nachricht, ohne Vorwarnung, ohne mich wenigstens in der Zeitung anzurufen, war Geovanna gegangen, hatte mich verlassen.

Zwei Tage danach erhielt ich die Nachricht von ihrer Schwester. Sie erzählte mir, dass Geovanna es vorgezogen hatte, sich nicht zu verabschieden. Sie wollte mich nicht sehen, genauso wenig wie ihre Mutter, denn wir waren die einzigen Menschen, die sie hätten überreden können, zu bleiben. Sie sagte außerdem, dass Geovanna auf der Suche nach einem besseren Leben abgereist war, sie in Italien eine gute Arbeit finden und danach ihren Vater suchen würde. Ich denke, sie tat dies, damit Dona Ermelinda, auch wenn sie sich nicht hatte von der Tochter verabschieden können, ihr verrücktes Verhalten billigte. In diesem Augenblick dachte ich: Bin ich denn nicht in der Lage, sie davon abzuhalten? Dona Ermelinda, ok, sie hatte nicht einmal Gelegenheit, ihre Tochter vor der Abreise zu sehen und hatte sich von einem möglichen Treffen mit Lúcio mitreißen lassen, aber ich, was hatte ich getan? Nichts! Ich hatte eine Woche Zeit, sie von ihren Plänen abzubringen und es war mir nicht gelungen. Statt mit ihr zu sprechen, ihr meine Meinung darzulegen und zu erklären, wie wichtig mir ihre Gesellschaft ist, sagte ich nichts. Im Gegenteil, ich brach die Beziehung ab, glaubte, dass Schweigen mehr brächte als jedes Wort, dass ich ihr so meine Missbilligung zeigen und sie zum Nachdenken anregen würde. Wie konnte ich nur so naiv sein? Ich hatte aufgehört, mit meiner Freundin zu kommunizieren und dadurch ihren Wunsch verstärkt, zu gehen. Tagelang quälte mich diese Frage. Doch nach einigen schlaflosen Nächten kam ich zu dem Ergebnis, dass Geovanna die einzig Schuldige war. Sie hatte entschieden, alles hinter sich zu lassen, wegen einer Illusion, wegen leichtem Geld, wahrscheinlich würde sie sich erneut prostituieren. Wie oft hatte man Geschichten von Mädchen gehört, die Brasilien verlassen hatten und denen es schlecht ergangen war. Manche wurden Sklavinnen ihrer Zuhälter. Arme Geovanna, sogar auf dem Gipfel meiner Wut tat mir die Frau leid, die ich einmal hatte glücklich machen wollen.

Ein paar Wochen später rief Geovanna an, versuchte mehrmals, mit mir zu sprechen, hinterließ eine Nachricht auf dem Anrufbeantworter, die ich löschte, ohne sie anzuhören, sie schrieb Briefe, die ich zerriss, ohne sie zu lesen. Mit der Zeit wurden die Briefe seltener, bis schließlich keine mehr eintrafen.

*****

In den vergangenen achtzehn Jahren suchte ich eine andere Geovanna in der Rua Augusta, vergeblich. Damals stürzte ich mich in die Arbeit, doch selbst der Erfolg meiner Bücher hielt mich nicht davon ab, dass all meine Nächte in derselben Straße endeten. Ich kannte fast alle Nutten der Region, doch nie ließ ich mich emotional auf eine von ihnen ein. Ich konnte mich nicht einmal mit ihnen unterhalten, wie es beim ersten Treffen mit Geovanna geschehen war. Bei den anderen kam ich direkt zur Sache: Sex, Bezahlung, zu viel Alkohol und keine Gespräche. In den Nächten größter Verzweiflung nahm ich zwei oder drei Mädchen mit nach Hause. Dennoch fand ich keine, die tatsächlich Gefühle in mir wachrief, wie es mit Geovanna geschehen war. Alle waren an Geld interessiert, einem leichten Leben. Wenn sie statt eines fünftklassigen Hotels ein anderes Restaurant oder Lokal vorschlugen, dann lediglich, um neben mir in einem der Klatschblätter zu erscheinen, was mir nur schadete. Die verdammten Journalisten bestanden darauf, Dinge zu veröffentlichen wie: Berühmter Schriftsteller in flagranti mit einer Prostituierten erwischt. Doch während unserer Liaison bemühten sie sich vergeblich, sich auf meine Kosten mit derartigen Nachrichten zu promoten.

Ich bin mir sicher, dass mein Literaturagent mich nur deshalb nicht verstieß, weil wir schon zu Beginn unserer Karrieren sehr gute Freunde waren. Wir hatten gemeinsam angefangen und es war ihm jedes Mal gelungen, die Bescherungen, die ich anrichtete, zu vertuschen oder wenigstens abzumildern. Ganz zu schweigen von den Streitigkeiten mit den Mädchen in der Rua Augusta, die mir Skandale und Hämatome einbrachten, weil ich unterstellte, sie würden andere Kunden bevorzugen.

Ich habe keine Ahnung, warum ich hoffte, eines Tages jemanden in dieser verdammten Straße kennenzulernen. Tatsache ist, dass es mir nicht gelang, mich an irgendwelchen anderen Orten für Frauen zu interessieren. Nie gab ich die Hoffnung auf, eine neue Geovanna zu finden. Doch eigentlich suchte ich dieselbe Geovanna. Ich wollte eine neue Geschichte anfangen oder besser gesagt, suchte nach einer Chance, das Ende dieser Geschichte zu ändern, ohne zu erkennen, dass es unmöglich war. Die Jahre vergingen und während dieser Zeit stieg die Popularität meiner Bücher wie die Zahl meiner persönlichen Skandale.

# 4

Seit Geovannas Brief arbeitete ich nicht mehr und hatte sogar aufgehört, mich zu amüsieren. Der Satz ‚Obwohl ich erst zweiundvierzig Jahre alt bin‘, ließ mich unentwegt an sie und die verlorene Zeit denken. Im Grunde lebte ich noch in der Illusion, sie eines Tages ganz für mich zu haben, und erst dieser Satz machte mir klar, dass die Zeit vergangen war oder besser gesagt, dass es nicht die Zeit ist, die vergeht, sondern wir. Als würde das Leben verrinnen wie der Sand in der Sanduhr der Existenz. Jetzt war sie krank und dem Inhalt des Briefes nach würden wir nie wieder zusammenleben. Diese Vorstellung hatte ich immer genährt und auch wenn es jeder Realität widersprach, malte ich mir aus, eines Tages mit Geovanna als meiner Frau zusammenzuleben, und sei es im Alter. Ich hatte bereits Geschichten von Leuten gehört, die ihr Zuhause verlassen hatten und jahrelang verschwunden waren. Zum Lebensende hin jedoch kehrten sie zurück, um an der Seite des geliebten Menschen zu sterben. Doch sie wollte mich nicht bei sich haben, nicht einmal kurz vor ihrem Tod. Sie wollte lediglich, dass ich, nach Jahren, die Vaterschaft für einen Sohn übernahm, den sie mir das ganze Leben über verheimlicht hatte und von dem sie nicht einmal wusste, ob es tatsächlich meiner war. Der Junge hatte ein Heim, eine Mutter und einen Vater, den er, leiblich oder nicht, als solchen kannte. Wieso dachte sie, ich würde mich von meinen Verpflichtungen freimachen und Brasilien verlassen, um einen Jungen kennenzulernen, der, wie sie selbst sagte, total gleichgültig reagiert hatte, als er von meiner Existenz erfuhr? Was könnte sie wollen? Dass ich noch einmal leide? Wollte sie mich ein letztes Mal in ihrem Leben demütigen, mich bis nach Deutschland locken, nur damit ich sah, dass sie gut verheiratet war, eine Familie hatte? Vielleicht war sogar die Krankheit eine Lüge, die sie im Brief erfunden hatte, um mir noch mehr Leid zuzufügen, mich wie einen Idioten dastehen zu lassen, wohlwissend, dass ich all diese Jahre aus Liebe zu ihr gelitten hatte. Und jetzt, nach so langer Zeit, sollte ich ihr wegen eines einfachen Briefs in die Arme fallen? Wer weiß, vielleicht wollte sie sich nur rächen wegen der Male, die sie versucht hatte, mich anzurufen oder wegen der Briefe, die sie geschrieben hatte? Ich weiß, dass ihre Schwester und Dona Ermelinda nur auf Geovannas Bitte hin unzählige Male versucht hatten, mich aufzusuchen. Deshalb empfing ich sie nicht, floh vor ihnen, hinterließ absurde Nachrichten, um sie nicht treffen zu müssen. All dies konnte nur dazu geführt haben, dass Geovanna erkannt hatte, dass ich sie noch immer liebte, sie vermisste und mich deshalb versteckte. Jetzt wollte sie Rache nehmen.

Die Schlussfolgerung war endgültig, ich musste den Brief zerreißen und sie endlich ein für alle Mal vergessen. Selbst wenn es ihr tatsächlich schlecht ging, in diesem Moment entschied ich, sie auf der Stelle in mir zu töten. Das brachte mich zum Weinen, doch ich musste daran glauben. Für mich war Geovanna tot und begraben.

# 5

Am nächsten Morgen wachte ich auf, entschlossen, ein neues Leben zu beginnen. Schon früh kam ich in die Redaktion der Zeitung, um meine wöchentliche Kolumne zu schreiben, wie ich es seit langem nicht getan hatte. Alle wunderten sich und kamen auf mich zu, nicht, um mich zu begrüßen, sondern um nach dem Grund für mein bedrücktes Aussehen zu fragen. Ich tat so, als erstaunten mich die Kommentare und antwortete, dass der Eindruck täuschte, sie mich seit ewigen Zeiten nicht gesehen hatten und das vielleicht der Grund war.

Seit ich die Kolumne übernommen hatte, ging ich nicht mehr in die Redaktion, sondern schickte die Texte von zu Hause aus. Eigentlich hatte ich mich bereits an meinen neuen Beruf als Schriftsteller gewöhnt und vergessen, dass ich Journalismus studiert hatte. In meinem tiefsten Inneren hasste ich Journalisten, auch wenn ich den wahren Grund dafür nie herausfand: War es, weil ich den Beruf nicht ausübte oder einfach, weil sie mich nicht in Ruhe ließen? Doch jetzt hatte ich beschlossen, dass ich den verfluchten Brief in der Redaktion vergessen und mich ein bisschen ablenken würde. Leute zu sehen und über unwichtige Dinge zu sprechen, könnte mir guttun.

Aus Statusgründen der Zeitung gab es mein Büro mit dem Schild ‚Eric Resende' an der Tür noch immer. Ich verbrachte zwei Stunden in der Redaktion, die mir wie eine Ewigkeit vorkamen, und konnte nicht einen Absatz schreiben. Ich ging auf den Parkplatz, um zu rauchen, lief durchs Gebäude und in einem der Stockwerke stieß ich auf einen Saal voller junger Menschen, die sich mehr zu amüsieren als zu arbeiten schienen. Ich betrat den großen Raum, der mit Zwischenwänden, die nicht einmal eineinhalb Meter hoch waren, unterteilt war und dachte unweigerlich: Was für ein schrecklicher Arbeitsplatz, es gibt keine Privatsphäre, man musste sich nur ein bisschen erheben, schon konnten alle sehen, was ihre Nachbarn taten, konnten die Gespräche neben sich hören. Doch dann stellte ich fest, dass das, was ich als Problem sah, für diese Jugendlichen das Beste an diesem Ort war. Von allen Seiten des Saals aus riefen sie sich Dinge zu, zwischen den Verschlägen bildeten sich Diskussionsrunden. Es schien, als erfüllte die kleine Wand einen ganz anderen Zweck, als ich angenommen hatte. Ich spürte, dass sie ohne diese Abtrennungen noch übermütiger gewesen wären. Die Wände dienten nicht wie in Büros allgemein üblich als Raumteiler, vielmehr ging es darum, die Ausgelassenheit der jungen Menschen im Zaum zu halten. Gäbe es diese Verschläge nicht, säßen wahrscheinlich alle gemeinsam auf den Tischen. Doch stattdessen arbeiteten alle harmonisch in Gruppen zusammen, ihre Fröhlichkeit war ansteckend, etwas, was ich vor langem verlernt hatte.

Ich beobachtete sie eine ganze Weile und plötzlich unterbrachen sie die Gespräche, schauten mich mit einer Mischung aus Schreck und Überraschung an. Ich begrüßte sie etwas lustlos und ohne zu wissen, wie ich mich verhalten sollte, ging ich zum Wasserspender und während ich Wasser trank, kam eine junge Frau auf mich zu und fragte, ob sie mir irgendwie helfen könnte. Ohne nachzudenken, sagte ich ja.

Ich bat ein vierundzwanzigjähriges Mädchen, das eine Kolumne über Belanglosigkeiten für Jugendliche schrieb, um Hilfe. Priscila hatte gerade ihr Studium abgeschlossen und die Kollegen sagten, sie sei bei der Zeitung untergekommen, weil sie die Tochter eines der Direktoren war. Vielleicht dachte sie, ich würde scherzen, als ich sagte, dass sie helfen könnte. Doch bereits in meinem Büro stellte ich fest, dass es sie tatsächlich glücklich machte, mir helfen zu können, was ebenfalls half, und zwar sehr, meine Verlegenheit zu verbergen.

„Fällt Ihnen nichts ein? Über was genau würden Sie gerne schreiben?", fragte sie.

„Ehrlich gesagt, möchte ich nichts schreiben, aber die Zeitung verlangt eine wöchentliche Kolumne. Ich habe immer geschrieben, so viel, dass ich mehrere Texte in Reserve hatte, die nur darauf warteten, abgegeben zu werden. Ich hätte bis zu drei Monate aushalten können, ohne etwas aufs Papier zu bringen, hätte nur in meine Dateien schauen und dort etwas zur Veröffentlichung aussuchen müssen. Allerdings muss ich zugeben, dass mein Vorrat erschöpft ist, seit exakt sechs Monaten habe ich nichts Neues mehr geschrieben. In dieser Zeit habe ich meine alten Texte geschickt, doch wie ich schon sagte, ist die Quelle versiegt. Was bleibt ist nicht geeignet, in einer Zeitungskolumne veröffentlicht zu werden."

Einen Augenblick lächelte sie, dann sagte sie überrascht:

„Wahnsinn! Ich hätte nie gedacht, dass jemand wie Sie eine Schreibblockade durchmachen könnte. Ihre Kolumne und Ihre Bücher sind immer wundervoll und inspirierend. Würde ich alles glauben, was in der Presse über Sie geschrieben wird, würde ich sagen, dass Ihre Texte definitiv kein Abbild der Realität sind, trotzdem würden Ihre Abenteuer auch gute Texte abgeben... Entschuldigen Sie!", fuhr sie lächelnd fort, „ich hatte Sie zwar noch nicht persönlich kennengelernt, doch ich habe immer sehr viel Gutes über Sie gehört, habe all Ihre Bücher gelesen. Sie haben meinem Vater immer ein Exemplar geschickt und ich muss zugeben, dass mich ihr Stil anregt, obwohl ich nur diese kleine Kolumne für Jugendliche schreibe. Ich filtere ein paar Sachen heraus, eine Lehre für meine jugendlichen Leser, von der sie profitieren können, natürlich humorvoll."

Priscilas Kommentare machten mich verlegen. Dennoch schrieb ich mit ihrer Unterstützung einen witzigen Beitrag über die Schwierigkeiten von Jugendlichen, ihre erste Anstellung zu finden. Ich stellte einen Zusammenhang zwischen der Unterstützung des Jugendlichen in der entscheidenden Phase der Vorbereitung auf den

Arbeitsmarkt durch die Eltern her. Zuerst erschien mir der Text miserabel, doch es gelang dem Mädchen, mich vom Gegenteil zu überzeugen. Ich machte mir ohnehin keine Sorgen, und Priscilas Begeisterung, mir zu helfen, ließ mich eine gewisse Freude empfinden. Ich korrigierte den Text zwei- oder dreimal und entschied, nicht weiter daran zu rühren. Die Frau war wirklich geeignet und nicht nur, weil sie die Tochter einer der Direktoren war. Sie hatte Talent, war sehr gut gelaunt und überdies sehr hübsch. Nicht, dass diese Tatsache wichtig wäre, um einen Job zu bekommen, schon gar nicht als Direktorentochter, dennoch war es mir von Anfang an aufgefallen.

Ich übergab dem für die Ausgabe verantwortlichen Redakteur persönlich den Text. Er wunderte sich über meine Anwesenheit und noch mehr über die Begleitung von Priscila, aber er blieb diskret, sagte nichts, begrüßte mich lediglich, bedankte sich für den Beitrag und meinen Besuch in der Redaktion.

Gemeinsam mit meiner neuen Freundin lief ich durch die Gänge, begrüßte Personen, die ich lange nicht gesehen hatte, und wir besuchten die Leute vom Versand, mit denen ich mich früher häufig unterhalten hatte, da ihre witzigen Geschichten mich zum Schreiben inspirierten. Wir tranken einen Kaffee in einem Imbiss gegenüber der Zeitung und ich nutzte die Gelegenheit, mit Joaquim zu sprechen, der seit meiner Zeit in der Redaktion Inhaber des kleinen Restaurants war. Danach kehrten wir in das Großraumbüro mit den jungen Leuten zurück. Ich machte ein paar Witze, erzählte und hörte Geschichten, all das mit Priscila neben mir, die zu diesem Zeitpunkt bereits eine derart präsente Begleiterin geworden war, als würden wir uns seit Jahren kennen und als gäbe es keinen Grund, sich über unser Zusammensein zu wundern. Vielen, die uns sahen, schien dies merkwürdig vorzukommen. Ich, der ich seit Monaten nicht in der Zeitung erschienen war, in Begleitung der Tochter des Direktors, die gerade erst eingestellt worden war. Es lag in der Luft, dass sie nur darauf warteten, bis wir den Raum verlassen hatten, um ihre boshaften Kommentare loszuwerden. Doch es machte mir nichts aus und ich merkte, dass es auch Priscila nicht störte. Ich schaute auf die Uhr, die Zeit war wie im Fluge vergangen, fünf Uhr nachmittags, Ende des Arbeitstages. Ich fragte Priscila, ob sie ihre Kolumne bereits geschrieben hätte, sie gestikulierte zustimmend.

„Was für ein Glück, denn ich hätte keine Zeit gehabt, Ihren Gefallen zu erwidern", scherzte ich.

Wir verließen das Zeitungsgebäude und gingen in ein kleines Weinlokal auf der gegenüberliegenden Straßenseite. Die jungen Mitarbeiter, die zu den normalen Arbeitszeiten in der Zeitung arbeiteten, waren bereits alle dort, Praktikanten, Hochschulabsolventen, ein paar Reporter, die in meinem Alter zu sein schienen und bereits die Betrunkensten waren. Sie saßen am besten Tisch, einem alten Weinfass, draußen vor dem Lokal, sprachen und lachten laut.

Auch ich war schon oft dort gewesen, doch das war lange her, mindestens zehn Jahre. Die Leute schauten, als wäre ich ein Fremder oder besser gesagt, als würde etwas sehr Merkwürdiges passieren. In diesem Augenblick wurde mir bewusst, wie isoliert ich in den letzten Jahren gelebt hatte. Meine nächtlichen Ausflüge beschränkten sich auf die Rua Augusta, wo niemand niemanden kannte oder kennen wollte, oder auf irgendwelche Veranstaltungen oder Verabredungen. Wohingegen ich bei letzteren zumindest die Gewissheit hatte, ein angesehener Schriftsteller zu sein. Oft erkannten mich die Leute in den Restaurants und Bars, in denen ich verkehrte, doch aus Scham oder weil sie es für lächerlich hielten, eine Berühmtheit zu belästigen, taten sie, als würden sie meine Anwesenheit nicht bemerken. Hier war es anders, die Praktikanten, die jungen Leute und sogar ein paar Reporter kamen auf mich zu. Ein paar hatten Fotoapparate in der Hand und umarmten mich, ohne um Erlaubnis zu bitten. Sobald ich versuchte, mich zu bewegen, hing bereits der nächste an mir. Ich spürte die Nähe von Priscila, die an der Wand lehnte und über die ganze Situation lachte, während ich versuchte, ruhig zu bleiben. Ich war es nicht gewohnt, derart umschwärmt zu werden, doch ich war wohlerzogen, hätte nie jemanden schlecht behandelt oder mich lustig gemacht, denn eigentlich zollten sie mir nur Anerkennung. Ein weiteres Mal an diesem Tag fühlte ich mich glücklich. Ich umarmte Leute, machte Fotos und stellte fest, dass ich nicht nur ein in einer Wohnung isolierter Schriftsteller war, ein einsamer Leidender. Es gab noch Menschen auf der Welt, die mich bewunderten und mich sogar mochten.

Nachdem ich mich ein oder zwei Stunden mit Praktikanten und Journalisten unterhalten hatte, gelang es mir, mich neben Priscila zu setzen, die lächelnd ihren Wein trank.

„Entschuldige die Verspätung", alberte ich.

„Das ist der Ruhm. Das gehört zum Beruf", antwortete sie.

Ich war so glücklich wie lange nicht mehr. Jetzt wollte ich diese ganze Freude auch mit meiner neuen Freundin teilen und feiern.

# 6

Am folgenden Tag wachte ich mit starken Kopfschmerzen auf. Ich tastete nach meiner Armbanduhr, der einzigen Uhr in der ganzen Wohnung, die wie meistens auf dem Boden neben dem Bett lag. Es war zehn Uhr morgens. Neben mir schlief Priscila, nur mit einem Laken bedeckt. Ich zupfte diskret daran. Erleichtert stellte ich fest, dass sie Jeans und T-Shirt trug und nur Schuhe und Strümpfe ausgezogen hatte. Verzückt bewunderte ich die schönen Füße, der durchsichtige Nagellack auf ihren gepflegten Fußnägeln glänzte in der Sonne, die durchs Fenster schien. Aufmerksam musterte ich diese wundervollen Füße und bemerkte Einzelheiten, die sie noch herausfordernder machten, etwas Subtiles, eine unvergleichliche Schönheit, zart, leicht. Ich stellte fest, dass ihr Körper so schön war wie ihr Gesicht. Einige Augenblicke bewunderte ich Priscila im wahrsten Sinne des Wortes von Kopf bis Fuß. Dann versuchte ich, an etwas anderes zu denken. Insgeheim beruhigte es mich, dass wir nichts getan hatten, außer im selben Bett zu schlafen, auch wenn mich das ein paar Sekunden später frustrierte.

Vorsichtig verließ ich das Bett, nahm eine eiskalte Dusche, zog saubere Sachen an und ging zum Bäcker. Ich kaufte frische, noch warme Brötchen und schlenderte über den Markt. Wieder zu Hause, bereitete ich das Frühstück vor, mit Orangensaft, Obst und allem, was ich in der bis zum Aufwachen Priscilas berechneten Zeit hatte einkaufen können. Glücklicherweise schlief sie noch, als ich zurückkam. Behutsam streichelte ich ihre kurzen, weichen und duftenden kastanienbraunen Haare. Ein paar Augenblicke konnte ich ihre Füße genießen, die mich magisch anzogen, bevor Priscila aufwachte und verwirrt lächelte. Ihre halbgeöffneten blauen Augen blitzten im Licht der Sonne, die ihre Schönheit noch betonte. Ein Bild, das hervorragend zur Frische eines sonnigen Morgens passte. Auch wenn sich beide Frauen physisch nicht ähnelten, erinnerte mich Priscila für einen kurzen Moment an Geovanna. Ich bat sie in die Küche, sie stand auf, ging ins Bad und schloss die Tür ab. Es dauerte ein paar Minuten und als sie herauskam, strahlten ihre Augen. Sie setzte sich neben mich und lobte das Frühstück, das ich vorbereitet hatte.

Verlegen fragte ich nach dem Vorabend, ich wollte sicher gehen, dass ich keinen Exzess begangen hatte. Scharfsinnig und spontan wie sie war, sagte sie sofort:

„Keine Sorge. Du hast keinen Skandal verursacht. Du hast zwar viel getrunken, das stimmt, bist aber nicht in der Öffentlichkeit umgefallen, hast mich nicht blamiert. Im Gegenteil, es war sehr lustig. Bis wir in der Avenida Rio Branco waren, hast du dich auf mich gestützt, dann mussten wir zwanzig Minuten auf ein Taxi warten, trotzdem konntest du dem Fahrer noch deine Adresse sagen. Als wir hier ankamen, bist du ins Bett gefallen und warst weg. Ich habe versucht, dich noch einmal wachzubekommen, aber es war sinnlos. Ah! Und es ist auch nichts zwischen uns gewesen."

Ihre Worte erleichterten mich und machten mich gleichzeitig traurig. Erst jetzt erinnerte ich mich daran, dass mein Auto noch immer in einem Parkhaus in der Nähe der Zeitung stand. Ich musste es holen. Auch Priscila hatte auf ihr Auto verzichtet und es im selben Parkhaus zurückgelassen. Sie erklärte mir, dass sie nie Auto fuhr, wenn sie etwas getrunken hatte, egal wie wenig – was gestern nicht der Fall war. Nach dem Frühstück verabschiedete Priscila sich mit einem Kuss und machte sich eilig auf den Weg, als wohnte sie seit Jahren in dieser Wohnung. Das tröstete mich ein bisschen, denn dass sie so natürlich gegangen war, nährte meine Hoffnung, dass wir uns bald wiedersehen würden.

Ein paar Stunden später nahm ich ein Taxi zum Parkhaus. Mein Auto war das einzige auf einer Fläche mit mindestens hundert Stellplätzen. Das Gesicht des Parkplatzwächters zeigte mir, dass er sehnsüchtig auf diesen Moment gewartet hatte. Sobald ich herausgefahren war, schloss er die Tore und steuerte auf eine Bar auf der gegenüberliegenden Straßenseite zu.

# 7

Zu Hause wurde ich erneut mit dem Brief Geovannas konfrontiert, der noch auf dem Tisch lag. Einen Moment lang hegte ich Zweifel, ob Priscila den Brief gelesen hatte. Doch er lag noch genauso da, wie ich ihn hingelegt hatte. Außerdem würde eine intelligente, sensible junge Frau keine derartige Taktlosigkeit begehen.

Wieder las ich den Brief. Ich überlegte, ein Reisebüro aufzusuchen und ein Ticket nach Deutschland zu kaufen. Vielleicht könnte ich Priscila mitnehmen, sie als meine Freundin oder Ehefrau vorstellen. Geovanna würde es beeindrucken, mich mit einer deutlich jüngeren Frau zu sehen. Nein. Definitiv konnte ich ein solch tolles Mädchen nicht als Schild nutzen oder um Eifersucht zu schüren. Ich dachte darüber nach, Priscila die ganze Geschichte zu erzählen, hatte das Bedürfnis, mir bei irgendjemandem Luft zu machen. Sie war mir gegenüber so hilfsbereit gewesen, hatte sich auf eine Art Gedanken über mich gemacht, wie es lange niemand getan hatte. Warum sollte ich mein Problem nicht mit ihr teilen? Vielleicht konnte sie mir noch einmal helfen.

Ich schaltete den Fernseher ein, es lief ein Fußballspiel. In einer anderen Situation hätte ich den Apparat abgestellt, jetzt legte ich mich aufs Sofa.

Als ich aufwachte, lief ein anderes Programm. Ein Komiker, den ich nicht im Geringsten komisch fand. Im Liegen tastete ich auf dem Wohnzimmerteppich nach meiner Armbanduhr, fand sie nicht und schleppte mich ins Schlafzimmer. Dort lag sie, an ihrem angestammten Platz auf dem Boden neben dem Bett. Zehn Uhr abends. Ich hatte keine Lust, die Wohnung zu verlassen, um Abendessen zu gehen. Optimistisch öffnete ich den Kühlschrank, doch wie zu erwarten gab es nichts Interessantes. Einen Augenblick wünschte ich mir, jemanden zum Reden zu haben, jemanden, der Abendessen machte oder wenigstens einen Imbiss. Schließlich stellten zwei Stücke Pizza, ich erinnere mich nicht einmal, wie lange sie schon dort drin lagen – vielleicht zwei oder drei Wochen – und ein paar Früchte, die vom

Frühstück übriggeblieben waren, mein Abendessen dar. Beim Essen sinnierte ich darüber, wie überflüssig mein Kühlschrank war. Dann erinnerte ich mich an die Bierdosen und stellte fest, dass er mir doch einen wichtigen Dienst erwies. Anders als mein Kühlschrank war mein kleiner Medikamentenschrank immer voll. Ich nahm ein Fruchtsalz, um das Gefühl alter Pizza loszuwerden. Danach duschte ich, ging nackt durch die Wohnung, überlegte, ob ich angemessene Kleidung anziehen sollte, um doch noch auszugehen, oder meine alte schwarze Bermuda, die ich vor einigen Jahren zur Pyjamahose auserkoren hatte. Das Telefon klingelte.

"Hi, Eric! Wie geht's?" Die Stimme klang zugleich sanft und schnippisch.

Meine Antwort kam zögernd. „Super! Ich bereite mich gerade darauf vor, ins Bett zu gehen."

„Schlafen? Jetzt? An solch einem schönen Samstagabend? Wie schade! Ich dachte, ich komme vorbei und wir gehen ein bisschen aus. Ich kenne eine Kneipe mit echt guter Musik. Dachte, du hättest Lust, sie kennenzulernen und mir Gesellschaft zu leisten."

„In diesem Fall verschiebe ich das Schlafen auf später. Wenn ich es recht überlege, habe ich bereits den ganzen Nachmittag geschlafen. Ich glaube, ich bin in der Stimmung auszugehen."

„Ich hole dich in einer Stunde ab!", sagte Priscila am anderen Ende der Leitung.

In letzter Zeit war mein nächtliches Ausgehen von Extremen bestimmt. Entweder hing ich in Clubs oder Bars im Viertel Boca do Lixo herum oder ließ Treffen mit Schirmherren und Buchvorstellungen, Autogrammen und ätzenden Feiern über mich ergehen, zu denen mich der Verlag verpflichtete. Nie wusste ich genau, welche Art Kleidung ich tragen sollte. Ich durchwühlte den Kleiderschrank, fand jedoch nichts, was Priscilas Stil ebenbürtig gewesen wäre. Vielleicht ein sportliches Outfit, schließlich war sie jung. Dafür gab es nichts Besseres als Jeans und Turnschuhe. Wenigstens würde ich mich damit an jedem Ort wohl fühlen. Selbst bei den Verlagssitzungen bediente ich mich dieser Klamotten – gegen den Willen meines Verlegers – genauso wie in den Clubs und Bars in Boca do Lixo. Das war mein Stil, ich konnte von einem Treffen mit Geldgebern kommen und direkt in irgendeine heruntergekommene Bar in der Rua Augusta gehen, dieser Stil passte definitiv in jede Umgebung.

Eine Stunde später klingelte die Gegensprechanlage:

„Senhor Eric, Senhorita Priscila erwartet sie an der Portiersloge."

Einen Moment überlegte ich, sie heraufzubitten. Dann entschloss ich mich, hinunterzugehen und sie in der Eingangshalle zu treffen. Ich war bereits seit vierzig Minuten fertig und sicherlich wartete Priscila sehnsüchtig darauf, auszugehen, den Abend zu genießen und nicht darauf, in einer großen, dreckigen Wohnung zu bleiben, die geschmacklos eingerichtet und mit nutzlosen Möbeln vollgestellt war.

Sie war schön, strahlte Sinnlichkeit und Schönheit aus, etwas, das in der Regel erst Frauen über dreißig gegeben ist. Die abgewaschene Jeans und eine rote Bluse, die ihre Figur betonte, passten zu den ebenfalls roten Sandalen und den in derselben Farbe lackierten Fuß- und Fingernägeln. Diese Frau hatte einen besonderen Geschmack, nichts an ihr wirkte vulgär. Einen Moment lang bewunderte ich sie und freute mich, dass ich mit der Wahl meiner informellen Kleidung richtig gelegen hatte.

„Du bist wunderschön!", stammelte ich. Sie lächelte und wir stiegen in ihr Auto, einen schwarzen Troller Jeep mit verdunkelten Scheiben. Zum zweiten Mal an diesem Abend fühlte ich mich in der Wahl meiner Kleidung bestätigt.

Priscila verließ Jardins Richtung Radial Leste, was mich anfangs ein wenig wunderte. Ich war nicht daran gewöhnt, die Grenzen meines angestammten Territoriums zu überqueren, Rua Augusta, Santa Cecília, Zentrum und Umgebung.

Wir kamen nach Tatuapé und obwohl ich die letzten Jahre in meiner kleinen Welt verbracht hatte, kannte ich die Stadt São Paulo sehr gut und wusste genau, wo ich mich befand. Wir fuhren die Rua Francisco Marengo hinauf und hielten vor einem großen Portal. Der Eingang verriet nichts über die Örtlichkeit. Doch drinnen entpuppte sich das Lokal als Treffpunkt für Leute aller Altersgruppen, die sich auf die verschiedenen Etagen des Hauses verteilten. Zum dritten Mal an diesem Abend stellte ich zufrieden fest, dass ich die richtigen Klamotten für den Ausflug ausgewählt hatte. Auf der Suche nach einem Tisch erkundeten wir die unterschiedlichen Ambiente des Hauses.

In dem Gebäude befanden sich eine Sushi-Bar, eine italienische Sandwich-Bar, eine verglaste Diskothek, in der unerträgliche elektronische Musik gespielt wurde, und eine American Bar, in deren Hintergrund dicke Edelstahlrohre zu sehen waren. Priscila erklärte mir, dass dort das hauseigene Bier hergestellt wurde. Sogar draußen gab es eine Bar, deren Tische verstreut unter Bäumen aufgestellt waren. Wir entschieden uns für die Brauerei, doch kaum hatten wir unsere Getränke geholt, zog Priscila mich am Arm auf die Tanzfläche. Mit der ehrlichen Entschuldigung, erst mein Bier trinken zu wollen, gelang es mir, mich vor einem Tanz zu drücken. Als sie endlich verstanden hatte, dass Tanzen nicht meine Stärke war, schlug sie vor, in die Bar nach draußen zu gehen. Nach langem Warten ergatterten wir einen Tisch unter einem hundertjährigen Baum, der sich dem Lokal seit Jahren widersetzte. Sicher stand er schon lange vor der Bar dort. Der ruhige Tisch lag etwas abseits, fern des

Getümmels. Die Privatsphäre, die der Tisch bot, machte das Warten auf die Bedienung wett. Ich bestellte zwei Bier. Es war bereits mein neuntes oder zehntes Glas, ich hatte den Überblick verloren, und Priscilas zweites. Vielleicht kam es mir deshalb so vor, als würde sie das Getränk viel mehr genießen als ich.

Wir redeten ein bisschen über den Laden, der mir, auch wenn Priscila es nicht glaubte, sehr gut gefiel. An ihrer Seite fühlte ich mich jünger und erneut überkam mich ein Gefühl der Freude.

Nach ein paar weiteren Bieren sprachen und lachten wir laut, doch dank der Lage des Tisches fielen wir nicht weiter auf. Als Priscila erwähnte, angeheitert zu sein, war ich schon total betrunken. Sie schlug vor, dass wir gehen sollten. Ich stimmte zu und bat sofort um den Parkschein, gab ihn dem Parkplatzwächter, setzte mich auf den Fahrersitz und wir fuhren los, ohne genau zu wissen wohin. Ich erinnerte mich daran, was ich am Abend zuvor über betrunken Autofahren gelernt hatte. Doch Priscila schien meinen Zustand nicht zu bemerken, deshalb setzte ich die Fahrt fort, als wäre alles in Ordnung.

Priscila zeigte mir den Weg – links, rechts abbiegen, weiter geradeaus... Schnell erreichten wir ein Wohnhaus ganz in der Nähe des Lokals, das wir vor nicht einmal zehn Minuten verlassen hatten. Vor einer Garage bat sie mich, anzuhalten. Das Tor öffnete sich automatisch und ich parkte, wie von meiner Begleiterin angewiesen, auf Platz 108. Gleich nachdem wir aus dem Auto gestiegen waren, kam sie zu mir herüber, dann gingen wir Händchen haltend zum Aufzug. Wir fuhren in den zehnten Stock, Priscila schob mich durch den Flur und wir betraten Apartment 108.

Es war sehr klein, aber gemütlich. Die Einrichtung war modern und geschmackvoll. Im Wohnzimmer blieb Priscila vor einer großen Vitrine mit mehreren Flaschen stehen und bot mir etwas zu trinken an. Ich akzeptierte den Whisky und auch sie schenkte sich einen ein. Dann schlug sie vor, dass ich es mir gemütlich machen sollte, und verschwand unter der Dusche. Während der dreißig Minuten, die sie im Bad verbrachte, kippte ich noch fünf weitere Gläser ab. Als sie in einem blauen Hausanzug, unter dem sich ihr schlanker Körper abzeichnete, herauskam, schön und parfümiert, das Haar noch feucht, schaute Priscila sich aufmerksam um und erkannte, wie betrunken ich war. Jetzt konnte ich es nicht mehr verheimlichen. Sie entdeckte die leere Whiskyflasche, die ich hinter den anderen in der Vitrine zu verstecken versucht hatte. Einen Fuß auf das Sofa gestützt, auf dem ich saß, nahm sie meine Hände, zog mich mit einem kräftigen Ruck hoch und schleppte mich ins Bett. Von diesem Augenblick an erinnere ich mich an nichts mehr.

Ich wachte vom Duft frischen Kaffees auf und blickte mich verwundert um. Offensichtlich hatte ich in einer

Art improvisiertem Arbeitszimmer übernachtet. Außer dem Schlafsofa, auf dem ich lag, gab es einen Computer und einen Multifunktionsdrucker, zwei Regale voller Bücher, DVDs, CDs, Videobänder und Collegeblöcke. Dieses Mal frustrierte mich die Gewissheit, nicht in Priscilas Bett geschlafen zu haben. Meine Kleidung war zerknautscht und erst jetzt bemerkte ich, dass ich noch meine Turnschuhe trug. Wahrscheinlich hatte mich Priscila nur auf dem Sofabett abgelegt und selbstverständlich auf alles andere verzichtet. Nicht, dass ich nie in diesem Zustand geschlafen hätte, im Gegenteil, doch nie vor einem Mädchen, das erst seit kurzem meine neue Flamme war.

Ich schleppte mich ins Bad, wusch das Gesicht und öffnete den Schrank, auf der Suche nach einer unbenutzten Zahnbürste, fand jedoch nichts. Um den bittern Geschmack des Katers loszuwerden, drückte ich ein bisschen Zahnpasta auf den Zeigefinger und benutzte diesen wie eine Zahnbürste. Dann machte ich Haare und Nacken nass, dabei überflutete ich das Bad, das vorher so aufgeräumt und wohlriechend war. Halbherzig zog ich die Bademette über die Wasserpfütze auf dem Boden, um die Überschwemmung zu vertuschen, und wischte den Rand des Klodeckels mit einem Stück Klopapier ab.

Priscila erwartete mich in der Küche. Ich setzte mich und schwieg verlegen, während sie Saft und ein paar Früchte vor mich stellte, auf die ich verzichtete. Stattdessen griff ich zu einer Tasse schwarzen Kaffees, die ich in einem Schluck zur Hälfte leerte. Der bittere Geschmack zwang mich zu einer Grimasse, mein Organismus lehnte das Getränk in seinem Inneren ab. Vielleicht war es der Restalkohol in meinem Körper, schnell erhob ich mich, rannte ins Bad und verschlimmerte die Verunreinigung des Raumes. Ein paar Minuten versuchte ich, das Missgeschick einzuschätzen. Zu der Überschwemmung gesellte sich jetzt noch ein ekelhafter Geruch nach Erbrochenem. Was für eine Blamage, dachte ich bei mir, wie sollte sich Priscila nach all dem noch für mich interessieren? Ich hatte keine Wahl, sie musste den Lärm meiner Übelkeit gehört haben und wer weiß wahrscheinlich sogar die Nachbarn. Verlegen öffnete ich die Tür und bot mich an, sauberzumachen, fragte nach den dafür benötigten Utensilien: Lappen, Desinfektionsmittel… Sie antwortete, dass sie jeden Montag auf die Unterstützung einer Putzfrau zählen konnte, die das Apartment reinigte. Einen Tag zu warten, würde nichts ausmachen. Außerdem hatte sie nicht vor, den Sonntag zu Hause zu verbringen, sie musste ihren Vater besuchen. Ich trank den in der Tasse verbliebenen Kaffee aus und bat Priscila, mir zu verzeihen. Es war eine Frage der Erziehung, dass ich mich nicht mit einem Kuss verabschiedete. Mit einem einfachen Ciao öffnete ich die Tür und holte den Aufzug.

# 8

Wieder zu Hause, betrachtete ich misstrauisch den Brief. Am liebsten hätte ich ihn verbrannt, doch stattdessen las ich ihn erneut. Ich grübelte darüber nach, welche Möglichkeiten ich hatte: Das erste Flugzeug nach Deutschland nehmen, Geovanna sehen, sie küssen, Klaus umarmen und ihn ungezwungen Sohn nennen, ihn mit nach Brasilien nehmen, ohne mir darüber Gedanken zu machen, ob er tatsächlich mein Sohn war, oder Priscila zu bitten, mit mir zu fliegen und die Glaubwürdigkeit dieser ganzen Geschichte verantwortungsvoll zu bestätigen.

Den ganzen Tag versuchte ich, meine Gedanken zu ordnen. Klaus wollte ich nur inkognito kennenlernen. Ob er wirklich mein Sohn war? Würde er mir ähneln? Was würde er von mir halten? Und Geovanna, wie würde es ihr gehen? Ob sie immer noch schön war? Reifer jetzt, mit vierzig Jahren? An die Krankheit dachte ich überhaupt nicht mehr. Warum hatte sie im Brief keine Telefonnummer angegeben? Wollte sie tatsächlich, dass ich kam? Wollte sie mich sehen? Mit mir sprechen? Oder interessierte sie sich aus anderen Gründen dafür, dass Klaus mich kennenlernte? Ich kam zu dem Ergebnis, dass ich keine Antwort erhalten würde, wenn ich die Situation nicht persönlich überprüfte. Spontan griff ich zum Telefon und rief Priscila an. Niemand hob ab. Ich erinnerte mich daran, was sie über den Besuch bei ihrem Vater gesagt hatte und versuchte es auf dem Handy. Nur der Anrufbeantworter, ich hinterließ die Nachricht, dass sie mich sobald wie möglich anrufen sollte, da ich ihr etwas Wichtiges erzählen müsste.

Um zwei verließ ich die Wohnung, um Mittagessen zu gehen. Nach einem üppigen Essen, ich bezahlte gerade, klingelte mein Telefon.

„Eric! Alles in Ordnung?"

„Jetzt nach deinem Anruf geht es besser."

„Ich bin bei meinem Vater. Normalerweise schalte ich das Handy aus, um nicht in Versuchung zu geraten, zu früh von hier wegzugehen. Trotzdem höre ich die Nachrichten stündlich ab. Was gibt es so wichtiges zu besprechen?"

„Ich würde es dir lieber nicht am Telefon erzählen, können wir uns heute Abend treffen?"

„Klar! Damit du nicht auf mich warten musst, komm ich bei dir vorbei. So gegen neun Uhr, in Ordnung?"

„Ich erwarte dich! Kuss", ich legte auf und beschloss, direkt nach Hause zu gehen.

Vor der Einfahrt blieb ich einige Augenblicke stehen und dachte darüber nach, meine Eltern zu besuchen. Vielleicht erinnerte mich die Liebe für den Vater, die ich in Priscilas Stimme gespürt hatte, daran, dass auch ich einen Vater hatte. Es war bereits eine geraume Weile vergangen, dass ich meine Eltern nicht gesehen hatte, ungefähr fünf oder sechs Monate. Seit meiner Freundschaft mit Geovanna hatte sich das Verhalten meines Vaters mir gegenüber verändert. Schon immer war er sehr konservativ gewesen. Doch als er erfuhr, dass ich Geovanna in einem Club kennengelernt hatte, lehnte er die Idee, wir könnten zusammenziehen, ab. Als sie mich dann verließ, verschlechterte sich die Situation weiter. Selbst der Ruhm, der mir durch meine Bücher zuteilwurde, schien ihn aufzuregen. Mein Vater, ein Mann mit festen Vorstellungen und ungeheuer stolz, konnte keinen Kommentar von Freunden und Nachbarn über meine Arbeit hören, ohne sofort das Thema zu wechseln. Er sagte, dass ich im Leben sehr viel Glück gehabt hätte und dass mir, dank meines Journalismusstudiums, für dessen Abschluss er sich so eingesetzt hatte, die Türen zum Ruhm geöffnet worden wären. Dennoch konnte er keines meiner Bücher bis zu Ende lesen, sagte, sie wären total platt und es ginge um absolut absurde oder erfundene Dinge, die im wirklichen Leben nicht passierten. Ständig führte er Machado de Assis und Monteiro Lobato als wahre Schriftsteller an, doch im Grunde wusste ich, dass er nie auch nur ein Werk eines dieser Meister der Literatur gelesen hatte. Er redete nur davon, um meine Schreibversuche herabzusetzen. Lesen hatte er immer gehasst, allein deshalb taugte moderne Literatur angeblich nichts. „Alles, von Jorge Amado bis nach unten, ist Dreck", behauptete er. Ich weiß nicht, welchen Kriterien seine Klassifizierung unterlag, da ich Jorge Amado nicht gelesen hatte. „Mein Sohn lebt in einer Traumwelt, deshalb geht alles schief," wiederholte er immer wieder. Bis heute weiß ich nicht, ob er tatsächlich jemals eines meiner Bücher gelesen hat. Doch ich traute mich auch nicht zu fragen, da mein Vater es vorzuziehen schien, in meiner Gegenwart nicht über diese Dinge zu sprechen. Noch immer behandelte er mich wie den unvernünftigen Jungen von achtzehn Jahren, das Alter, in dem ich ausgezogen war, und bestrafte mich für meine Alkoholexzesse.

Ganz anders meine Mutter, die ein herzensguter Mensch war. Wenn sie wie mein Vater dachte, dann weil sie ihn für den besten Mann der Welt hielt, weshalb seine Entscheidungen einfach richtig sein mussten. Trotzdem fragte ich mich, ob sie ihm nur nicht widersprach, weil sie ihn liebte und keinen Zwist hervorrufen wollte. Denn letztendlich stimmte Dona Lucilia immer mit Seu Luiz überein, selbst wenn sie vorgab, das Gegenteil zu wollen. Andererseits war mir oft aufgefallen, wie glücklich meine Mutter war, wenn sie hörte, dass meine Arbeit gelobt wurde. An den seltenen Sonntagen, an denen ich sie zum Mittagessen besuchte, lenkte sie mehrere Male das Thema auf meine Bücher und die Ereignisse in meinem Berufsleben, während sie kochte. Sobald jedoch mein Vater die Küche betrat, wurde unser Gespräch unterbrochen.

Der Härte meines Vaters zum Trotz, rief Dona Lucilia mich an, um zu erfahren, wie es mir ging und ob ich etwas brauchte. Regelmäßig erkundigte sie sich nach meiner Arbeit und äußerte all die anderen normalen Sorgen einer Mutter. Dies war häufig mein einziger Trost, und wenn ich an Selbstmord dachte, rief, wie durch ein Wunder, meine Mutter an, um herauszufinden, ob alles in Ordnung wäre, was derartige Gedanken sofort verscheuchte. Das machte mich glücklich und ich muss gestehen, dass ich meine Eltern meist wegen ihr besuchte. Nicht dass ich meinen Vater nicht mochte, doch war es eine andere Liebe. Er sorgte sich um mich, das wusste ich, ebenso wie ich mich um seine Gesundheit und seine Gefühle sorgte. Dennoch taten wir alles, um diese Liebe zu verschleiern. Ich habe nie ganz verstanden warum. Vielleicht handelte es sich um eine Art Liebe, die nicht gezeigt, die nur auf eine individuelle, distanzierte Weise empfunden werden konnte. Er selbst hatte dieses Gefühl zwischen uns geschaffen.

Das Hupen eines Nachbarn löschte das klare Bild meiner Eltern aus meinem Gedächtnis. Ich weiß nicht, wie lange er bereits hinter meinem Auto gewartet hatte, um in die Garage fahren zu können. Kurzentschlossen parkte ich den Wagen und entschied, den möglichen Besuch bei meinen Eltern auf eine andere Gelegenheit zu verschieben.

# 9

Punkt neun klingelte das Telefon.

„Hallo, Eric, ich fahre jetzt bei meinem Vater los und bin in zwanzig Minuten da. Übrigens habe ich ihm erzählt, dass wir ausgegangen sind."

„Tatsächlich? Und was hat er gesagt?"

„Das erzähl ich dir nachher. Kuss."

Gerne hätte ich sofort erfahren, was der alte Rodolfo von mir als dem intimen Freund seiner Tochter hielt. Ich legte auf und erinnerte mich an den Tag, als er mir vorschlug, eine Kolumne für seine Zeitung zu schreiben. Dafür hatte Herr Rodolfo eigenhändig bei der Gazeta da Vila Maria, der kleinen Zeitung, bei der ich arbeitete, angerufen und mich für denselben Tag zum Abendessen eingeladen. Nach der Arbeit fuhr ich direkt zum Restaurant in der Rua da Consolção, wo mich der alte Rodolfo – der schon damals alt war – bereits an einem reservierten Tisch am Ende des Gastraums erwartete. Wir unterhielten uns über die Entwicklung meiner Tätigkeit bei der Stadtteilzeitung und über die Veröffentlichung meines ersten Buchs, das er mehrfach lobte. Erst danach begann er, über die Größe und die Bedeutung seiner Zeitung zu sprechen. Trotz seiner verdrießlichen Miene war der alte Rodolfo kein Griesgram, sondern unterhaltsam und gutmütig. Hin und wieder machte er Witze über die Leute im Restaurant oder über seinen

Bauch, der tatsächlich deutlich hervorstand. Und er hatte nicht nur einen Bauch, sondern war auch fast zwei Meter groß. Während unserer Unterhaltung erinnerte er sich an vergangene Abenteuer, an Frauen und an Reisen, die er gemacht hatte. Außerdem betonte er dauernd, dass er aus bescheidenen Verhältnissen stammte. Sein Vater hatte die Zeitung gegründet, als er sechs Jahre alt war. Leider war der Vater mit nur fünfzig Jahren gestorben und Rodolfo, damals knapp über zwanzig, hatte die kleine Zeitung geerbt und daraus eine der größten des Landes gemacht. All das in weniger als zwanzig Jahren! Nachdem er seine Geschichte beendet hatte, bot er mir die wöchentliche Kolumne an sowie die totale Freiheit, zu schreiben, was ich für richtig hielt. Und als ich fragte, warum er mich für die Kolumne wollte, schließlich war ich damals noch kein bekannter Schriftsteller, antwortete er, dass er, nach der Lektüre meines Buches, sicher sei, dass ich in weniger als einem Jahr ein anerkannter und gesuchter Mann wäre, um den sich die Medien reißen würden. Zwanzig Jahre später erkannte ich, dass der alte Rodolfo immer ein Visionär gewesen war. Nicht nur, weil er mich angestellt hatte, sondern weil er die Größe der Zeitung in diesen zwanzig Jahren erneut verdoppelt hatte. Unbestreitbar verdiente er den Erfolg.

Ich nahm ein ausgiebiges Bad, dann blätterte ich in ein paar alten Zeitungen, bis die Gegensprechanlage die Ankunft Priscilas ankündigte. Sie war schön wie immer, selbst in den ungezwungensten Klamotten, Jogginghose,

T-Shirt und Turnschuhen. Mir wurde klar, dass es sich um die typische Sonntagskleidung handelte. Kaum hatte sie die Wohnung betreten, fragten wir beide gleichzeitig:

„Was wolltest du mir erzählen?" Sie bezog sich auf das, was ich am Telefon gesagt hatte, und ich mich darauf, was ihr Vater von unserer neuen Freundschaft hielt. Ich bestand darauf, dass sie zuerst redete, denn das Thema, über das ich sprechen wollte, war sehr viel ernster und würde mehr Zeit in Anspruch nehmen. Sie stimmte zu, als sie meine Verlegenheit bemerkte.

„Also eigentlich bewundert und verachtet mein Vater dich gleichzeitig. Er bewundert deine Bücher und die Kolumnen, die du schreibst, deinen Lebensstil lehnt er hingegen ab. Er hält dich für sehr reserviert, du scheinst immer traurig und schlecht gelaunt, unzufrieden mit dem Leben. Außerdem hat er mir von deinem schlechten Geschmack für die unmöglichsten Lokale in der Boca do Lixo erzählt. Dann wollte er wissen, was für eine Art Beziehung wir hätten und was ich in dir sehen würde, einem Mann, fast doppelt so alt wie ich, einem unglücklichen, alten Junggesellen."

„Was?", fragte ich irritiert.

„Entschuldige, das hat er gesagt. Es bedeutet nicht, dass ich mit ihm übereinstimme."

„Danke. Natürlich kenne ich deinen Vater nicht gut genug, als dass ich davon ausgehen könnte, dass er vor dir genauso lobend über mich spricht, wie mir persönlich gegenüber, bei den wenigen Malen, die ich in seinem Büro war. Trotzdem hoffe ich, du nimmst es mir nicht übel, dass ich solche Lokale besuche."

„Mach dir keine Sorgen. Mein Vater respektiert mein Privatleben und behandelt mich wie eine erwachsene Frau. Egal wie neugierig er in Bezug auf unsere Beziehung ist, von der wir zwei wissen, dass sie nicht über eine einfache, gute Freundschaft hinausgeht, hat er verstanden, dass ich nicht ins Detail gehen wollte und war taktvoll."

Nicht die Dinge, die Doktor Rodolfo zu seiner Tochter gesagt hatte, beunruhigten mich. Was mich verunsicherte war die ‚einfache, gute Freundschaft'. Es war nicht das, was ich in diesem Moment von Priscila erwartete. Erneut schien sie meine Nachdenklichkeit zu bemerken, denn sie fragte:

„Und was ist so wichtig, dass du es mir erzählen musst?"

Ich beobachtete sie einige Sekunden, wusste nicht, was ich sagen sollte, doch als ich ihren erwartungsvollen Blick sah, riskierte ich es.

„Bevor ich es erzähle, möchte ich dich etwas fragen."

„Warum fragst du nicht einfach, statt mich um Erlaubnis zu bitten?"

„Ich habe nicht um Erlaubnis gebeten, sondern nur mitgeteilt, dass ich eine Frage stellen möchte."

„Also dann, schieß los!"

„Gut… Zunächst muss ich sagen, dass mich die einfache, gute Freundschaft ein bisschen enttäuscht hat. Ich muss zugeben, dass ich mich bereits auf etwas mehr eingestellt habe. Verstehst du?"

„Nein, tue ich nicht! Ehrlich gesagt habe ich bei anderen Gelegenheiten mehr erwartet, beispielsweise an dem Tag, als wir in deiner Wohnung übernachtet haben und dann in der Kneipe, ganz zu schweigen von meinem Apartment. Aber du hast keine Anstalten gemacht. Und ich hätte keine gewaltsame Entscheidung getroffen. Hervorzuheben wäre auch der Tag, an dem du bei mir übernachtet hast… Du warst echt zu nichts mehr in der Lage, ich musste dich sogar ins Bett schleppen. All diese Ereignisse haben meine Hoffnung, es könnte etwas zwischen uns laufen, zunichte gemacht."

Ohne ein weiteres Wort zog ich sie an mich und küsste sie auf die Lippen. Es dauerte nicht lange, dann erwiderte Priscila meine Liebkosungen. Ich nahm sie auf den Arm und trug sie ins Schlafzimmer. Endlich geschah etwas zwischen uns. Vorsichtig zog ich ihre Turnschuhe aus, bewunderte ihre schönen Füße, die ich endlich berühren, küssen und liebevoll lecken durfte.

Ein unerbittliches Rütteln riss mich aus meinen Träumen.

„Wach auf, Eric, wach auf, ich muss in die Redaktion. Anders als du muss ich jeden Tag um acht Uhr dort sein. Ich habe noch fünfzehn Minuten."

„Entspann dich", antwortete ich im Halbschlaf. „Dein Vater ist Chef des Ladens, folglich bist auch du Chefin und kannst dir einige Vergünstigungen leisten."

„Du kennst meinen Vater nicht! Er gestattet es nicht einmal sich selbst, zu spät zu kommen. Jeden Tag sitzt er Punkt sieben im Büro und arbeitet, und das, nachdem er in der ganzen Zeitung nach dem Rechten geschaut hat."

„Dabei hatte ich in dieser wunderbaren Nacht nicht einmal Zeit, dir das zu sagen, was ich wollte. Wir müssen dieses Gespräch nachholen, es ist sehr wichtig für mich."

„Wie es aussieht, war es nicht ganz so wichtig. Jetzt wirst du noch einen Tag warten müssen. Ich bin total verspätet und muss noch zu Hause vorbei, um mich anständig anzuziehen. In diesen Klamotten kann ich unmöglich zur Arbeit erscheinen. Heute Abend komme ich wieder, dann unterhalten wir uns."

Während sie sprach, hatte Priscila sich angezogen. Eilig betrat sie das Badezimmer und nur wenige Minuten später stürzte sie heraus, hastete mit noch feuchten Haaren durchs Wohnzimmer und als ich hörte, wie sich die Tür schloss, fragte ich mich, ob sie ihre Zähne wohl auch mit dem Finger geputzt hatte. Der taktlose Gedanke brachte mich zum Lächeln. Ich legte mich wieder hin und schlief ein, jedoch nur kurz, zwei Stunden später klingelte das Telefon. Es war mein Literaturagent, der sagte, er müsse dringend mit mir reden.

Widerwillig verließ ich meine Wohnung. Der Verkehr ließ mich jedes Mal wieder darüber nachdenken, aus São Paulo wegzuziehen. Nach anderthalb Stunden des Leidens hatte ich den Verlag in Interlagos erreicht.

„Guten Tag, Alex. Alles in Ordnung?"

„Alles in Ordnung? In Ordnung? Wie sollte alles in Ordnung sein", schrie Alex und schaute mich durch seine Brille an. Dabei kratzte er sich den Bart wie er es immer tat, wenn er verärgert oder nachdenklich war. „Kannst du dir nicht vorstellen, warum du hier bist? Und warum ich so nervös bin?"

„Nein! Soweit ich mich erinnern kann, habe ich in den letzten Monaten nichts Falsches getan! Oder doch?"

„Genau das ist das Problem. Du hast nichts getan. Nichts Falsches und erst recht nichts Richtiges. Du tust einfach nichts! Erinnerst du dich daran, dass du, als du den Vertrag unterschrieben hast, versprachst, du würdest alle zwei Jahre ein Buch herausbringen? Dann hast du auf drei Jahre verlängert, wir waren einverstanden. Jetzt sieht es so aus, als hättest du eigenständig auf sechs Jahre verlängert. Es ist genau fünf Jahre, drei Monate und achtundzwanzig Tage her, dass du ein Manuskript abgeliefert hast. Heute hat mir Doktor Soares die Pistole auf die Brust gesetzt."

„Sag Doktor Soares er soll sich gedulden, ich habe persönliche Probleme und bin nicht in der Verfassung zu schreiben."

„Du wirst bald ein anderes persönliches Problem haben, und zwar mit Soares, wegen Vertragsbruch."

„Zurzeit könnte ich nicht einmal eine Erzählung schreiben, geschweige denn ein ganzes Buch. Sag ihm er soll eines der Bücher neu auflegen oder noch besser, eine Sonderedition mit zwei oder drei Büchern in einem Schuber. Das wird Aufsehen erregen, und wenn ihr denkt, dass sie sich nicht verkaufen wird, gib eine Biografie in Auftrag, was weiß ich! Tatsache ist, dass ich zurzeit nichts schreiben kann, wie gesagt, ich habe persönliche Probleme und sollte in den nächsten Tagen nach Europa reisen."

„Reisen? Du kannst nicht reisen, bevor du mir nicht etwas über ein neues Projekt erzählt hast."

„Sag Doktor Soares, dass ich auf der Suche nach Inspiration auf Reisen gehe und verspreche, nach meiner Rückkehr ein Manuskript abzuliefern. Ich brauche nur noch ein oder zwei Monate. Ich verspreche es."

Alex Menezes war nicht nur mein Literaturagent, sondern auch ein großartiger Freund. Obwohl er meine Persönlichkeit kannte, wusste er, dass man mich jederzeit begeistern konnte, ein neues Buch zu schreiben, das veröffentlicht werden konnte. Wenn ich jedoch sagte, dass ich ein Problem hatte, hatte ich tatsächlich eins.

„Wenn das so ist, kann ich dir irgendwie helfen?"

„Leider nein, mein Freund. Es handelt sich um ein strikt persönliches Problem."

„Ist es sentimental?", fragte Alex mit misstrauischer Miene.

In diesem Augenblick erinnerte ich mich an einen klischeehaften Spruch, den Alex oft wiederholte: Ein Mann sollte drei Dinge tun, um sich zu verwirklichen: Einen Baum pflanzen, einen Sohn zeugen und ein Buch schreiben. Immer wieder sagte er, dass ich mit dem schwierigsten Teil angefangen hätte, wohingegen die beiden anderen Herausforderungen leicht zu bewältigen wären, doch bisher – nichts.

„Erinnerst du dich daran, was du mir in Bezug auf die drei Dinge, durch die sich ein Mann verwirklicht, gesagt hast?"

„Darüber ein Buch zu schreiben, einen Baum zu pflanzen und einen Sohn zu zeugen?"

„Genau", antwortete ich.

„Du wirst mir doch nicht sagen, dass du kein neues Buch schreiben kannst, weil du vorhast, einen Baum zu pflanzen?", spottete Alex.

„Noch nicht."

„Dann ist es das! Eine Frau ist im Spiel. Willst du den Sohn zeugen?", hakte Alex nach und prustete los.

„Um ehrlich zu sein, habe ich vor kurzem herausgefunden, dass ich das schon getan habe!"

„Das ist tatsächlich ein ernstes Problem", sagte Alex verblüfft, „ich habe schon gehört, dass du mit der Tochter vom alten Rodolfo von der Zeitung ausgegangen bist, du wirst mir doch jetzt nicht sagen, dass das Mädchen schwanger ist?"

„Wahnsinn, wie schnell sich Neuigkeiten verbreiten. Eigentlich habe ich mich gerade erst mit Priscila eingelassen, sie ist nicht das Problem."

„Noch schlimmer. Kaum hast du dich in das Mädchen verliebt, schwängerst du eine andere. Warte mal… Hast du etwa eine dieser Nutten aus der Rua Augusta geschwängert?" Alex Lächeln war ironisch, aber ich konnte die Sorge in seinem Gesicht sehen.

„Nein, nichts dergleichen. Eigentlich habe ich herausgefunden, dass ich vor meinem ersten Buch einen Sohn gezeugt habe. Erinnerst du dich an Geovanna?"

„Wie könnte ich sie je vergessen, die große Liebe deines Lebens. Die Ex-Nutte…"

„Erinnerst du dich daran, als sie weggegangen ist?"

„Natürlich, wie könnte ich das vergessen, du warst am Ende. Nicht dass es dir seither viel besser geht, aber damals warst du am Boden zerstört."

„Das ist es. Sie hat mir einen Brief geschickt, in dem sie schreibt, dass sie Brasilien schwanger verlassen, einen Deutschen geheiratet und unseren Sohn bekommen hat. Der Ehemann hat ihn als Sohn angenommen, obwohl er wusste, dass er nicht der Vater ist."

„Umso besser. Nach so langer Zeit solltest du die Dinge auf sich beruhen lassen, letztendlich ist der Vater der, der großzieht", sagte Alex lächelnd und schaute mich durch seine Brille an.

„Das Problem ist, dass Geovanna sehr krank ist und dem Jungen bereits die ganze Wahrheit erzählt hat. Jetzt überlege ich, ob ich ihn kennenlernen sollte oder nicht."

„Aber du weißt doch nicht einmal, ob er tatsächlich dein Sohn ist. Den Jungen kennenzulernen, Gewissheit zu haben, ist dein Recht. In diesem Fall einen DNA-Test zu machen, ist deine Pflicht."

„Genau das dachte ich auch und deshalb fliege ich in den kommenden Tagen nach Deutschland."

„Mein Freund! In diesem Fall werde ich mein Möglichstes tun, um Soares Verärgerung so gering wie möglich zu halten, aber bitte tu mir den Gefallen, löse deine Probleme und komm mit einem neuen Manuskript wieder, ok?"

„Danke, Alex", sagte ich und umarmte ihn. „Ich wusste, du würdest es verstehen."

Ich verabschiedete mich von Alex und lehnte seine Einladung ab, ein Bier trinken zu gehen. Ich war mit Priscila verabredet, außerdem wusste ich, dass Alex in meiner Gesellschaft sein wollte, um mehr Details zu erfahren. Nicht dass ich ihm nicht alles erzählen wollte, schließlich war er mein bester Freund, doch war es nicht der richtige Moment. Nach meiner Reise würde ich ihm alles berichten, in allen Einzelheiten. Ich öffnete die Tür und bevor ich sie hinter mir zuziehen konnte, ergriff Alex die Gelegenheit, einen letzten Witz zu reißen.

„Ich warte auf das Manuskript. Und denk mal nach, die Geschichte ist ja fast fertig. Jetzt fehlt nur noch der Schluss, der dir in Deutschland einfallen sollte. Viel Glück."

# 10

Als es klingelte, wunderte ich mich, dass niemand über die Gegensprechanlage angekündigt worden war, trotzdem öffnete ich die Tür.

Priscila trat ein und begrüßte mich mit einem langen Kuss.

„Hi! Der Portier hat deine Ankunft nicht angekündigt."

„Natürlich nicht, schließlich hat er mitbekommen, dass ich schon zweimal hier übernachtet habe. Da wäre er nicht so taktlos gewesen, mich am Eingang aufzuhalten, ganz im Gegenteil, er machte mich sogar darauf aufmerksam, dass du zwei Parkplätze hast und nur ein Auto. Deshalb hat er mir für meine nächsten Besuche vorsorglich erlaubt, direkt in die Garage zu fahren."

„Gut! Wenn du dich an den Ausgaben für die Wohnanlage und die Reinigung der Wohnung beteiligen willst, gerne", sagte ich und lächelte.

„Wie schade!", antwortete Priscila, „ich dachte, du würdest es ernst meinen."

Ich hoffte, dass Priscila sich wohlfühlen würde. Sie legte die Tasche ab, zog den eleganten Oxford-Blazer aus und hängte ihn behutsam über die Stuhllehne, schaltete den Fernseher ein und setzte sich aufs Sofa.

„Also, Senhor Eric, was gibt's zu erzählen?"

„Entschuldigung!", sagte ich und schaltete den Fernseher aus, „aber das, was ich zu erzählen habe, ist sehr wichtig und ich möchte, dass du aufmerksam zuhörst."

Priscila drehte sich zu mir um und runzelte die Stirn. „Ich höre."

Ich wusste nicht, wo ich anfangen sollte. Ein paar Sekunden schaute ich sie an, dann kam ich direkt zur Sache. „Ich habe einen Sohn!"

„Ist das alles?", fragte sie mich lächelnd, „ich habe mir bereits gedacht, dass ein reifer Mann wie du bereits verheiratet gewesen sein muss und selbstverständlich Kinder hat, oder dass du nicht verheiratet warst, aber ein Kind hast, das ist normal. Schau mal, Eric, wir sind erst seit ein paar Stunden zusammen, noch nicht einmal Tage, nur Stunden, es würde mir gar nicht zustehen, irgendetwas einzufordern, deine vergangenen Beziehungen stören mich nicht."

„Was meine vergangenen Beziehungen betrifft, hast du Recht. Das Problem ist nur, dass ich erst vor einigen Tagen von diesem Sohn erfahren habe", erklärte ich verlegen.

„Wie?", fragte Priscila verwundert.

Ich erzählte ihr die ganze Geschichte in allen Einzelheiten und zeigte ihr Geovannas Brief. Wortlos las sie ihn zweimal. Da ich nicht wusste, was ich sagen sollte, schwieg ich. Es war Priscila, die das betretene Schweigen beendete.

„Das ist wirklich eine lange Geschichte, Eric, es ist bereits vier Uhr morgens. Wenn ich mit dir zusammen bin, schlafe ich nicht. Dieses Bohème-Leben ist nichts für mich, ich habe morgen wichtige Termine."

„Entschuldige", antwortete ich geistlos, „aber eigentlich wollte ich dir all das erzählen und dich dann um etwas bitten."

„Ich traue mich kaum, zu fragen, um was", erwiderte Priscila.

„Ich würde dich gerne bitten, mit mir nach Deutschland zu fliegen. Die Vorstellung, allein zu reisen, macht mir Angst. Ich weiß nicht, wie man mich empfangen wird. Wenn du bei mir wärst, würde mich das vor Schwierigkeiten bewahren, ich könnte dich als meine Freundin oder sogar Frau vorstellen, wenn du nichts dagegen hättest …"

„Wir kennen uns kaum. Deshalb sollte ich mich nicht in eine derart komplizierte Geschichte einmischen. Es handelt sich um dein persönliches, nicht-übertragbares Problem, Eric."

„Das weiß ich, ich will auch gar nicht, dass du dich einmischst. Ich möchte nur, dass du mir Gesellschaft leistest, deine Ratschläge in einer Stunde der Not. Verstehst du?"

„Nein, verstehe ich nicht. Nimm dir eine Anwältin oder eine Psychologin, sie werden dir mehr nützen."

„Das ist es doch nicht. Ich vertraue dir. Du bist konsequent, kannst analysieren und ruhig und besonnen über die Fakten nachdenken. Ich brauche deine Hilfe. Kein Problem, wenn du dich nicht einmischen oder an meiner Seite sein willst, bleibst du im Hotel, sieh es als einen Ausflug an."

„Ausflug? Wie sollte ich! Nur wenn ich allein fahren

würde… Und auch du fährst nicht hin, um einen Ausflug zu machen, Eric. Ich ziehe es vor, nicht mitzukommen. Außerdem muss ich arbeiten."

„Es handelt sich höchstens um vier oder fünf Tage. Ich muss tiefer in die ganze Geschichte eindringen. Wir können ein verlängertes Wochenende daraus machen, Samstag, Sonntag, Montag, Dienstag. Spätestens Mittwoch sind wir zurück. Ich verspreche es."

„Ich muss nachdenken. Heute ist Montag, bis Donnerstag gebe ich dir eine Antwort. Ich muss auch mit meinem Vater sprechen. Vielleicht kann ich sogar meine Texte vorschreiben, trotzdem muss ich mir für ihn einen guten Grund einfallen lassen. Die Wahrheit kann ich ihm nicht sagen, er würde mich eine Idiotin nennen."

„Alles klar. Ich warte. Sollen wir schlafen?"

„Ja! Doch du hier und ich in meiner Wohnung", sagte Priscila beim Hinausgehen und ohne mir wenigstens einen Abschiedskuss zu geben.

„Bist du sauer auf mich?", fragte ich schüchtern.

„Nein! Nur ein bisschen verwirrt. Schockiert von dieser ganzen Geschichte", antwortete sie schon aus dem Hausflur, die Hand an der Aufzugtür. „Und das Schlimmste ist festzustellen, dass du immer noch etwas für diese Geovanna empfindest", fügte sie hinzu und verschwand im Aufzug.

Das ganze Gespräch über hatte ich versucht, diesen Teil der Geschichte zu verheimlichen. Ich sprach in der Vergangenheit von Geovanna, versuchte, meine Gefühle so gut wie möglich zu verbergen. Jetzt blieb mir nichts anderes übrig, als auf ihre Entscheidung zu warten. Nachdenklich öffnete ich den Kühlschrank, nahm ein Bier heraus und setzte mich vor den ausgeschalteten Fernseher. Als ich die siebte oder achte Dose holte, schaute ich das letzte Mal auf die Uhr. Es war sieben Uhr morgens.

# 11

Ich tastete den Boden nach der Armbanduhr ab. Nichts. Ich erhob meinen schweren, schmerzenden Körper, erst dann bemerkte ich, dass ich auf dem Sofa lag. Schlaftrunken taumelte ich durch den Flur ins Schlafzimmer. Dort lag sie, auf dem Boden neben dem Bett. Zwei Uhr nachmittags, draußen brannte die Sonne. Schwäche überkam mich und ich ließ mich ins Bett fallen. Drei Stunden später wachte ich auf, duschte, überprüfte die Nachrichten auf dem Anrufbeantworter und auf meinem Handy.

Nach aufmerksamer Musterung meiner Wohnung beschloss ich, ein paar dringend notwendige Maßnahmen zu ergreifen. Gegen acht Uhr abends verließ ich das Haus, fuhr zum nächsten Supermarkt, füllte einen Wagen mit Früchten, Gemüse, Reis, Bohnen, Softdrinks,

Milch, Keksen, Säften und allem anderen, von dem ich annahm, dass es in einen normalen Haushalt gehörte. Außerdem kaufte ich vier Kartons Dosenbier, eine Flasche Whisky und drei Flaschen importierten Wein. Bevor ich mich auf den Heimweg machte, aß ich eine Kleinigkeit. Zu Hause angekommen, verstaute ich die Lebensmittel, öffnete den Kühlschrank, warf einen Blick auf die noch warmen Bierdosen und goss mir ein Glas Milch ein.

Am nächsten Morgen wachte ich früh auf, die Armbanduhr zeigte sieben Uhr. Einen Augenblick dachte ich, sie ginge nach, aber als ich aus dem Fenster auf den Berufsverkehr blickte, wusste ich, dass es stimmte. Obwohl ich seit langem nicht mehr um diese Zeit auf den Verkehr geachtet hatte, erinnerte ich mich noch an die Zeiten harter Arbeit, als ich früh aufstehen musste, um jeden Morgen um sieben in der Zeitung zu sein. Ich kochte Kaffee. Dann zog ich Bermudas, Flip-Flops und ein ärmelloses T-Shirt an und verließ das Haus Richtung Rua Oscar Freire. Ich hatte mir vorgenommen, die Möbel in der Wohnung zu ersetzen. Priscila würde sich in einer aufgeräumten Umgebung wohler fühlen und sollte ich in Kürze einen Besuch von Klaus erhalten, wäre die Wohnung in gutem Zustand.

In zwei oder drei verschiedenen Läden kaufte ich Möbel für die ganze Wohnung. Nur die Küche ließ ich aus, da sie, wahrscheinlich weil sie selten benutzt wurde, noch in einem optimalen Zustand war. Zum ersten Mal waren sogar die Schränke gefüllt. Ich vereinbarte, dass die Möbel am Samstagnachmittag geliefert würden. Außerdem kaufte ich sechs Wanduhren, entschlossen, in jedem Raum eine aufzuhängen. Ich weiß nicht, warum ich dauernd über die Uhrzeit nachdachte, schließlich hielt ich mich seit langem nicht an bestimmte Zeiten. Danach kehrte ich beschwingt nach Hause zurück und inspizierte jedes Zimmer. Zwei hatten ein eigenes Bad, dann gab es noch ein kleineres Zimmer und ein riesiges Arbeitszimmer, in dem sich Bücher stapelten, Manuskripte, Wörterbücher und vieles mehr, was ich für meine Arbeit als wichtig erachtete. Das Wohnzimmer war geräumig, hatte einen großen Balkon und Fenster an allen Seiten. Davor hingen Gardinen, die bis zu diesem Tag immer zugezogen waren. Ich öffnete sie weit, dann entschloss ich mich, passend zu den neuen Möbeln, Vorhänge zu kaufen. Von heute an würde ich die Sonne hereinlassen. Aus dem für ein Hausmädchen reservierten Zimmer räumte ich tonnenweise alte Zeitschriften und Zeitungen. Es war der einzige Ort in der Wohnung, an dem ich einige Kakerlaken entdeckte. Ich ging davon aus, dass sie nur herauskamen, wenn ich nicht zu Hause war. Wahrscheinlich störte sie meine Anwesenheit.

Im Telefonbuch suchte ich nach einer Institution, der ich meine alten Möbel spenden könnte. Ich gab alles weg, sogar einige Kleidungsstücke. Den Leuten von der Umzugsfirma spendierte ich ein paar Dosen Bier. Sie nahmen sie freudig entgegen. Dann machten wir es uns auf dem Boden des leergeräumten Wohnzimmers bequem und tranken gemeinsam.

Nachdem sie gegangen waren, sortierte ich alles aus, was weggeschmissen werden sollte. Zeitungen, Zeitschriften, leere Fläschchen, Papier und alte Rechnungen, leere Whiskyflaschen, billige Bilder, die seit Jahren in der Wohnung hingen und bereits Schimmel angesetzt hatten, und einen Haufen anderen Krimskrams.

Erst am Abend wurde mir bewusst, dass ich nirgendwo schlafen konnte. Ich dachte daran, Priscila anzurufen. Meine Situation wäre eine gute Entschuldigung, sie zu fragen, ob ich bei ihr übernachten könnte. Nach kurzer Überlegung verwarf ich den Gedanken und breitete die Decken aus, die zwischen Platten, Geschirr, Bestecken und anderen Sachen auf dem Boden lagen.

Am Mittwoch wachte ich erneut früh auf. Sofort verließ ich mein Deckenlager, um mich für meine zweite Einkaufstour fertig zu machen.

Wieder war ich in der Nähe der Oscar Freire unterwegs, dieses Mal in Bekleidungsgeschäften. Ich kaufte ein paar Stücke, die ich für die Reise zu benötigen glaubte. Dabei entschied ich mich für gewöhnliche Kleidung, denn ich wusste, dass ich im Mai nur wenige warme Sachen brauchen würde, es war Frühling in Deutschland. Für alle Fälle sorgte ich mit zwei dickeren Kleidungsstücken für Wetterumschwünge vor, die an den Abenden in Europa zu erwarten waren.

In der Galerie eines alten Bekannten in der Alameda Itu bestellte ich ein paar Bilder, wählte die Rahmen aus und trank einen Kaffee. Dann ging ich die Rua Augusta Richtung Avenida Paulista hoch, hielt vor einem kleinen Geschäft und kaufte auch noch Gardinen und Teppiche, die ebenfalls am Samstag geliefert werden sollten.

Nachdem ich wieder zu Hause war, rief ich Seu Antônio, den Hausmeister, und bat ihn, mich in meine Wohnung zu begleiten. Als wir eintraten, sah er sich entgeistert in der unmöblierten Wohnung um. Ich erklärte ihm, dass ich die Möbel ersetzen wollte und die neuen am Samstag geliefert würden, genau an dem Tag, an dem ich verreisen müsste. Deshalb zeigte ich dem sympathischen Herrn, wo die Möbel aufgebaut werden und wo sie stehen sollten. Anhand der Farben erklärte ich ihm, wo jeder einzelne Teppich und die Gardinen ihren Platz haben sollten. Ich bat ihn, mir nur die Wanduhren und Bilder zu überlassen, die ich selbst nach meiner Rückkehr aufhängen würde. Ich dankte für seine Hilfe und gab ihm ein großzügiges Trinkgeld, dann bat ich ihn noch darum, einen guten Maler zu rufen, um die Tage zu nutzen, in denen die Wohnung leer stand. Damit er genaue Anweisungen geben konnte, zeigte ich ihm die Wände im Wohnzimmer und in den anderen Räumen, die tapeziert werden sollten. Abschließend begutachteten wir gemeinsam den Laminatboden und kamen zu dem Ergebnis, dass dieser nicht erneuert werden müsste.

Ich packte die Koffer, steckte den Brief zwischen die Kleidung und machte mich auf den Weg. Erst nach meiner Reise würde ich wieder in die Wohnung zurückkehren. Ich ging hinunter, suchte Seu Antônio, gab ihm die Schlüssel, rief ein Taxi und fuhr in ein Apart-Hotel in der Alameda Jaú.

Erneut dachte ich darüber nach, Priscila anzurufen, dieses Mal mit der Entschuldigung, ihr die Telefonnummer vom Hotel geben zu wollen und ihr zu sagen, dass ich nicht zu Hause war, doch dann beschloss ich, noch einen Abend zu warten und damit ihre Bitte zu respektieren, ihr bis Donnerstag Bedenkzeit zu geben.

# 12

Die Nächte sind länger, wenn man allein in einem Hotel ist. Als ich aufwachte, tastete ich den Teppich auf der Suche nach meiner Armbanduhr ab, nichts. Dann erinnerte ich mich daran, dass ich sie zu Hause vergessen hatte, inmitten des Durcheinanders auf dem Boden. Ich schaute auf den Radiowecker – Punkt sieben – stand auf und ging hinunter, um zu frühstücken.

Zurück im Zimmer griff ich nach dem Telefon, rief ein Reisebüro an und erkundigte mich nach Flugtickets für Samstagabend. Man sagte mir, dass es keine Flüge gäbe und ich erst Sonntag reisen könnte. Ich reservierte zwei Tickets. Gleich nachdem ich aufgelegt hatte, rief ich Priscila an.

„Hi, ich sterbe vor Sehnsucht."

„Hallo, antwortete sie kühl, „ich auch."

„Hast du dich entschieden, ob du mich auf der Reise begleitest?"

„Ja, ich habe eine Entscheidung getroffen. Nach einigen Überlegungen bin ich zur Überzeugung gelangt, dass du vielleicht wirklich Hilfe benötigen könntest."

„Prima! Denn ich habe bereits die Tickets gekauft."

„Wie? Dabei wusste ich nicht einmal, ob ich dich begleiten könnte."

„Wärst du nicht mitgekommen… hätte ich das Ticket verloren… und den Kopf. Aber es gibt einen erschwerenden Umstand."

„Und der wäre?", fragte Priscila besorgt.

„Samstags gibt es keine Flüge nach Deutschland. Wir fliegen am Sonntag um siebzehn Uhr."

„Ich habe schon geahnt, dass es nicht klappen würde…"

„Aber es ist nicht meine Schuld, sondern die der Fluggesellschaft."

„Ich weiß. Egal, ich muss vorarbeiten und deshalb werde ich den Samstag nutzen, um meinen Vater auf meine Abwesenheit vorzubereiten. Wir treffen uns dann Sonntag am Flughafen."

„Nein! Ich möchte den Samstagabend vor der Reise mit

dir verbringen!"

„Ich kann nicht. Ich habe noch Verpflichtungen. Bevor ich nicht alles geregelt habe, kann ich nicht abreisen."

„Alles klar, wie du willst", antwortete ich traurig.

„Also dann, bis Sonntag in Cumbica."

„Ah, es gibt noch etwas, das ich dir erzählen wollte."

„Oh Gott, was hast du denn noch ausgeheckt?"

„Nichts… Ich wollte dir nur erzählen, dass ich mich entschlossen habe, alle Möbel in der Wohnung zu ersetzen, die Wände zu streichen, alles zu erneuern. Und da ich bereits neue Möbel, Gardinen und sogar Bilder gekauft habe, habe ich die alten Sachen einer Einrichtung gespendet. Mit Ausnahme der Küche habe ich keine Möbel mehr. Mir blieb nichts übrig, als auszuziehen. Bis Sonntag bin ich im Hotel, mit Whirlpool und allem, deshalb wollte ich die Nacht hier mit dir verbringen."

„Leider kann ich nicht. Aber das ist toll! Und deine Entscheidung, die Möbel zu spenden, ist noch besser."

„Was hätte ich mit den alten anfangen sollen? Ich wusste nicht, wohin mit ihnen…"

„Dachte ich mir schon, dass diese Spende nicht nur auf Nächstenliebe beruht."

„Nein! Das ist es nicht. Nachdem ich mich entschieden hatte, die Wohnung neu zu gestalten, musste ich die alten loswerden, da dachte ich, es wäre besser sie jemandem zu spenden, der sie benötigt. Dadurch habe ich mein Problem gelöst und gleichzeitig geholfen."

„Verstehe! Deine Wohnung musste wirklich mal gründlich überholt werden. Wir treffen uns dann am Sonntag. Küsse."

„Ich habe Sehnsucht", sagte ich, ohne zu wissen, ob Priscila mich gehört hatte, bevor sie auflegte.

Wenigstens hatte ich jetzt die Gewissheit, dass sie mich auf der Reise begleiten würde und das beruhigte mich. Trotzdem schwirrten mir so viele Gedanken durch den Kopf, dass ich nicht einschlafen konnte. Als es mir endlich gelang, schlief ich so ruhig wie seit langem nicht mehr.

# 13

Samstagmorgen wachte ich erneut gut gelaunt um Punkt sieben auf. Auch die Uhr suchte ich nicht mehr auf dem Boden. Ich musste etwas tun, damit der Tag so schnell wie möglich vorüberging. Deshalb nahm ich ein ausgiebiges Bad im Whirlpool, dann ging ich hinunter und frühstückte gemütlich. Dabei unterhielt ich mich mit anderen Gästen. Nach dem Frühstück spazierte ich durch die Straßen und bevor ich mich versah, war bereits Mittagszeit.

Am Abend beschloss ich, ein bisschen auszugehen. Ich nahm ein Taxi und fuhr zu einem mexikanischen Restaurant in Pinheiros. Dort trank ich einige Tequilas, dazu mexikanisches Bier, aß einen Burrito Pueblo und war insgeheim dankbar, dass das Essen auf sich warten ließ. Dadurch würde der vor mir liegende Abend schneller vergehen.

Am Sonntag wachte ich um zehn Uhr auf. Einen kurzen Moment wollte ich nach meiner Armbanduhr suchen. Ich schaute mich um und fühlte mich beinahe fremd in dem Zimmer. Zögernd verließ ich das Bett, gerne hätte ich noch ein bisschen weitergeschlafen. Ich ging ins Bad, putzte die Zähne – was ich am Abend zuvor nicht getan hatte – öffnete die Wasserhähne, um die Wanne bis zum äußersten Rand volllaufen, aber nicht überlaufen zu lassen und schüttete Schaumbad hinein. Bevor ich mich in das warme Wasser legte, schrieb ich noch eine Nachricht mit der Hoteladresse an Priscila.

Ich befand mich im Zustand absoluter Abwesenheit. Stunden in der Badewanne, ohne an etwas zu denken, nur entspannen, an einen fixen Punkt an der Wand starren, ohne ihn wahrzunehmen, nur um die Gedanken zum Stillstand zu bringen. Ein plötzliches Geräusch holte mich in die Realität zurück. Es war die Gegensprechanlage. Ich stieg aus der Wanne und wickelte das Handtuch um meinen Körper, um nicht den ganzen Teppich nass zu machen. Der Apparat klingelte noch zwei weitere Male, bis ich ihn endlich erreicht hatte und der junge Mann von der Rezeption am anderen Ende der Leitung ankündigte:

„Dona Priscila ist hier."

„Schicken Sie sie herauf, ich erwarte sie."

Nachdem ich die Tür des Apartments geöffnet hatte, kehrte ich unverzüglich in die Badewanne zurück. Ich hörte das Geräusch der Türklinke und wie sich die Tür schloss, gleich darauf öffnete jemand langsam die Badezimmertür und Priscila erschien lächelnd.

„Hi", sagte sie und bückte sich, um mich zu küssen. Alles fertig für die Reise?"

„Klar!", antwortete ich ebenfalls lächelnd, „ich habe nur noch auf dich gewartet."

„Ich habe meine Koffer dabei."

Ich lächelte nur.

Priscila richtete sich auf, zog Turnschuhe, Bluse und das T-Shirt mit dem Aufdruck einer Kampagne gegen Brustkrebs aus, mühte sich mit der engen Jeans ab, befreite sich von der Unterwäsche und warf den zusammengeknüllten Haufen durch die Tür in den Flur. Vorsichtig stieg sie in die Badewanne und schmiegte sich an meinen Körper.

Das Wasser war bereits kalt, als wir endlich die Wanne verließen. Schnell zogen wir uns an und fuhren in die

Lobby. Ich bezahlte die Rechnung für das Apart-Hotel, dann riefen wir ein Taxi.

Mit der Zeit ist es wirklich merkwürdig, diese Woche war mir endlos vorgekommen und jetzt würden wir den Flieger verpassen, wenn wir uns noch ein bisschen verspäteten.

# 14

Montagmorgen um elf Uhr Ortszeit stiegen wir in Frankfurt aus dem Flugzeug. In Brasilien war es erst sechs Uhr. Ich schlug Priscila vor, im Flughafen eine Kleinigkeit zu essen und dann den Zug nach Köln zu nehmen. Wir setzten uns in eine kleine Pizzeria, danach machten wir uns auf den Weg zum Bahnhof.

Jedes Mal wenn ich in Deutschland war, war es dasselbe, ich hörte die Menschen reden und wunderte mich über die seltsame Sprache. Bis auf das Wort ‚Scheiße' hatte ich nie ein Wort gelernt. Doch dieses Mal konnte ich wenigstens mit Priscila darüber sprechen. Meine laute Stimme brachte mir neugierige Blicke und Priscilas missbilligendes Kopfschütteln ein, angesichts der absoluten Nutzlosigkeit des einzigen Wortes, das ich auf Deutsch sagen konnte.

Nach einer knappen Stunde erreichten wir den Kölner Hauptbahnhof. Ich hatte bereits von der Schönheit der

Stadt und dem berühmten Dom gehört. Die gigantische Kirche beeindruckte uns sehr, als wir wie die vielen anderen Touristen endlich davor standen. Der Dom überragte alles und wurde zu Recht als eine der schönsten und wichtigsten gotischen Sehenswürdigkeiten Europas bezeichnet.

Wir betraten ein kleines Geschäft, eine Mischung aus Tabak- und Zeitschriftenladen. Eine dicke Frau mit einer schmalen Brille auf der Nasenspitze las eine Zeitschrift und beachtete uns nicht. Erst nachdem sie die Brille zurechtgerückt hatte, blickte sie uns aufmerksam an. Dann ging sie zu einem Regal, nahm ein Exemplar von ‚Traços da vida' heraus, das den deutschen Titel ‚Spuren des Lebens' trug – mein letztes Buch, und bat mich um ein Autogramm. Freudig überrascht schrieb ich eine kurze Widmung auf Englisch, unterzeichnete und bat die Dame um einen Stadtplan. Auf dem Umschlag klebte der Preis, fünf Euro, doch die Ladenbesitzerin wollte mein Geld nicht annehmen. Ich nutzte die gute Laune meiner internationalen Leserin und bat sie, unsere Koffer zu verwahren, während wir die Kathedrale besuchten. Mithilfe der englischen Zusammenfassung auf der Rückseite des Stadtplans informierte ich mich ein wenig über die Geschichte der Stadt. Es beeindruckte mich, dass Köln die größte Stadt Nordrhein-Westfalens war, denn bisher hatte ich angenommen, dass Geovanna in einer deutschen Kleinstadt lebte.

*Die Stadt wurde vor fast zweitausend Jahren gegründet und war Teil des Römischen Imperiums. Im Jahr 313 ernannte der römische Kaiser Konstantin, der kurz zuvor in Mailand das Christentum zur Staatsreligion des Imperiums erklärt hatte, Maternus zum ersten Bischof Kölns. Bereits damals gab es in Köln eine große, bedeutende christliche Gemeinde, die sich regelmäßig auf dem Platz versammelte, auf dem auch der heutige Dom steht. Zu Beginn des 9. Jahrhunderts entstand der alte Dom, der 873 geweiht wurde und Vorgänger des Kölner Doms war. Nach der Zerstörung des alten Doms begannen die Planungen für einen Neubau, der jedoch erst 1248 in Angriff genommen wurde. Doch nicht nur der Baubeginn war immer wieder verzögert worden, auch die Beendigung des Domes schien niemals eintreffen zu wollen. Es vergingen über sechshundert Jahre, bis der Bau des Kölner Doms mehr oder weniger abgeschlossen war. Ein Grund für den Neubau des Kölner Doms waren die Reliquien der heiligen drei Könige, Balthasar, Melchior und Caspar, die im Jahre 1164 nach Köln gebracht wurden. Die Bedeutung des Dreikönigsschreins war zu groß, als dass er einfach an irgendeinem Ort hätte aufbewahrt werden können. Deshalb wurde der Beschluss gefasst, eine Kirche in bisher unbekanntem Ausmaß zu bauen. Mit ihrer Vollendung sollte Köln den Status eines europäischen religiösen Zentrums erhalten. Am 15. August 1248 wurde der Grundstein des Kölner Doms gelegt. Erzbischof Konrad von Hochstaden rief die Prälaten der Kirche, einflussreiche*

*Persönlichkeiten und ihre Angestellten zusammen und versammelte mithilfe der mahnenden Worte der Prediger eine Menschenmenge. Nach der festlichen Mariä Himmelfahrtsmesse legte er den Grundstein. Dies war der Beginn des beeindruckend tiefen und breiten, mit enormen Kosten verbundenen Baus des Fundaments der neuen Hohen Domkirche St. Petrus – dem Kölner Dom. Und so beschrieb ein Mönch die Geburt dieses Wunders: „Konrad von Hochstaden, Erzbischof von Köln, legte am 15. August 1248 – dem Mariä Himmelfahrtstag – den Grundstein zum Bau der größten christlichen Kirche der Epoche. Das Bauwerk sollte ein irdisches Abbild des Himmlischen Jerusalem sein und Gottes Größe preisen. Meister Gerhard wurde als Dombaumeister beauftragt.*

*Gerhard, der berühmte Baumeister der Epoche, orientierte sich an den Kathedralen Frankreichs, deren Größe übertroffen werden sollte, um deutlich zu machen, dass Köln das wichtigste Erzbistum war. Die schwerfälligen Formen der Romanik waren aus der Mode gekommen. Die Gotik entwickelte sich. Langsam machten die wuchtigen, behauenen Felsblöcke Wänden mit riesigen Fenstern Platz, damit die Sonnenstrahlen, das Licht Gottes, die ganze Kirche erfasste. Diese Auffassung wurde über ein halbes Jahrtausend verfolgt, beinahe solange wie die Bauzeit des Doms. In den 632 Jahren wurde der Bau mehrfach unterbrochen: Zuerst verzögerte die schwarze Pest, die Europa ab 1347 heimsuchte, den Bau. Während der Reformationszeit von 1517 bis 1564 spaltete sich ein Teil der katholischen Gemeinschaft Europas ab. In dieser Epoche war das institutionelle Überleben die Hauptsorge der katholischen Kirche. Es war der preußische König Friedrich Wilhelm der IV. (1795-1861), ein Kunstliebhaber, der den Bauabschluss der Kathedrale wie im Originalplan vorgesehen finanzierte. Die bis dahin tätigen Baumeister waren dem Plan Meister Gerhards treu geblieben, trotzdem wurde das Bauwerk nie wirklich vollendet. Bis heute wurden unter anderem die Arbeiten an Türmen und Keller nicht zum Abschluss gebracht. Viele Kaiser, Könige, Künstler und international angesehene Intellektuelle, sogar ein paar Päpste haben den Dom besucht. Die Ausmaße dieses Steinkolosses sind beeindruckend: Bis 1884 waren die zwei 157 Meter hohen Türme die höchsten Kirchtürme der Welt. Das Hauptschiff ist 43 Meter hoch, 145 Meter lang und 86 Meter breit, der Innenraum umfasst 407000 Kubikmeter. Insgesamt wurden bei der Errichtung 160000 Tonnen Steine verbaut. Mit der Grundsteinlegung 1248 ist auch eine Legende verbunden, die bis heute fortbesteht: Wenn die Kathedrale vollendet ist, wird die Welt untergehen. Im Zweiten Weltkrieg wurde Köln völlig zerstört, doch der Dom – das höchste Gebäude der Stadt, litt kaum darunter – lediglich die dunkle, fast schwarze Färbung erinnert an einen Brand während des Kriegs.*

Ich schlug Priscila – die noch immer von der Außenansicht des Doms und der Lektüre der Stadtgeschichte auf der Rückseite des Stadtplans fasziniert war – vor, das Kirchenschiff zu betreten und die Informationen, die wir gerade gelesen hatten, zu überprüfen. Die Dunkelheit im Inneren entsprach den kolossalen Ausmaßen des Doms von außen, was die Glasmalereien noch deutlicher hervorhob. Im Kirchenschiff entdeckten wir, dass man über eine 509 Stufen hohe Treppe auf den Turm steigen konnte. Oben angekommen, wurden wir durch den wunderschönen Blick auf die Stadt, im Hintergrund der Rhein, für die Anstrengung entschädigt. Wir genossen den Ausblick ein paar Minuten. Wieder zu Atem gekommen, nahmen wir den Abstieg in Angriff. Als wir schließlich erschöpft die Straße erreichten, dämmerte es bereits. Erst jetzt erinnerte ich mich daran, dass wir einen Ort zum Schlafen finden mussten. Priscila, noch immer vom Anblick der mittlerweile vollständig erleuchteten Kathedrale entzückt, schien keinen Gedanken daran zu verschwenden. Ich nahm ihre Hand und sagte:

„Mein Schatz, wir müssen einen Platz zum Übernachten organisieren."

„Wie organisieren?", fragte sie entsetzt, „ich dachte, du hättest ein Hotel gebucht."

„Meine Reisen und Übernachtungen waren immer gebucht", antwortete ich und grinste, „doch darum haben sich andere Leute gekümmert. Diesmal habe ich die Flugtickets persönlich besorgt, dieses kleine Detail jedoch vergessen."

„Kleines Detail. Wir sind in einer fremden Stadt", aufgeregt blickte sie um sich, „und ich sehe kein einziges Hotelschild."

„Kein Problem. So schwierig kann das nicht sein", gab ich zurück und entdeckte einen Taxistand, zu dem ich Priscila am Arm hinzog. Ich bat den Taxifahrer, einen Moment zu warten, rannte zur Buchhandlung, holte die Koffer, bedankte mich bei der Geschäftsinhaberin und stieg ins Taxi, in dem mich Priscila ängstlich erwartete. Auf dem kurzen Weg zum Taxi erinnerte ich mich an eine Passage aus einem Buch von Chico Buarque: In jeder Stadt der Welt gibt es ein Plaza Hotel.

Also sagte ich zum Fahrer „Hotel Plaza, please!" Der schien sich zu wundern, wirkte ein bisschen durcheinander, als hätte er nicht verstanden, dann öffnete er das Handschuhfach und nahm ein kleines Büchlein heraus, das ich als touristischen Stadtführer erkannte. Er blätterte darin herum, bevor er die Augen auf eine bestimmte Seite heftete, sie mit dem Zeigefinger entlangfuhr, es dann hastig zusammenklappte und am selben Platz verstaute, unter einem Haufen anderer Papiere. Erneut drehte er sich zu uns um und antwortete lächelnd: „Yes, yes. It's very close here."

Ein paar Minuten nachdem wir am Hauptbahnhof losgefahren waren, befanden wir uns in dunklen, engen Straßen mit gepflasterten Bürgersteigen, doch zwischen dem ein oder anderen alten Haus konnte man weiterhin den großen, erleuchteten Dom erblicken und die an den

Türmen befestigten Gerüste.

Kurze Zeit später hielten wir vor dem Park Plaza Art'Otel Köln.

# 15

Die Nacht ging schnell vorbei, so rasch, dass sie mit dem Morgen verbunden zu sein schien. Wir wachten um halb zwölf auf, was am Jetlag, der uns am Abend zuvor vom Einschlafen abgehalten und uns eine wundervolle Nacht eingebracht hatte, lag. Dafür hatten wir den Vormittag verschlafen.

Jetzt erinnerte Priscila mich an das eigentliche Motiv unserer Reise. Ich hatte es nicht vergessen, jedoch seit unserer Ankunft nicht an Klaus und Geovanna gedacht. Noch immer wusste ich nicht, wie ich vorgehen sollte. Doch als ich Priscila um Rat bat, antwortete sie nur kühl:

„Du hast die Adresse. Und du weißt, was du zu tun hast."

„Ich kann nicht einfach so klingeln, ohne Voranmeldung."

„Natürlich kannst du das. Du selbst hast gesagt, dass diese Frau ihrem Sohn die ganze Wahrheit erzählt hat. Also?"

„Stimmt, aber sie hat auch von seiner Reaktion geschrieben und die war nicht gerade einladend."

„Was hast du dir gedacht? Er wusste nichts von deiner Existenz. Wie hätte er deiner Meinung nach reagieren sollen?"

„Keine Ahnung! Lass uns hingehen, unterwegs denke ich mir etwas aus."

# 16

Wir erreichten den MediaPark, einen riesigen Platz mit Brunnen und See, umgeben von großen Gebäuden sowie Häusern und Läden in den angrenzenden Straßen. Händchenhaltend überquerten wir den Platz, als eine brasilianische Fahne meine Aufmerksamkeit erregte. Was konnte das bedeuten?

„Keine Ahnung, irgendetwas Brasilianisches", sagte Priscila und ging wenig begeistert weiter, „doch was es auch immer sein mag, es ist nicht das, wonach wir suchen."

„Ich weiß, aber es kostet doch nichts, mal nachzuschauen", antwortete ich und überquerte bereits die Straße. Priscila folgte mir notgedrungen. Vor dem Laden konnte ich das Schild neben der brasilianischen Fahne lesen ‚Churrascaria do Manuel – Rodízio'.

„Schau nur, Schätzchen, eine Churrascaria. Ich glaub's nicht. Wie wunderbar, hier können wir gleich zu Mittag essen."

„Eric, du willst nur Zeit gewinnen. Wir sind spät aufgestanden, haben gerade gefrühstückt, es ist nicht einmal eine Stunde vergangen, seit wir das Hotel verlassen haben."

„Dann könnten wir hier zu Abend essen?", fragte ich und lächelte.

„Das entscheiden wir später", erwiderte Priscila, als spräche sie zu einem Kind, „wer weiß, vielleicht essen wir alle zusammen hier, du, dein Sohn und ich."

„Ich weiß noch nicht, ob er wirklich mein Sohn ist."

„Und wie es aussieht hast du Angst, es zu erfahren", antwortete sie und schaute mich mitleidig an. „Du hast Angst vor der Reaktion des Jungen, weißt nicht, was du tun sollst. Lass die Dinge einfach geschehen, Eric, wir können nicht zurückfliegen, ohne zumindest mit ihm gesprochen zu haben. Du bist extra deswegen hierhergekommen, erinnerst du dich?", fügte sie hinzu.

Wir gingen die Maybachstraße entlang und ziemlich am Ende des MediaParks fanden wir Hausnummer 104, ein kleines, aber schönes vierstöckiges Gebäude mit einer Wohnung pro Stockwerk, wie man an der Gegensprechanlage mit vier Klingeln und Namensschildern erkennen konnte.

„Welche Wohnung ist es?", fragte Priscila.

„Die von König", stammelte ich, „aber du klingelst nicht,

oder?"

„Und warum nicht?", hakte Priscila ironisch nach.

„Weil...", fieberhaft suchte ich eine überzeugende Antwort, „...ich klingeln sollte."

„Also, Eric", sagte Priscila und lächelte, „das Klingeln kann ich dir abnehmen, doch mit dem Jungen kann ich nicht sprechen! Das musst du allein schaffen!", rief sie.

Es kostete mich einige Anstrengungen, Priscila davon zu überzeugen, uns auf die letzte Bank im MediaPark zu setzen, mehr oder weniger gegenüber dem Wohnhaus. Von dort aus konnten wir das kleine Gebäude beobachten. Wir schauten zu einem Fenster, das zu einer Küche zu gehören schien oder zu einem Hauswirtschaftsraum – auf die Entfernung war das nicht genau zu erkennen – doch nichts bewegte sich. Etwas weiter rechts befand sich ein anderes Fenster, vielleicht das Schlafzimmer – jedenfalls bekamen wir einen ungefähren Eindruck von der Größe der Wohnungen.

Schweigsam saßen wir auf der Bank. Priscila sah mich ungehalten an, vielleicht weil sie bemerkt hatte wie schwer es mir fiel, Mut zu fassen, die Straße zu überqueren und diese verdammte Klingel zu drücken. Während Priscila mich verärgert musterte, ging ein junger Mann mit Büchern auf dem Arm eilig an uns vorbei, überquerte die Straße und betätigte die Klingel, die ich keinen Moment aus den Augen gelassen hatte. Selbst von weitem konnte ich sehen, dass er bei König klingelte. Das kann nicht er sein, dachte ich, sonst würde er nicht klingeln, hätte einen Schlüssel, außerdem hatte er dunkle Haare und war klein, kleiner als einen Meter siebzig, schätzte ich. Noch während ich zu dem Jungen starrte, öffnete ein anderer die Tür, sie begrüßten sich, der blonde, ungefähr ein Meter achtzig große junge Mann schloss die Tür von außen ab, steckte die Schlüssel in die Hosentasche, dann überquerten die beiden die Straße und kamen auf uns zu.

„Das ist er", sagte ich wie gelähmt.

Sie gingen direkt an uns vorbei und Klaus vermeintlicher Freund schaute neugierig zu uns herüber.

„Willst du ihn nicht ansprechen?", fragte Priscila.

„Es ist nicht der richtige Zeitpunkt", antwortete ich, wahrscheinlich ist er auf dem Weg zur Universität. Außerdem kann ich ihn nicht einfach so auf der Straße überfallen."

„Aber er hatte doch keine Bücher dabei."

„Der andere aber schon, vielleicht wollen sie zusammen lernen, ich sollte sie nicht stören. Lass uns warten, bis er zurückkommt."

Priscila konnte ihre Missbilligung nicht verbergen. Ich versuchte, sie mit absurden Themen zu unterhalten. Die Stunden vergingen langsam, es wurde Abend und der

Junge tauchte nicht wieder auf.

„Ich habe Hunger", sagte Priscila, „glaubst du es wird noch lange dauern?"

„Ich weiß es nicht, aber zumindest wissen wir, wer er ist und wie er aussieht", antwortete ich. „Wir können morgen Vormittag wiederkommen, um diese Zeit scheint er zu Hause zu sein und dann, ich verspreche es, werde ich mit ihm reden."

„Das musst du nicht mir versprechen", ereiferte sich Priscila, „sondern nur dir selbst."

Ich stand auf, zog sie an den Händen hoch und wir schlenderten Richtung MediaPark. Als wir an der Churrascaria vorbeikamen, lud ich Priscila zum Abendessen ein.

„Also gut, wir haben heute sowieso nichts mehr vor", stimmte sie verärgert zu.

Das Lokal war angenehm und wirkte richtig brasilianisch. Kaum waren wir eingetreten, empfing uns eine junge Frau: „Dois lugares?"

Ich bejahte und sie führte uns an einen Tisch, dann gab sie uns eine Speisekarte auf Portugiesisch, Englisch und Deutsch. Ich fragte Priscila, ob sie irgendetwas Bestimmtes trinken wollte, denn ich hatte mir bereits vorgenommen, ein aus Brasilien importiertes Bier zu bestellen, natürlich das teuerste auf der Karte. Auch Priscila entschied sich für Bier, wählte jedoch eine deutsche Marke und kommentierte meine Wahl ironisch:

„Du bist im Land des Biers, tausende Kilometer von Brasilien entfernt und bestellst ein brasilianisches Bier, das du zu Hause jeden Tag trinkst."

„Genau deshalb, weil ich schon daran gewöhnt bin und außerdem bereits an Heimweh leide," antwortete ich lächelnd.

Das Rodízio begann mit Reis und schwarzen Bohnen, auf die ich mich sofort stürzte. Nachdem ich meinen ersten Hunger gestillt hatte, schaute ich mich neugierig um. Ein paar wenige Gäste konnten ihr Entsetzen angesichts des dunklen Leckerbissens nicht verhehlen, die übrigen schienen Brasilianer zu sein oder zumindest unser Essen zu kennen. Amüsiert beobachtete ich, wie manche Leute lediglich eine einzige Bohne nahmen und sie fast ein bisschen ängstlich in den Mund steckten, bevor sie zustimmend nickten und ihre Teller füllen ließen. Im Anschluss servierten die Kellner eine Unmenge verschiedener Fleischsorten, die sie auf Portugiesisch anpriesen: „Picanha? Aceita maminha? Alcatra, senhor?"

In kurzer Zeit waren alle Plätze des Restaurants besetzt und der Wartebereich voller Menschen, die brasilianisches Bier tranken und knusprige Schweinebauchstückchen aßen. Ein Mann mit einer dunklen Brille und langen grauen Haaren stieg auf die kleine Bühne, schaltete einen Marshall-Verstärker ein, stimmte seine Giannini-Folkgitarre und gab – in vollendeter Perfektion – Klassiker der brasilianischen Popmusik, der Música Popular Brasileira, zum Besten.

Nach einem dreistündigen Konzert, das nur von einer zehnminütigen Pause unterbrochen wurde, verließ der sympathische Mann unter dem Applaus des Publikums die Bühne. Aus den Boxen, die überall im Gastraum verteilt waren, verbreitete sich der Klang von ‚Aquarela Brasileira' und fünf Mulattinnen in Karnevalskostümen stürmten den Saal. Alle Gäste klatschten und nachdem das Lied zu Ende war, wurden die erfolgreichsten Sambas und Märsche des Karnevals gespielt, zu denen die Mulattinnen ausgelassen tanzten. Hin und wieder suchten sie sich einen Gast aus, der versuchen musste, den Sambaschritten zu folgen. Plötzlich zog eine der Tänzerinnen Priscila in die Mitte des Saals. Meine Begleiterin bewies, dass auch sie Samba im Blut hatte und riss das Publikum zu begeistertem Applaus hin. Gegen Ende des letzten Karnevalsmarschs verschwanden die Mulattinnen durch eine Seitentür und kamen Minuten später in winzigen Bikinis zurück, in denen sie zu Rhythmen aus Bahia tanzten. Nach dem nicht enden wollenden Applaus und dem Dank des Publikums verließen die Mädchen hintereinander den Saal. Die letzte in der Reihe blieb an unserem Tisch stehen, lächelte und sagte:

„Ich kenne Sie. ‚Traços da vida' ist eines meiner Lieblingsbücher, ich habe mich sehr mit der Geschichte identifiziert. Dürfte ich ein Foto mit Ihnen machen und würden Sie mir ein Autogramm geben?"

„Natürlich", antwortete ich etwas verlegen.

Die junge Frau verschwand durch die Seitentür und kam gleich darauf mit einem Handy wieder. Sie bat mich aufzustehen, drückte Priscila das Telefon in die Hand und bat sie höflich, uns zu fotografieren. Dann zog sie meinen Arm um ihren halbnackten Körper und umarmte mich. Priscila knipste das Foto, gab das Handy zurück, die junge Frau bedankte sich und immer noch lächelnd hakte sie nach:

„Und das Autogramm?"

„Ok", antwortete ich und bat um Papier und Stift.

„Sie brauchen kein Papier. Ich möchte das Autogramm hier haben", sagte sie und zeigte auf das kleine Stück Bikinihose, „ich werde es in Liebe bewahren", fügte sie hinzu und beugte sich über den Nachbartisch, an dem ein deutsches Ehepaar saß. Ihr runder, schweißnasser Hintern befand sich nur wenige Zentimeter von meinem Gesicht entfernt. Völlig verdattert unterschrieb ich mit Datum und scherzte: „Leider kann ich keine Widmung schreiben, da nicht genug Platz ist." Priscila beobachtete uns missbilligend. Die junge Frau bedankte sich, küsste mein Gesicht und verließ – auch ohne Musik – tanzend den Raum. Priscila schaute mir in die Augen und fragte mit eifersüchtiger Miene: „Das hat dir gefallen, stimmt's?" Ich war erleichtert, dass ich keine Zeit hatte, zu antworten. Ein Mann mit Schnurrbart näherte sich unserem Tisch und begrüßte uns:

„Ich bin Manuel, der Inhaber des Restaurants und würde euch gerne einen Drink ausgeben!" Dann fuhr er fort: „Es ist uns eine Ehre, einen brasilianischen Schriftsteller in unserer Churrascaria begrüßen zu dürfen."

Manuel griff nach meiner Hand und bedankte sich für unsere Anwesenheit, was ich höflich erwiderte, indem ich die Gastfreundschaft, die exzellente Bedienung und das hervorragende Essen lobte. Er zog einen Stuhl heran und erzählte uns seine Geschichte. Geboren war er in Lissabon, später jedoch aus beruflichen Gründen nach São Paulo gezogen, wo er zwölf Jahre lebte. Bereits damals lernte er alle großen Churrascarias der Stadt kennen. Nach seiner Versetzung nach Köln begegnete er seiner zukünftigen Frau und beschloss, alles aufzugeben und nach Brasilien zurückzukehren. Erneut in São Paulo eröffnete er im Viertel Bexiga ein portugiesisches Restaurant inmitten lauter Cantinas Italianas. Sie bekamen Kinder, doch da sich seine Frau weder an die brasilianische Hitze noch an die Hektik São Paulos gewöhnen konnte, entschloss er sich, nach Deutschland zurückzukehren und in Köln eine authentische Churrascaria zu eröffnen. Nachdem er ein bisschen geredet hatte, erkundigte sich Manuel nach Brasilien. Priscila wirkte erschöpft und müde, ich war betrunken, deshalb unterbrach ich ihn und sagte, dass wir gehen müssten, versprach jedoch, bald wiederzukommen.

Erst als wir durch die Tür traten, erinnerte ich mich daran, in Deutschland zu sein, ich sah Priscila an, die verärgert schien:

„Ich glaube, dass du im Grunde nur hierhergekommen bist, um dich zu vergnügen. Du scheinst vergessen zu haben, dass du eine wichtige Verabredung mit dir selbst hast. Dabei musste ich an etwas denken."

„Was meinst du?", fragte ich.

„Du kennst deinen Sohn nicht, weißt nicht, was in ihm vorgeht. Du weißt nicht, wie er über die Sache denkt…"

„Natürlich nicht, wenn ich ihn nicht kenne, wie könnte ich es wissen? Aber was hat das damit zu tun?", fragte ich.

„Ich habe mir nur vorgestellt, dass er es nicht gut finden könnte, dass du trinkst. Wie würde er reagieren, wenn er erfahren würde, dass sein echter Vater Alkoholiker ist?"

„Aber ich bin kein Alkoholiker", brüllte ich, „ich mag Bier und hin und wieder einen Whisky. Oder hast du mich je etwas anderes trinken sehen?"

„Ein Alkoholiker definiert sich nicht durch die Art eines Getränks, sondern die Menge und die Häufigkeit, mit der er trinkt!"

„Findest du, dass ich so viel trinke?"

„Mit Sicherheit. Wir kennen uns erst seit kurzem und die Male, in denen wir zusammen waren, warst du betrunken."

„Das stimmt nicht! Außerdem kannst du nicht wissen, was der Junge denkt oder nicht denkt. Er könnte drogenabhängig sein, und dann?"

„Und dann?! Als Vater solltest du dir darüber Sorgen machen und nicht sagen ‚und dann'." Priscila schrie jetzt beinahe.

Ich zog es vor zu schweigen. Wir gingen bis zum Bahnhof, es war nach zwei Uhr morgens, der letzte Schnellzug war um Mitternacht gefahren. Es blieb uns nichts anderes übrig, als die U-Bahn zu nehmen. In unserem Waggon saß außer uns niemand und obwohl die zwölf Stationen nahe beieinander lagen, betrug die Fahrzeit ungefähr fünfzig Minuten. Die ganze Fahrt über sprachen wir kein Wort.

Im Hotel wartete ich darauf, dass Priscila endlich das Bad verließ, damit ich hinein konnte. Als ich wieder herauskam, schlief sie bereits. Ich legte mich neben sie und weckte sie auf, indem ich ihr Gesicht zu meinem drehte, um sie zu küssen, aber sie schob mich weg und wandte sich um, ohne noch etwas zu sagen.

# 17

Als ich aufwachte, lag Priscila nicht mehr im Bett. Erleichtert hörte ich, dass sie duschte. Ich öffnete behutsam die Tür, sah ihren nackten Körper durch das vom heißen Wasser beschlagene Glas und überlegte einen Moment, hineinzugehen. Doch das wäre falsch, deshalb legte ich mich wieder ins Bett. Als Priscila aus dem Bad kam, schaute sie mich verächtlich an und fragte:

„Was für einen Ausflug hast du heute geplant? Den Jungen erneut von weitem beobachten? Warum versuchst du nicht, ihm zu folgen, dann findest du vielleicht noch mehr heraus? Du könntest weiter Detektiv spielen."

„Heute spreche ich mit ihm", gab ich verdrießlich zurück.

„Ich werde nichts mehr dazu sagen. Aber ich muss gestehen, dass meine Enttäuschung von Tag zu Tag zunimmt, Eric."

„Ich hatte dich gebeten, mich zu unterstützen, mich in einem schwierigen Moment meines Lebens zu begleiten, nicht darum, mich die ganze Zeit über zu verurteilen."

„Ich fälle kein Urteil. Ich ziehe meine Schlüsse."

„Was willst du damit sagen?", erkundigte ich mich.

„Dass ich dich für jemand besonderen gehalten habe und heute weiß, dass ich mich geirrt habe."

„Priscila, du kannst meine Probleme nicht lösen. Wenn mir der Mut fehlt, den Jungen anzusprechen, ist das mein Problem. Wenn du denkst, ich trinke zu viel, dann ist es ebenso mein Problem. Ich habe dich gebeten mitzukommen, um mir zu helfen, nicht, um mich zu kritisieren."

„Ich dachte, wir hätten eine Beziehung. Darunter verstehe ich, dass man Probleme teilt und der eine versucht, dem anderen zu helfen. Deshalb bin ich hier. Doch wie es aussieht, gibt es keine Beziehung."

„Das sagst du! Es gibt ein paar Probleme, die extrem persönlich sind, und in die sich niemand einmischen kann, auch wenn man sich noch so nahe ist."

„In diesem Fall hättest du mich nicht mitnehmen sollen."

„Was ich sagen will ist, dass wir sehr oft denken, wir würden jemandem helfen, wenn wir erreichen, dass derjenige wie wir denkt. Wir versuchen, die Probleme des anderen auf unsere Art zu lösen. Um jemandem helfen zu können, müssen wir jedoch wissen, was diese Person tatsächlich will und dürfen ihr nicht aufzwingen, was wir wollen. Wir müssen wissen, wie wir richtig helfen können, sonst stören wir nur", dozierte ich mit überlegener Miene.

„Das ist das Problem. In unserem Fall sind die Dinge noch komplizierter, denn nicht einmal du weißt, was du willst. Wie könnte ich dir helfen? Ich denke, ich tue das Richtige, wenn ich versuche dich zu ermutigen, deinen Sohn zu treffen."

Das Schlimmste war, dass sie Recht hatte, dachte ich bei mir, reagierte jedoch nicht, sodass Priscila fortfuhr:

„Ehrlich gesagt, habe ich nicht damit gerechnet. Ich dachte, wir würden nach Brasilien zurückkehren, nachdem ihr Klarheit in die Sache gebracht hättet. Ich gebe zu, dass ich nicht erwartet habe, dass ihr euch sofort beim ersten Kontakt verstehen würdet, doch bin ich davon ausgegangen, dass ich zumindest eine erste Annäherung zwischen euch miterleben würde. Ob er dich dann hätte kennenlernen wollen oder nicht, ist ein anderes Thema, aber zumindest ein Gespräch hätte er dir nicht verwehren können."

„Du wirst diesen ersten Kontakt miterleben", beschwichtigte ich sie.

„So wie es aussieht, nicht. Ich hoffe, du schaffst es noch diesen Monat. Oder, wer weiß, dieses Jahr."

„Ich habe nicht vor, den Rest des Jahres hier zu verbringen", antwortete ich und lächelte.

„Und wann hast du vor, ihn zu treffen?"

„Ich weiß es noch nicht genau, aber wir sind erst seit zwei Tagen hier. Die erste Woche dient lediglich dazu, das Revier zu markieren", scherzte ich.

„Also werde ich es wirklich nicht erleben", erwiderte sie, „ich fliege morgen zurück."

„Was?", fragte ich erschrocken.

„Genau das, ich fliege morgen. Ich habe Verpflichtungen", sagte Priscila. „Als du mich batest, dich zu begleiten, wusste ich nicht, wie sich die Dinge entwickeln würden, ob du noch länger bei deinem Sohn bleiben wolltest, oder ihr euch bei eurem ersten Treffen nicht verstehen würdet und du versuchen würdest, ihn zu überzeugen. All das hätte dauern können, deshalb habe ich entschieden, meinen Rückflug zu buchen."

„Also hattest du alles schon geplant?", fragte ich.

„Ja, trotzdem habe ich nicht erwartet, dass es so kommen würde. Auf jeden Fall hätte ich nicht lange bleiben können, anders als du muss ich zig Termine einhalten."

„Hältst du mich für einen faulen Sack?"

„Das habe ich nicht gesagt. Aber wenn du denkst, es reicht aus, alle zwei, drei Jahre ein Buch zu schreiben…"

„Mir reicht das, es ist meine Arbeit. Und ich lebe davon."

„Ich weiß. Ich wollte auch nicht sagen, dass es dir finanziell nicht reichen würde. Was ich sagen will ist, dass Menschen sich beschäftigen müssen, du hast Zeit im Überfluss, könntest andere Dinge tun und viel angesehener sein. Vielleicht einer sozialen Beschäftigung nachgehen, jemandem helfen, der Hilfe benötigt. Man achtet dich, du hast Zeit im Überfluss, die idealen Bedingungen, Bedürftigen zu helfen."

„Ich helfe, unterstütze jeden Monat eine wohltätige Einrichtung, und zwar mit nicht wenig. Sag mir nicht, was ich tun soll. Ich lebe mein Leben, wie ich es für richtig halte, wenn ich finanziell und persönlich mit einem Buch alle drei Jahre auskomme, geht dich das nichts an. Du darfst dich nicht in mein Leben einmischen."

„Genau, noch ein Grund, dass ich abreise und wir uns nicht mehr sehen werden. Ich glaube, mein Vater hat Recht, was dich betrifft."

„Zieh die Schlussfolgerungen, die du willst. Ich kann dir garantieren, dass du mich in dieser kurzen Zeit, die wir zusammen sind, bereits sehr viel besser kennengelernt hast als dein Vater."

„Ich möchte nicht weiter darüber sprechen", erwiderte Priscila.

„Aber ich will! Was willst du damit sagen, dass dein Vater in Bezug auf mich Recht hat?"

„Ich behaupte nicht, dass ich alles glaube, was mein Vater sagt. Doch ich weiß über deine Vergangenheit Bescheid, du selbst hast mir sehr viele Dinge erzählt…" Priscila machte eine Pause. „Der renommierte Schriftsteller Eric Resende ist ein einsamer Mann. Ein Alkoholiker, der ausgeht, um mit Prostituierten Bekanntschaft zu schließen. Und ich dachte, ich könnte dir helfen. Ich mag dich wirklich, Eric, doch leider wird meine Enttäuschung jeden Tag größer."

„Mochtest du mich wirklich? Oder warst du nur aus Mitleid mit mir zusammen? Die gute Seele, die sich einem einsamen Alkoholiker annähert, um ihn zu heilen. Du hast dich mit mir eingelassen, um dir selbst zu beweisen, dass du mich heilen kannst, um dir zu beweisen, dass du tatsächlich fähig und wohltätig genug bist. Oh Mutter Theresa… Du brauchst diesen Beweis nicht. Und ich noch viel weniger."

„Nein, das ist es nicht! Eigentlich habe ich mich in den anderen Eric verliebt, den liebevollen, intelligenten, entschlossenen, gebildeten, den Mann, der nur eine Frau an seiner Seite brauchte, um vollkommen glücklich zu sein. Zumindest kam es mir so vor."

„Ich habe nie gesagt, dass ich eine Frau an meiner Seite brauche. Wenn ich eine Frau an meiner Seite brauchte, habe ich dafür bezahlt und ich versichere dir, dass das für mich wesentlich einfacher war, sie erhielten ihr Geld und versuchten nicht, mein Leben zu verändern."

„Ich dachte, du wärst dieses Leben leid, Eric. Ja, es stimmt, dass ich dein Leben ändern wollte, zum Besseren, ich wollte dich glücklich machen, und natürlich an deiner Seite glücklich sein."

„Dann hast du dich geirrt. Ich bin dieses Leben nicht

leid und, um ehrlich zu sein, bevorzuge ich es sogar. Wenn ich bezahle, habe ich Gesellschaft und Sex, wann und wie ich es will, und bin nicht gezwungen, Klagen anzuhören, nicht einmal Tipps, was ich aus meinem Leben machen sollte. Wenn ich ehrlich bin, ist es besser, eine Prostituierte neben sich zu haben als eine Frau, die über mein Leben bestimmen will."

Priscila antwortete nicht, sie ging ans Fenster, damit ich nicht sah, dass sie weinte. Ich näherte mich ihr und versuchte ihr Gesicht zu mir zu drehen. Mit einem raschen Blick sah ich ihre Tränen, während sie meinen Arm beiseiteschob und sich über die Fensterbank beugte. Ich wusste nicht, was ich tun sollte. Schweigend verließ ich das Zimmer und ging ziellos durch die Straßen, bis ich bemerkte, dass auch ich weinte.

# 18

Ohne dass es mir aufgefallen war, fand ich mich in der Maybachstraße wieder, auf der letzten Bank im Media-Park, vor dem Haus, in dem Klaus wohnte. Es war zehn Uhr morgens. Meine Gedanken kreisten, sollte ich den Jungen treffen oder zurückgehen, um mich bei Priscila zu entschuldigen? Ich beschloss zu klingeln, mitihm zu sprechen und dann schnell in die Arme Priscilas zurückzukehren, die Absurditäten, die ich von mir gegeben hatte, zurückzunehmen und ihr die Neuigkeiten zu berichten. Doch ich wusste, dass es so einfach nicht sein würde.

Während ich den Verkehr um mich herum beobachtete, entdeckte ich einen Kirchturm am Ende der Straße, in der Klaus wohnte. Aufmerksam lauschte ich dem Läuten der Glocken, das genau in diesem Augenblick begann, und sobald es aufhörte, nahm ich meinen Mut zusammen, überquerte die Straße und klingelte bei König. Eine Kälte, die im Bauch entstand und von meinem Körper Besitz ergriff, stieg in mir hoch, es war zu spät, wegzurennen wie ein Kind, das einen Klingelstreich gemacht hatte, eine Stimme am anderen Ende der Gegensprechanlage nuschelte irgendetwas auf Deutsch. Ich wusste nicht, was ich antworten sollte, deshalb sagte ich auf Englisch:

„Entschuldigung, ist Frau Geovanna zu Hause?"

„Leider wohnt sie nicht mehr hier", antwortete die Stimme in einem sehr viel besseren Englisch als meinem.

„Nein? Und wo kann ich sie finden?" Ich erinnerte mich an den Brief, wahrscheinlich war sie im Krankenhaus.

„Wer sind Sie?"

„Ein Freund, der von weit her gekommen ist."

„Warten Sie bitte einen Moment."

Es dauerte keine zwei Minuten und die Tür wurde geöffnet. Der blonde Junge stand vor mir und sah mich kühl an. Mir blieben die Worte im Hals stecken, mein Körper zitterte und es kostete mich große Anstrengung zu fragen:

„Und wo kann ich sie treffen?"

„Leider ist sie von uns gegangen. Sie ist vor drei Wochen gestorben", antwortete er in fließendem Englisch.

Erschüttert wandte ich mich ab, da ich die Tränen nicht unterdrücken konnte. Der Junge sah mich schweigend an.

„Entschuldigen Sie", sagte ich weinend, „Entschuldigen Sie, dass ich Sie belästige."

Unsere Blicke trafen sich für ein paar Sekunden. Ohne ein weiteres Wort drehte ich dem jungen Mann den Rücken zu und ging Richtung MediaPark davon.

„Ich weiß, wer Sie sind!", schrie er mir von der anderen Straßenseite aus nach.

Er schien auf eine Antwort zu warten, die nicht kam und ich hatte nicht den Mut, mich noch einmal umzudrehen, sondern ging weiter Richtung Bahnhof. Ich setzte mich auf eine der Bänke, schaute eiligen Menschen nach, fixierte mit meinem Blick die Anzeigetafel mit den Ankunfts- und Abfahrtzeiten der Züge und dachte an Priscila. Scham stieg in mir auf. Stundenlang saß ich dort, wie gelähmt. Ich weinte, dachte an die Vergangenheit, dachte voller Zuneigung, voller Wut an Geovanna, voller Gewissensbisse.

Nachdem die Tränen versiegt waren, entschloss ich mich, zu gehen. Ich lief den ganzen Weg zurück zu Klaus Wohnhaus, klingelte mehrfach beharrlich, niemand öffnete. Erneut setzte ich mich auf die Bank im MediaPark, wartete stundenlang, doch während all dieser Zeit betrat nur ein Ehepaar das Gebäude. Es wurde bereits dunkel, als ein großer, kräftiger Mann die Tür aufschloss. Wenige Augenblicke später gingen die Lichter in der Wohnung im vierten Stock an. Otto, Klaus Vater, dachte ich bei mir.

Ich beschloss im Hotel anzurufen, sagte meinen Namen und bat darum, mit unserem Zimmer verbunden zu werden. Es dauerte einen Moment, dann hörte ich die Rezeptionistin sagen, dass der Gast nicht gestört werden wollte. Ich entschuldigte mich und legte auf.

Ein weiterer Tag war vergangen. Es hat sich etwas entwickelt, dachte ich, gut oder schlecht, ich habe ersten Kontakt zu Klaus aufgenommen. Die simple Tatsache, dass er wusste, wer ich war, konnte ein gutes Zeichen sein. Vielleicht sogar ein Grund zum Feiern. Es stimmte, dass ich nicht den Mut hatte, noch einmal zu klingeln, was in diesem Moment das vernünftigste gewesen wäre. Ebenso fehlte mir der Mut vor Priscila zu treten, ziellos schlenderte ich Richtung Churrascaria do Manuel.

Als ich eintrat, winkte mir Manuel aus der Küche zu, er schien sehr beschäftigt zu sein. Die Empfangsdame begrüßte mich mit Namen und setzte mich mit der Bemerkung, dass sie gesehen hatte, wie sehr mir die Show gefiel, an einen Tisch direkt vor der Bühne.

Ich bestellte ein deutsches Bier und wendete meine Aufmerksamkeit der Musik zu, die aus den kleinen, im Saal verteilten Boxen drang: Aquarela do Brasil. Als hätte ich es geahnt, drehte ich mich in dem Moment zur Seitentür, als die fünf Mulattinnen auftauchten und Richtung Bühne tanzten, die noch kleiner schien als am Abend zuvor. Das gesamte Repertoire vom Vortag wurde wiederholt, das Mädchen, das mich um ein Autogramm gebeten hatte, winkte und warf mir einen Kuss zu, als würde sie ihn von ihrer Handfläche zu mir pusten. Nach Beendigung der Aufführung kamen sie im Gänsemarsch von der Bühne. Erneut blieb meine Leserin neben mir stehen:

„Guten Abend, Senhor Eric."

„Guten Abend, meine Liebe. Wie geht's?"

„Besser, jetzt wo Sie gekommen sind, um mich wiederzusehen."

„Gut!", antwortete ich einfallslos. „Ich bin gekommen, um Sie zu sehen, das brasilianische Essen zu genießen, gute Musik zu hören. Um ehrlich zu sein, bin ich wiedergekommen, weil mir alles hier gefallen hat. Dies ist wirklich der einzige Ort in der ganzen Stadt, an dem ich mich zu Hause fühle."

„Das verstehe ich. Dann können Sie sich vorstellen, wie es mir geht... Seit acht Monaten bin ich hier, weit weg von zu Hause. Da ist es immer gut, Brasilianer zu treffen, sich zu unterhalten. Obwohl es hier in Köln sehr viele Partys gibt, auch Partys der kleinen brasilianischen Kolonie. Das kleine brasilianische Köln", schloss sie lächelnd.

„Tatsächlich? Partys?", erkundigte ich mich hoffnungsvoll.

„Ja. Zufällig findet gerade heute eine Party statt, nicht nur für Brasilianer, doch natürlich werden viele Landsleute dort sein. Wollen Sie mit mir hingehen?"

„Nein danke, ich möchte Ihnen nicht zur Last fallen."

„Auf gar keinen Fall, es wäre eine Ehre für mich und ich bin sicher, dass ich einen exzellenten Begleiter hätte, einen Brasilianer, allein, hübsch und noch dazu berühmt."

„Wenn ich Sie auf eine Party begleiten soll, muss ich Ihren Namen wissen."

„Margot", antwortete sie und lächelte, „Ihren weiß ich bereits, vielleicht habe ich deshalb vergessen, mich vorzustellen. Es kommt mir so vor, als würde ich Sie schon seit langem kennen, doch eigentlich kenne ich nur den Schriftsteller Eric Resende. Heute werde ich den Menschen hinter dem Namen kennenlernen."

„Ich hoffe, Sie werden nicht enttäuscht sein", scherzte

ich.

„Bestimmt nicht", antwortete sie, „es gibt nur ein Problem, wir haben noch einen Auftritt in einem Restaurant in der Nähe. Wir tanzen nur zwanzig Minuten, dann habe ich frei, in einer Stunde kann ich wieder hier sein. Können Sie warten?"

„Natürlich! Dann habe ich genug Zeit, noch einen Whisky zu trinken."

„Bis nachher", sagte Margot und eilte hinaus, dabei warf sie mir einen weiteren Kuss zu.

Jetzt gab es kein Zurück mehr. Der Gedanke, auf eine Party zu gehen, munterte mich ein bisschen auf, Margot schien eine interessante Person zu sein. Sie wäre eine gute Romanfigur, dachte ich.

Es dauerte fast zwei Stunden bis Margot an der Tür des Restaurants erschien. Erleichtert bezahlte ich meine Rechnung und ging hinaus:

„Alles in Ordnung? Müde vom Warten?", fragte sie.

„Sie haben sich ein bisschen verspätet, aber das macht nichts. Und wohin gehen wir?"

„Ins Kwartier Latäng."

„Ist das weit von hier?", fragte ich.

„Nein. Wir nehmen die U-Bahn und dann müssen wir noch ein Stück laufen, nichts weiter."

„Warum fahren wir nicht mit dem Taxi?"

„Nur Touristen fahren in Köln Taxi, in fast allen Vierteln gibt es U-Bahnhaltestellen. Es ist viel praktischer und billiger, die U-Bahn zu nehmen."

Wir gingen durch die Maybachstraße Richtung Bahnhof. Auf dem Weg liefen wir an Klaus Haus vorbei. Obwohl es fast Mitternacht war, war die Wohnung hell erleuchtet. Ich versuchte, etwas zu erkennen, doch das war unmöglich. Einen Augenblick überlegte ich, auf die Party zu verzichten und bei Klaus zu klingeln, um mit ihm zu sprechen. Doch da es bereits sehr spät war, verwarf ich den Gedanken und versprach mir selbst, es nicht länger hinauszuzögern, sondern morgen ganz bestimmt wiederzukommen.

„Wo ist die Party?", hakte ich nach.

„Trauen Sie mir nicht?"

„Nein. Ich wollte sagen, wo findet die Party statt. In einem Haus? Einer Bar? Einem Club?"

„Bei Mauro."

„Wer ist Mauro?"

„Ein brasilianischer Freund, er wohnt seit zwölf Jahren hier. Er hat uns in Empfang genommen, als wir ankamen. Mich und die Mädchen. Er half uns, die Wohnung zu mieten und hat uns total unterstützt, damit wir bleiben. Er vermittelt uns auch die Kontakte in den Bars und Nachtclubs, in denen wir auftreten."

„Macht ihr außer den Auftritten auch andere Sachen?"

„Was für andere Sachen?"

„Eine andere Arbeit tagsüber."

„Wollen Sie wissen, ob ich mich prostituiere?"

„Eigentlich war es nicht das…"

„Sie können ruhig zugeben, dass es das war, was Sie wissen wollten!"

„Entschuldigen Sie, aber nach allem, was Sie erzählt haben, kam mir dieser Typ wie ein Zuhälter vor."

„Das ist er auch beinahe. Er hilft uns und wir bezalen ihm einen Teil dessen, was wir verdienen."

„Ich weiß", antwortete ich und dachte erneut daran, auf die Party zu verzichten.

„Doch was Ihre Frage betrifft, ich prostituiere mich nicht. Es gibt Frauen, die das tun, aber ich nicht. Und um Ihrer nächsten Frage zuvorzukommen, Mauro zwingt niemanden, sich zu prostituieren, im Gegenteil, er verabscheut dies. Wenn er herausfindet, dass sich ein Mädchen prostituiert, hört er meist auf, sie zu unterstützen. Er besorgt ihr keine Lokale mehr, in denen sie tanzen kann, hilft ihr nicht mehr, ein Dauervisum zu bekommen, lässt sie im Stich. Ein paar bereuen es dann und kommen zurück, andere lassen sich nicht mehr blicken."

„Ich verstehe. Und Mauro macht nichts anderes?", fragte ich.

„Finden Sie das zu wenig? Dieser Job beschäftigt ihn den ganzen Tag. Es ist nicht einfach, einen Termin bei ihm zu bekommen. Er hat eine Model-Agentur. Doch nicht alle schaffen es, Model zu werden, Werbung zu machen, Fotos, all das. Die meisten Mädchen kommen in der Hoffnung, professionelle Models zu werden. Den Mädchen, denen es nicht gelingt, eine Karriere als Model einzuschlagen, hilft er, Lokale zum Tanzen zu finden, bei Veranstaltungen, Messen oder während des Karnevals zu arbeiten. Deshalb steuern wir zehn Prozent von allem, was wir verdienen, bei. Es ist wie eine legale Arbeit. Sie müssen Steuern zahlen, oder nicht?"

„Haben Sie Karneval gesagt?", fragte ich verwundert.

„Ja, Karneval. Köln ist die Stadt mit dem größten Karneval Europas. Mit Karnevalswagen und allem. Das müssen Sie sehen! Es ist nicht wie in Brasilien, aber es ist echt gut."

„Karnevalswagen?"

„Ja. Glauben Sie mir nicht? Die Wagen fahren durch die ganze Stadt und die Mitfahrenden werfen Schokolade in die Menge."

„Schokolade?"

„Genau. Wir haben hier in Köln das Schokoladenmuseum. Dort kann man alles über die Geschichte der Schokolade erfahren, von der Ankunft aus Amerika bis hin zum Genussmittel der Europäer."

„Das ist echt interessant", sagte ich erstaunt.

„Interessant und lecker. Besucht man das Museum, kann man unterschiedliche Schokoladensorten probieren. Das Museum umfasst mehr als zweitausend Quadratmeter bebaute Fläche, voller Schokolade, über zweihundert verschiedene Sorten."

„Woher wissen Sie das alles?"

„Ich wohne seit acht Monaten hier und mache jede Woche einen Ausflug dorthin. Ich liebe Schokolade, aber es wäre idiotisch, nur hineinzugehen, die Gratisproben einzusacken und wieder abzuhauen, deshalb lese ich diese ganzen Erklärungen. Außerdem hilft es mir, Deutsch zu üben."

„Sie sprechen Deutsch?"

„Nur sehr wenige Worte. Das, was ich zum Überleben benötige. Englisch spreche ich etwas besser, doch ich habe es nie richtig gelernt, habe mich mit meinem Schulwissen durchgeschlagen. Nachdem ich hierhergekommen bin, habe ich es nach und nach mit den Freunden gelernt. Es ist leichter, Englisch zu lernen als Deutsch."

„Das kann ich mir vorstellen", stimmte ich, immer noch

verwundert, zu.

Ich war derart in das Gespräch mit Margot vertieft, dass ich nicht bemerkte, dass wir bereits die U-Bahnstation Latäng erreicht hatten.

„Wir sind da, steigen wir aus!", rief Margot und schubste mich aus dem Zug.

„Und die Leute, die auf der Party sein werden?"

„Was ist mit den Leuten?"

„Was für Leute sind es? Wer sind sie? Sind es Ihre Freunde?"

„Ein paar. Mauro ist hier sehr beliebt. Er hat viele Freunde. Es werden einige Mädchen da sein, aber natürlich auch Jungs!"

„Jungs?"

„Ja, Mauros Freunde."

„Brasilianer?"

„Leute von überall her. Brasilianer, Deutsche, Argentinier. Viele Leute kennen Mauro! Er ist Teilhaber eines Nachtclubs in der Nähe des Rheins. Manchmal trete ich auch dort auf. Ich tanze zu Karnevalsmusik, aber es werden alle Arten von Musik gespielt: brasilianische, argentinische, französische, Bauchtanz. Es ist eine Party, das Haus ist immer voll, viele Touristen, Leute aus der ganzen Welt. Ich glaube, dass Mauro wegen des Nachtclubs so beliebt ist. Manche Leute sagen, er verkauft Drogen, aber das habe ich nie mitbekommen."

„Verstehe", antwortete ich ungläubig, „und nehmen Sie Drogen?"

„Nein", antwortete Margot ganz selbstverständlich. „Als ich noch in Brasilien lebte, habe ich welche genommen, lange, bevor ich hierher kam. Hier nie. Das heißt nicht, dass mir nie welche angeboten wurden oder ich nicht andere Leute habe welche nehmen sehen. Sie wissen, wie das ist! Wenn du nachts tanzt, siehst du alles. Aber ich will nichts damit zu tun haben. Ich habe einen Bruder durch Drogen verloren. Er war süchtig und wurde von Drogendealern in São Paulo umgebracht."

„Sie sind aus São Paulo?"

„Ja. Sie auch, ich weiß. Ich habe in Penha gewohnt. Ich war sechs Jahre verheiratet, habe drei Kinder, die bei meiner Mutter sind, doch ich habe vor, sie hierher zu holen, wenn alles gut geht. Wenn nicht, werde ich versuchen, Geld zu sparen und nach Brasilien zurückzukehren. Doch eins ist sicher, ich muss mit meinen Kindern zusammenleben. Hier oder dort, weiß ich noch nicht, aber ich habe mir selbst geschworen, dass ich ihnen nicht länger als maximal drei Jahre fernbleiben werde."

„Entschuldigen Sie die Frage… Wie alt sind Sie?"

„Neunundzwanzig!"

„Das sieht man Ihnen nicht an. So wie man Ihnen auch die Kinder nicht ansieht, Sie haben einen perfekten Körper. Wunderschön."

„Das ist das Tanzen. Ich fahre auch viel Fahrrad. Hier fahren alle überall mit dem Fahrrad hin, es ist das billigste Transportmittel. Außerdem gibt es in den meisten Straßen Fahrradwege."

„Sind sie schon lange getrennt?"

„Kurz bevor ich hierhergekommen bin. Eigentlich kriselte meine Ehe bereits seit zwei Jahren. Wir waren praktisch getrennt, obwohl wir im selben Haus gewohnt haben. Damals fragte mich eine Freundin, ob ich mit ihr nach Köln gehen wolle. Ich sprach mit meinem Mann darüber, doch es hat ihn nicht im Geringsten interessiert. Sein einziger Kommentar war, dass es wirklich besser wäre, da er schon seit langem darüber nachgedacht hätte, auszuziehen. Danach redete ich mit meiner Mutter, die mehr Verständnis für meine Situation hatte. Als ich dann den Flug gebucht hatte, sagte er nur: Bist du noch nicht weg? Du vergeudest deine Zeit, könntest schon längst dort sein. Wo wirst du die Kinder lassen? Ich antwortete, dass meine Mutter sich um sie kümmern würde und er sagte Prima. Seit diesem Tag habe ich ihn nie mehr gesehen und jetzt bin ich hier."

„Ich kenne eine ähnliche Geschichte", murmelte ich.

„Was haben Sie gesagt?"

„Nichts. Ich habe nur laut gedacht." Die Erinnerung an Geovanna stieg in mir auf.

„Es ist gleich hier vorne", sagte Margot und riss mich aus meinen Gedanken.

Wir bogen um eine Ecke, vor uns lag ein Haus in offener Bauweise, aus dem in voller Lautstärke elektronische Musik dröhnte. Auf der einen Seite befand sich ein Supermarkt, der bereits geschlossen hatte, auf der anderen eine riesige weiße Wand, die sich in der Ferne zu verlieren schien, ganz mit Graffiti besprüht. Ich stellte fest, dass dahinter Bahngleise lagen. Leute betraten und verließen das Haus, es gab weder eine Garage noch einen Vorgarten, die Terrassentür des Wohnzimmers ging direkt auf die Straße. Eine Gruppe junger Männer und Frauen kam heraus und winkte Margot zu, die den Gruß mit einem zurückhaltenden Lächeln erwiderte. Wir betraten das schmale Wohnzimmer, voller rustikaler Möbel, schlängelten uns durch einen engen Flur, der zu einer Toilette führte, auf der ein betrunkenes Mädchen bei offener Tür saß, davor eine Reihe von fünf oder sechs jungen Leuten, die Bier aus 0,33-Liter-Flaschen tranken und darauf warteten, an die Reihe zu kommen. Wir gingen durch die Küche, alles war voller leerer Flaschen, das Spülbecken überfüllt mit dreckigen Gläsern und Tellern, auf dem Boden hatte sich ein nasser, glitschiger Film gebildet, daneben eine Treppe, von der ich mir vorstellte, dass sie zu den Zimmern im zweiten Stock des

Wohnhauses führte. Hinter dem Haus befand sich ein riesiger Garten, überall drückten sich Leute herum. An den lauschigsten Plätzchen küssten sich alle Arten von Paaren. Ich stellte fest, dass niemand sich daran störte. Alle tranken, unterhielten sich und lachten laut. Ein gelassen wirkender, mittelgroßer magerer Mann mit grauen Haaren kam uns entgegen, umarmte Margot und gab ihr einen Kuss auf die Wange.

„Margot, wie schön, dass du gekommen bist."

„Das ist Eric, ein neuer Freund", antwortete Margot.

„Hallo Eric. Ich bin Mauro. Fühl' dich ganz wie zu Hause, das Haus gehört dir und noch hundertdreißig anderen Leuten." Er lächelte und streckte die Hand aus, um mich zu begrüßen.

„Danke", gab ich etwas verlegen zurück.

„Bist du nicht der Schriftsteller Eric Resende?", fragte Mauro.

„Doch", antwortete ich geknickt.

„Was für eine Ehre! He, Mariana", rief er eine Blondine herbei, die uns beobachtet hatte. „Mach ein Foto von uns, wir haben einen Prominenten zu Besuch", fügte er hinzu, gab der jungen Frau das Handy und stellte sich neben mich. Das Mädchen machte das Bild und gab ihm das Handy zurück. Dann küsste sie Margot und mich auf die Wangen und sagte: „Herzlich Willkommen auf unserer Party." Sie nahm Margot bei der Hand und zog sie aus meinem Blickfeld. Da ich nicht wusste, was ich sagen sollte, und weil das Bier aus der Churrascaria auf meine Blase drückte, fragte ich nach der Toilette.

„Du musst nicht Schlange stehen, geh nach oben und benutz das Klo von meinem Schlafzimmer, es ist die letzte Tür geradeaus, mach es dir bequem", antwortete Mauro und zeigte zur Treppe. Erneut passierte ich die Leute in der Schlange vor der Toilette, die mich misstrauisch ansahen, und stieg die Treppe hoch. Auf jeder Seite befand sich eine Tür, ich ging geradeaus auf die dritte und letzte zu. Hinter der ersten Tür zu einem kleinen Zimmer, in dem das Licht brannte, hatten zwei Paare in einem Einzelbett Sex miteinander, ohne sich im Geringsten um meine Anwesenheit zu kümmern. Hinter der zweiten Tür ein weiteres Zimmer, in dem drei junge Männer, dem Aussehen nach zu urteilen Punker, in schwarzen Klamotten und Boots, umgeben von Wodka- und Bierflaschen, auf dem Boden schliefen. Schließlich gelangte ich zur letzten Tür und als ich eintrat, stellte ich fest, dass es das größte Zimmer war. Sechs junge Männer und zwei Frauen lagen auf dem Bett. Einer der Jungen hatte ein Ringbuch in der Hand und war dabei, acht riesige Kokslinien auf dem Schutzumschlag zu ziehen, die er mit einer Kreditkarte vorsichtig voneinander trennte. Ein anderer sagte etwas auf Deutsch, das ich nicht verstand. Sofort schauten mich alle ernst an. Er schien etwas gefragt zu haben und wartete ungeduldig auf meine Antwort. Ich sah ihn an, streckte den Arm aus und gab mit Gesten zu verstehen, dass ich sie nicht verstand. Da zeigte eines der Mädchen auf das weiße Pulver auf dem Heft und fragte: „Willst du?" Ich kapierte, dass sie mir etwas anboten. Auf Englisch antwortete ich: „Nein, vielen Dank!" und deutete auf das Badezimmer. Die junge Frau nickte zustimmend mit dem Kopf, nahm einen Bic-Kugelschreiber ohne Mine und zog sich eine der Linien auf einmal in die Nase, dann hob sie den Kopf und schnupfte heftig. Alle lachten, Heft und Kugelschreiber machten die Runde. Jedes Mal, wenn jemand die Nase hochzog, lachten die anderen und stellten dieselbe Frage, die ich nicht verstand, und der, der geschnupft hatte, antwortete immer ‚Es ist gut'. Ich betrat das Badezimmer und erleichterte meine Blase von dem Druck. Plötzlich verstummte das Gelächter und als ich das Bad verließ, war niemand mehr im Zimmer, das Licht gelöscht. Ich lief durch den Flur und warf einen flüchtigen Blick in die zwei Zimmer auf meinem Weg, die Punker lagen noch in derselben Haltung da, im anderen Raum hatten die Partner gewechselt. Ich ging die Treppe hinunter, die Leute, die ich in Mauros Zimmer getroffen hatte, saßen im Wohnzimmer auf dem Boden und hatten bereits aufgehört zu lachen, sie schauten sich nur an und tranken mit langen Schlucken Bier. Mit der Party hatten sie nichts mehr am Hut. Ich ging an ihnen vorbei, wich den auf dem Boden ausgestreckten Beinen aus, durchquerte den engen Flur, die Schlange vor dem Klo war noch genauso lang wie zuvor, nur die Leute hatten gewechselt, und gelangte in den Garten. Meine Augen suchten das ganze Gelände ab, im hinteren Teil des Gartens unterhielt sich Margot mit zwei Frauen. Ich beobachtete sie von weitem, Mauro kam vorbei und drückte mir wortlos ein Bier in die Hand. Margot, die bemerkt zu haben schien, dass ich alleine war, entschuldigte sich bei den Mädchen und kam auf mich zu.

„Hi Eric. Entschuldigen Sie, dass ich Sie allein gelassen habe. Gefällt es Ihnen?"

„Sehr. Ich glaube, ich habe mich selten so amüsiert", gab ich zurück.

„Wie schön, ich dachte mir, dass ein Schriftsteller wie Sie an diese Art Party gewöhnt ist."

Ich beobachtete ihr Lächeln.

„Kommen Sie, lassen Sie uns eine Runde drehen", sagte Margot und schob mich durch die Menge. Wir durchstreiften den weitläufigen Garten, überall wuchsen unterschiedlich große Bäume, jeder von ihnen war mit einer Art Leuchter aus Plastikbechern und Kerzen geschmückt, die den Ort in ein schauriges und gleichzeitig angenehmes Licht setzten.

Margot begrüßte einen Großteil der Leute, an denen wir vorbeikamen, doch stellte mich niemandem vor, was mich sehr erleichterte.

In einer ungestörten Ecke an der Mauer, nahe der Tür, blieben wir stehen. Sie lehnte sich an die Wand, stützte einen Fuß ab und zog meinen Körper an ihren, dann gab sie mir einen langen Kuss. Fast zwanzig Minuten standen wir dort und küssten uns. Ein merkwürdiges Gefühl überkam mich: Diese Frau, die ich kaum kannte, die mich auf die Party mitgenommen hatte, schien dazu geboren, mich zu küssen. In diesem Augenblick vergaß ich alles, Priscila, Klaus, Bücher, Brasilien, Churrascaria, Bier und sogar Geovanna. Ihre Küsse waren süß, ihre Lippen passten genau auf meine, unsere Zungen fanden sich in perfekter Harmonie, als hätten wir keine Kontrolle über unsere Bewegungen. Wir standen stundenlang so da, schienen an einem anderen Ort zu sein, irgendeinem Ort, nur nicht diesem, ich hörte die nervtötende Musik gar nicht mehr, nicht die Schreie, nichts störte uns, seit dem ersten Kuss waren wir beide in einer berauschenden Ekstase der Leidenschaft.

Langsam öffnete Margot die Augen, schaute um sich und schien leicht irritiert von der Umgebung, so wie ich mich von Anfang an gefühlt hatte. Sie nahm meine Hände und bat mich, zu gehen. Sofort stimmte ich ihrem Vorschlag zu, auch wenn ich nicht wusste, wohin mich diese Mulattin mit den weichen, fleischigen Lippen und den honigfarbenen Augen bringen würde.

Beinahe eine Stunde liefen wir Händchen haltend durch enge, dunkle Gassen, hin und wieder überquerten wir eine breite Straße, es herrschte kaum Verkehr, bis wir in ein Viertel mit vollkommen menschenleeren Gässchen kamen. Margot blieb vor einem kleinen Gebäude stehen und schob mich hinein. Wir betraten den winzigen Aufzug, in den wir kaum zusammen hineinpassten, und fuhren in den siebten und letzten Stock hinauf. Der lange, enge Flur mit mehreren Türen vermittelte den Eindruck eines heruntergekommenen Hotels. Vor der letzten Tür blieben wir stehen. Behutsam schloss Margot auf und schaltete das Licht im kleinen Wohnzimmer ein. Mit einem raschen Blick sah ich, dass es sehr sparsam möbliert war, nur ein Sofa sowie ein kleines Regal mit einem Fernseher und einer unscheinbaren Stereoanlage. Die drei Türen gingen in die winzige Küche, das Bad und ein weiteres Zimmer, vor dessen Tür sie jetzt auf mich wartete. Ich kam ihrer Bitte nach und trat in den kleinen Raum mit zwei Einzelbetten. Margot schubste mich auf eines der Betten und bat mich, einen Moment auf sie zu warten. Neugierig öffnete ich das Fenster und schaute auf die leere Straße, kein Lärm war zu hören. Ich ließ das Fenster halb offen und kehrte zurück aufs Bett. Zwei Minuten später erschien Margot in der Tür, sie trug den winzigen Bikini, auf den ich das Autogramm geschrieben hatte.

„Wohnst du allein hier?", fragte ich und versuchte meine Verlegenheit zu überspielen.

„Nein. Ich wohne mit einer Freundin zusammen, doch

wie es aussieht, wird es noch eine Weile dauern, bis sie kommt. Sie war auf der Party und in sehr netter Begleitung", antwortete Margot, zog das Bikinioberteil aus und zeigte ihre wunderschönen, hoch aufgerichteten Brüste. Ich betrachtete die Brustwarzen, die so hart waren, dass es aussah, als wären sie nach oben gebogen. Genau wie unsere Küsse, passten auch unsere Körper perfekt zueinander, als wären wir füreinander gemacht. Alles war perfekt zwischen uns, unsere Seelen schienen jede Bewegung verabredet zu haben, wir gerieten genau im selben Augenblick in Ekstase, die Körper regungslos aneinandergeklebt. Ein Gefühl der Zufriedenheit und Zärtlichkeit überkam mich, das mich zum Äußersten, zum Weinen zu bringen schien. Schweigend blieben wir liegen, hin und wieder küssten wir uns. Ich spürte nur die weichen Lippen Margots und die Behaglichkeit ihrer Arme, die mich in den Schlaf wiegten.

# 19

Ich wachte verstört auf, wusste nicht, wo ich mich befand. Einen Moment lang tastete ich den Boden auf der Suche nach der Uhr ab. Ich blickte neben mich und sah Margots nackten Körper, erst dann erinnerte ich mich an die vergangene Nacht. Vorsichtig stand ich auf, um sie nicht zu wecken, betrat das kleine Wohnzimmer, wo ich zu meinem Schrecken die Blondine, mit der sich

Margot auf der Party unterhalten hatte, auf dem Sofa schlafen sah. Auf Zehenspitzen ging ich ins Zimmer zurück, sammelte meine Kleider vom Boden auf, schlich ins Bad, wusch das Gesicht, öffnete den kleinen Spiegelschrank, nahm die Zahnpastatube und drückte ein bisschen Zahnpasta auf den Zeigefinger. Danach kehrte ich ins Zimmer zurück und weckte Margot auf.

„Ich muss los."

„Schon?", fragte sie, ohne die Augen zu öffnen.

„Ich habe unaufschiebbare Termine, wenn wir uns das nächste Mal treffen, erzähle ich dir alles."

„Gut, wenigstens sagst du, dass wir uns wiedersehen", sagte sie, die Augen weiterhin geschlossen.

„Ich muss dich wieder sehen." Was den Sex betrifft, bist du die Frau meines Lebens, dachte ich bei mir.

Nachdem ich einen langen Abschiedskuss auf ihre Lippen gedrückt hatte, verließ ich eilig die Wohnung.

Die Sonne blendete mich und verstärkte die Ringe unter meinen Augen. Eine halbe Stunde irrte ich herum, bis ich eine U-Bahnstation fand, dort suchte ich nach einer Uhr – elf Uhr morgens. Aufmerksam studierte ich die Anzeigetafel und nahm die nächste Bahn zum Hauptbahnhof. In weniger als zehn Minuten war ich dort. Ungeduldig suchte ich nach einer Verbindung, die mich zur Haltestelle in der Nähe des Hotels bringen würde. Ich war kurz davor aufzugeben, als ich endlich eine gefunden hatte. Eilig rannte ich zum Bahnsteig und hatte Glück, der Zug war noch nicht abgefahren, gleich nachdem ich hineingesprungen war, schlossen sich die Türen.

Die Fahrt zum Hotel dauerte keine fünfzehn Minuten. Dort angekommen, rannte ich an der Rezeption vorbei, ohne auf die Rezeptionistin, die mich zu rufen schien, zu achten. Mehrfach klopfte ich an die Zimmertür, nichts. Aufgeregt rannte ich die Treppe wieder hinunter und fragte auf Portugiesisch nach Priscila. Die junge Frau hinter der Rezeption sah mich lächelnd an, was mich irritierte und sagte „Sorry, I don't speak portuguese." Sofort wiederholte ich meine Frage auf Englisch und sie antwortete, dass Priscila das Hotel am Morgen verlassen habe. Dann händigte sie mir ein kleines, gefaltetes Blatt Papier aus. Ohne ein Wort des Dankes rannte ich nach oben, betrat das Zimmer und faltete den Zettel aus auseinander.

*Eric,*

*ich weiß nicht, ob ich dich genauso enttäuscht habe wie du mich, ich hoffe, nicht. Ich bin in der Absicht, dir zu helfen, mitgekommen. Wie gerne würde ich dich glücklich sehen und noch viel lieber hätte ich dazu beigetragen und wäre Teil deines Glücks gewesen.*

*Ich habe die ganze Nacht auf dich gewartet, wollte mich entschuldigen, habe kein Auge zugetan, weil ich hoffte, du würdest durch diese Tür kommen. Jedes Geräusch auf dem Flur und die damit verbundene Möglichkeit deiner Rückkehr sowie unserer Versöhnung machten mir Mut. Auch ohne zu denken, dass ich völlig Unrecht hatte, wäre ich fähig gewesen, mich bei dir zu entschuldigen. Aber du kamst nicht, hast die Nacht wer weiß wo verbracht. Ich betete, dass du in Begleitung deines Sohnes wärst und dass ihr euch verstehen würdet. Ein paar Mal dachte ich, dass es nicht genau das wäre, was du fern meiner Begleitung tun würdest, deshalb betete ich auch, dass du es mit dem Trinken nicht übertreibst und dass dir nichts Schlimmes passiert.*

*In den wenigen Tagen, die wir zusammen waren, habe ich dich geliebt!*

*Doch du kannst beruhigt sein. Ich werde mich darum bemühen, dich zu vergessen und bitte dich, nicht mit mir in Kontakt zu treten.*

*Aus tiefstem Herzen hoffe ich, dass zwischen dir und deinem Sohn alles gut wird, und bedauere es, dass ich dir nicht die Hilfe geben konnte, die du erwartet hast. Und auch um uns tut es mir leid.*

*Priscila*

Ich faltete den Zettel zusammen, zog den Koffer aus der Ecke des Zimmers und legte den Brief zu dem von Geovanna. Ich weinte wie ein Kind, während ich mir vorstellte, wie Priscila ihn geschrieben hatte. Eine Frau, die mir so viel Gutes wollte, hatte nicht verdient, was ich ihr angetan hatte. Mit einer gewissen Wut dachte ich an Margot und Klaus, als wäre alles, was in dieser Nacht geschehen war, ihre Schuld. Es war der verzweifelte Versuch, mich von der Verantwortung, die auf meinen Schultern lastete, zu befreien. Die Worte ‚habe ich dich geliebt' würde ich nie vergessen.

## 20

Der Tag war lang. Ich schaffte es nicht, dass Hotel vor Einbruch der Dunkelheit zu verlassen und im Mai dauert es in Deutschland eine Ewigkeit, bis es Abend wird, erst gegen neun Uhr dämmerte es.

Der einzige Mensch, der mich in diesem Augenblick trösten konnte, war Margot. Ein nie zuvor verspürtes Gefühl der Einsamkeit überkam mich. Da ich keine Alternative hatte, ging ich aus, um meine Schoko-Venus zu treffen.

Erneut machte ich mich auf den Weg in die Churrascaria, unterhielt mich kurz mit Manuel, der wegen der Absage eines Musikers aus Bahia, der an diesem Abend im Restaurant hätte spielen sollen, verärgert war. Er entschuldigte sich bei mir und sagte, dass heute lediglich die Mulattinnen auftreten würden. Im Gegensatz zum Besitzer der Churrascaria habe ich Glück, dachte ich bei mir, denn das Einzige, was mich in diesem Moment interessierte war, Margot wiederzusehen.

Ich wartete drei Stunden auf den Auftritt, doch zu meinem Erstaunen war Margot nicht unter den Tänzerinnen. Geduldig wartete ich auf das Ende der Show und als die Mädchen die Bühne verließen, fragte ich nach Margot. Eine von ihnen lächelte mich an und erklärte, dass Margot wegen eines dringenden Termins nicht hatte kommen können, doch hatte sie die Freundin darum gebeten, mir ihre Telefonnummer zu geben. Gleich nachdem die jungen Frauen gegangen waren, erhob ich mich vom Tisch und bat Manuel darum, das Telefon benutzen zu dürfen. Ich wählte Margots Nummer, doch niemand hob ab. Enttäuscht bezahlte ich meine Rechnung und spazierte durch den MediaPark, in Richtung des Hauses, in dem Klaus wohnte.

Die Wohnung war hell erleuchtet und ich konnte erkennen, dass sich etwas darin bewegte. In manchen Zimmern schienen sich mehr als vier Leute aufzuhalten, Männer und Frauen, deshalb setzte ich mich auf dieselbe Bank wie immer und starrte aufmerksam zu den Fenstern hoch. Gerne hätte ich gesehen, was sich drinnen abspielte und vor allem, ob Klaus zu Hause war. Doch der Lichtschein verzerrte den Blick. Zwanzig Minuten später wurde ein Licht nach dem anderen gelöscht und kurz darauf öffnete sich die Haustür. Fünf Jugendliche, drei Jungs und zwei Mädchen – darunter Klaus – steuerten direkt auf mich zu. Ich blieb unbeweglich sitzen, sie würden direkt an mir vorbeigehen. Klaus warf mir einen nicht gerade freundschaftlichen Blick zu. Die anderen unterhielten sich auf Deutsch, lachten, schienen, anders als Klaus, glücklich zu sein. Als sie an mir vorbeigingen, drehte Klaus sich um und schaute zu mir. In diesem Augenblick nahm ich all meinen Mut zusammen, vielleicht war es auch Verzweiflung, ich weiß es nicht, und sagte auf Englisch:

„Ich würde mich gerne ein paar Minuten mit dir unterhalten."

Alle blieben stehen und sahen mich neugierig an.

„Ich habe schon etwas vor", antwortete er, ebenfalls auf Englisch, „wenn Sie wollen, können Sie morgen früh um zehn Uhr wiederkommen."

„Alles klar. Vielen Dank", gab ich mit erstickter Stimme zurück. Die Möglichkeit, morgen mit ihm zu sprechen, machte mich glücklich und gleichzeitig besorgt. Heimlich dachte ich mir, vielleicht freut er sich darauf, mich kennenzulernen, sonst würde er mich nicht nach Hause einladen. Ich wartete darauf, dass die jungen Leute im MediaPark verschwanden und machte mich auf den Rückweg zum Bahnhof, konnte es kaum erwarten, die Neuigkeit mit Priscila zu teilen. Ich könnte sie zu Hause anrufen, ihr erzählen, was passiert war… Doch nachdem die erste Begeisterung verflogen war, besann ich mich: Besser, ich warte das Gespräch morgen ab, dann habe ich mehr zu berichten und schließlich würde sie einsehen, dass ich doch nicht zu feige war. Im Gegenteil, ich hatte genau zur richtigen Zeit den ersten Kontakt hergestellt. Es war entschieden, ich würde Priscila erst nach der Unterhaltung mit Klaus anrufen. Und obwohl ich nicht wusste, wie unser Treffen verlaufen würde, spürte ich, wie ein Gefühl des Glücks meinen Körper durchströmte, das sich auf alles um mich herum übertrug und mich dazu brachte, die Welt mit anderen Augen zu sehen.

# 21

Am nächsten Morgen bereitete ich mich auf das Treffen mit Klaus vor. Auf der Suche nach einer Buchhandlung streifte ich durch die Straßen, kaufte ein Exemplar der deutschen Übersetzung von ‚Traços da vida' und legte Geovannas Brief sowie eine Karte des Hotels zwischen die Seiten. Von einer Telefonzelle aus rief ich Margot an.

„Hallo? Margot?"

„Hallo, Eric!", antwortete sie begeistert.

„Ich war gestern in der Churrascaria, um dich zu sehen, aber du warst nicht dort. Ich habe mir Sorgen gemacht, ist alles in Ordnung?"

„Alles in Ordnung! Dein Anruf, bedeutet, dass sie dir meine Nachricht überbracht haben."

„Hast du irgendein Problem?"

„Nein! Ich hatte Carolina lange versprochen, sie zum ersten Treffen mit ihrem zukünftigen Ehemann zu begleiten. Ich habe dir Carolina noch nicht vorgestellt, sie ist diese Blonde, die du auf der Party bei Mauro gesehen hast, und auch bei mir zu Hause müsstest du ihr begegnet sein. Wir wohnen zusammen."

„Ich weiß, von wem du sprichst. Allerdings verstehe ich nicht ganz, warum du sie zu dem Treffen mit diesem zukünftigen Ehemann begleiten musstest."

„Weil sie ihn noch nicht kannte", prustete Margot lachend ins Telefon, „sie hatte Angst, allein hinzugehen."

„Wie, sie kannte ihn nicht?", fragte ich. „Wie kann jemand seinen Verlobten oder zukünftigen Ehemann, wie du es nennst, nicht kennen?"

„Das ist eine lange Geschichte."

„Dann erzähl sie mir."

„Wie ich sagte, es ist eine lange Geschichte. Warum treffen wir uns nicht heute Abend und ich erzähle sie dir persönlich?"

„Gut. Um acht in der Churrascaria?"

„Nein. Wir treffen uns früher und an einem anderen Ort. Ich habe den Mädchen gesagt, dass ich erst nächste Woche wieder auftreten werde. Nimm die U-Bahn, fahr zum Hauptbahnhof und von dort aus zum Kölner

Hafen, er liegt ganz in der Nähe des Zentrums. Warte an der Frankenwerft auf mich, wir machen einen Bootsausflug auf dem Rhein, damit du die Gegend kennenlernst. Dann erzähle ich dir die ganze Geschichte und wir haben sogar noch Zeit, um ein bisschen zu flirten. Was hältst du davon?"

„Hervorragend. Wann?", fragte ich.

„Ich werde um fünf dort auf dich warten. Küsschen", antwortete Margot und legte auf.

Ich setzte meinen Weg zu Klaus fort. Unterwegs bekam ich kaltschweißige Hände. Ich war nervös und gespannt auf das Treffen. Irgendwie kam mir der Weg durch den MediaPark heute länger vor.

Ich spazierte bis zu meiner Bank, zögerte ein paar Sekunden, dachte daran, mich hinzusetzen und ein bisschen zu warten, wie ich es die anderen Male getan hatte. Doch dies könnte meine Entschlossenheit, Klaus zu treffen, zunichtemachen. Ich überquerte die Straße und drückte die verfluchte Klingel. Aus dem Apparat erklang eine trotzige Stimme.

„Wer ist da?"

Da ich kein Wort verstand, antwortete ich auf Englisch „I'm Eric Resende, I'm looking for Klaus." Die Gegensprechanlage blieb stumm, nicht einmal das übliche Pfeifen des Mikrofons war zu hören, dann klickte der magnetische Türverschluss und die Tür öffnete sich. Im

Hintergrund sah ich die Aufzugtür, rechts davon eine Feuerschutztür, die wahrscheinlich zur Treppe führte. Ich holte den Aufzug, um zu vermeiden, vier Stockwerke hochlaufen zu müssen und um Zeit zu gewinnen, darüber nachzudenken, was ich sagen würde. Durch ein kleines Fenster sah ich den Aufzug kommen. Ich öffnete die Tür und betrat ihn, er war genauso klein wie der im Haus von Margot. Ich drückte die 4 und fuhr langsam meinem Ziel entgegen. Ein schmaler, kalter Flur, in den kein Tageslicht drang, führte zu einer bereits geöffneten Tür. Die Wände sahen aus, als litten sie unter ständiger Feuchtigkeit. Obwohl die Tür offen stand, klopfte ich. Eine Stimme, die Klaus zu gehören schien, rief: „Please come in." Schüchtern betrat ich die Wohnung. Klaus erwartete mich in dem großen Wohnzimmer, das mit alten, aber gut erhaltenen rustikalen Möbeln eingerichtet war. An den Fensterseiten hing eine ehemals weiße, mittlerweile vergilbte Gardine, deren Position seit langem nicht verändert worden war. Von der Bank im MediaPark hatte ich zwar das Wohnzimmer gesehen, die Vorhänge jedoch nicht bemerkt. Ich wusste nicht, wie ich mich verhalten sollte. Betroffenheit ergriff mich und ich erschreckte Klaus mit einer überraschenden Umarmung, aus der er sich sofort befreite, um „Are you crazy?" zu brüllen.

„Entschuldige", antwortete ich ebenfalls auf Englisch. Er sah mich nur an.

„In Brasilien war ich ein sehr guter Freund deiner Mutter", redete ich drauflos.

„Ich weiß. Wie ich Ihnen bereits gesagt habe, ist meine Mutter tot."

„Das weiß ich", gab ich zurück und wusste noch immer nicht, was ich als nächstes sagen sollte. „Ich bin gekommen, um sie zu besuchen, ich habe nicht erwartet, dass sie bereits gegangen ist."

„Wie es aussieht, waren Sie kein so guter Freund, Sie wussten nicht einmal, dass sie seit über vier Jahren krank war."

„Um ehrlich zu sein, haben wir uns sehr lange nicht gesehen, aber ich wusste es, deshalb bin ich gekommen."

„Wenn Sie sie wirklich sehen wollen, müssen Sie zum Friedhof Deutz gehen", sagte der Junge mit einem Ausdruck, in dem sich Ironie und Trauer mischte.

Kühnheit überkam mich, ich zog den Brief aus dem Buch, das ich in Händen hielt, gab ihn Klaus und fügte hinzu:

„Ich wollte Geovanna unbedingt treffen, sie erneut sehen, doch ich gebe zu, dass ich auch gekommen bin, um dich kennenzulernen."

Während der Junge den Brief las, entdeckte ich einen Bilderrahmen über dem Regal und sah das lächelnde Gesicht Geovannas, fröhlich und schön wie immer. Ich nahm den Rahmen in die Hand, streichelte ihn und drückte ihn gegen meine Brust, als könnte ich sie hier mit Klaus im Wohnzimmer fühlen. Klaus schaute aus dem Fenster. Ich sah, dass er genau wie ich mit den Tränen kämpfte. Einige Minuten sagte keiner von uns ein Wort. Dann ging ich auf ihn zu und legte meine Hand auf seine Schulter.

„Verstehst du jetzt, warum ich hier bin?", fragte ich, ohne eine Antwort zu erhalten. „Ich musste dich kennenlernen, erfahren, ob das alles tatsächlich wahr ist, nicht dass ich an deiner Mutter zweifeln würde, dafür habe ich sie zu sehr geliebt. Doch wir brauchen Gewissheit. Vielleicht hat sie sich auch geirrt?"

„Ich ziehe es vor, diesen Brief zu vergessen. Zu vergessen, dass Sie hier waren. Ich habe einen Vater und er ist der einzige wahre Vater, den ich kenne. Bitte kommen Sie nicht noch einmal her."

„Klaus", sagte ich und versuchte, so natürlich wie möglich zu wirken. „Ich möchte nicht den Platz deines Vaters einnehmen. Ich möchte dich lediglich besser kennenlernen. Wir können Freunde sein! Oder nicht? Das ist es! Ich möchte dein Freund sein. Ein Freund aus Brasilien, den deine Mutter früher kannte und der auch zu deinem Freund wurde. Was hältst du davon?"

„Ehrlich gesagt, weiß ich nicht, was ich sagen soll. Ich muss nachdenken. Ich bin durcheinander."

„Du brauchst nicht nachzudenken", sagte ich und wendete meinen Blick zum Fenster, „Du musst es fühlen, die Dinge einfach geschehen lassen, nur so gibst du dir die Chance, dass wir uns besser kennenlernen. Erst dann kannst du entscheiden, ob du mein Freund sein willst oder nicht, ob du mehr über mich, Brasilien und sogar über deine Mutter wissen möchtest."

„Ich weiß alles über meine Mutter. Ich muss mir Ihre Geschichten nicht anhören."

„Ich bin mir sicher, dass das so ist. Doch vielleicht weißt du nicht, wie glücklich sie in Brasilien war. Vielleicht weißt du nicht in allen Einzelheiten, wie sehr deine Mutter davon träumte, nach Europa zu gehen, wie glücklich sie war, deinen Vater zu heiraten."

„Das hat sie in dem Brief an Sie nicht geschrieben."

„Ich weiß. Aber als sie den Brief geschrieben hat, wusste sie bereits, dass sie sterben würde, der Brief ist in einem Moment des Leidens entstanden. Auch wollte sie unbedingt, dass wir uns kennenlernen, das hat sie sehr deutlich gesagt. Ich bin ein schwieriger Mensch, wie du auch, und sie wusste, dass, hätte sie es nicht geschrieben, ich nicht nach Köln gekommen wäre, um dich kennenzulernen. Vielleicht hat sie es in einem Moment der Verzweiflung getan. Die anderen Male, die ich mit ihr gesprochen habe, lange bevor ich den Brief erhielt, und immer, wenn ich versuchte, mich ihr anzunähern, ließ sie mich abblitzen und sagte, dass sie deinen Vater sehr liebte." Die Geschichte, die ich gerade erfunden hatte, schien eine Wirkung zu zeigen.

„Das glaube ich nicht!", sagte Klaus misstrauisch und besorgt.

„Gut, mehr kann ich nicht tun. Bis jetzt hast du nichts von dem, was ich dir erzählt habe, geglaubt", sagte ich, zog einen Stift aus der Hosentasche und schlug das Buch auf, das ich noch immer in Händen hielt. Auf Portugiesisch schrieb ich auf die Innenseite des Schutzumschlags:

Für meinen neuen Freund Klaus, in Liebe und Wertschätzung.

„Solltest du es dir anders überlegen und uns die Chance geben wollen, Freunde zu sein, hier die Adresse und Telefonnummer des Hotels, in dem ich untergekommen bin. Ich habe vor, noch eine oder zwei Wochen hier zu bleiben. Genau weiß ich es noch nicht. Bitte, hier ist ein Geschenk für dich", fügte ich hinzu und überreichte ihm das Buch.

„Danke, meine Mutter hat mir bereits eins gegeben. Ich habe es nie gelesen", sagte er.

„In Ordnung, aber dieses hier ist dir gewidmet. Du musst es nicht lesen, sieh es als Geschenk an", erwiderte ich, während ich Richtung Flur ging.

Ich ging am Aufzug vorbei, der noch immer auf mich zu warten schien, und lief die Treppe hinunter, ohne mich noch einmal umzuschauen. Als ich die Straße überquerte, spürte ich, dass Klaus mich durch das Fenster beobachtete, tat jedoch so, als bemerkte ich nichts und setzte meinen Weg durch den MediaPark fort. Ich fühlte mich erleichtert, eine Last schien von meinen Schultern genommen worden zu sein. Ich war glücklich, eigentlich war es besser gelaufen, als ich mir vorgestellt hatte. Wie am Tag zuvor überkam mich ein Gefühl des Friedens. Doch dieses Mal war es noch stärker, die Energie, die aus meinem Körper strömte, machte, dass ich die Welt umarmen und Klaus am Fenster und Geovanna, wo immer sie sich auch aufhielt, damit anstecken wollte.

## 22

Am Hauptbahnhof angekommen, machte ich mich auf die Suche nach einem Schild, auf dem das Wort ‚Franken' stehen würde, tatsächlich fand ich eins mit dem Schriftzug ‚Frankenwerft'. Ich bat einen Taxifahrer um Auskunft, er bestätigte mir, dass es sich um denselben Ort handelte.

Bereits sehr früh – es war erst ein Uhr – traf ich an der Frankenwerft ein. Ich suchte nach einem Lokal zum Mittagessen und fand auch gleich eins, das mir sympathisch schien, bestellte ein Bier und studierte die deutsche Speisekarte. Die Abbildungen einiger Gerichte halfen mir bei der Entscheidung. Trotzdem war die Kommunikation schwierig, da der Kellner kein Wort Englisch sprach. Ich traf meine Wahl, indem ich auf das Foto, das mir am interessantesten erschien, deutete. Als ein paar Minuten später meine Bestellung kam, war ich mir sicher, dass die Fotos rein illustrativer Art waren und das Essen darauf sehr viel schmackhafter aussah, als es war.

Um die Zeit totzuschlagen, die mir bis zum Eintreffen Margots blieb, versuchte ich, die Mahlzeit in die Länge zu ziehen. Doch es nützte nicht viel, es waren nur zwei Stunden vergangen und vor mir lagen zwei weitere. Deshalb spazierte ich am Ufer des Rheins entlang, er war wirklich sehr schön, ganz anders als die meisten Flüsse in Brasilien oder zumindest in São Paulo. Das Wasser kam mir sauber vor und der Abstand zwischen den Ufern war sehr groß. Man konnte zwar die andere Seite erkennen, jedoch keine Einzelheiten unterscheiden. Von Rotterdam und Amsterdam aus fuhren große Lastschiffe – vor allem mit Kohle aus Kolumbien und Russland beladen – den Rhein hinauf. Später fand ich heraus, dass man die Schiffe, die bei der Rückfahrt meist keine Fracht führten, mit ausgeschalteten Motoren von der Rheinströmung flussabwärts treiben ließ. Mithilfe der Wasserkraft sparte man Treibstoff und schonte die Motoren. Doch am meisten faszinierten mich die Hausboote, auf denen die Menschen fast das ganze Jahr über lebten. Zu den Hausbooten gehörten Garagen und an manchen Stellen des Kais gab es Rampen, damit die Anwohner ihn mit ihren Fahrzeugen befahren konnten. Die meisten dieser Leute arbeiteten selbstständig, boten ihre Dienste freiberuflich an und hatten kein festes Arbeitsverhältnis, weshalb sie auch keinen festen Wohnsitz in einer bestimmten Stadt benötigten. Kuriositäten, die ich während der zwei Stunden Wartezeit herausfand.

Zehn Minuten nach fünf wurde mir bewusst, wie spät es war. Eilig lief ich zum Kai zurück. Margot wartete schon an der Anlegestelle für Rheinausflüge auf mich. Endlich konnte ich wieder ihre fleischigen Lippen spüren, nach denen ich mich so sehr gesehnt hatte. Mit einem Lächeln zog sie zwei Fahrkarten für eine einstündige Ausflugsfahrt aus der Handtasche. Wir gingen an Bord des komfortablen Schiffes, das bereits voller Touristen war, und legten Richtung Rheinmitte ab. Wie zwei verliebte Jugendliche setzten wir uns auf eine kleine Bank im Bug des Bootes und umarmten uns.

„Wirst du mir jetzt die Geschichte vom unbekannten Ehemann Carolinas erzählen?"

„Willst du das wirklich wissen?", fragte Margot und küsste mein Gesicht.

„Natürlich! Es hat mich neugierig gemacht."

„Also gut. Du weißt, dass wir mit einem Touristenvisum nach Deutschland eingereist sind. Was mich betrifft, habe ich noch nicht endgültig entschieden, was ich tun werde, doch Carolina will unbedingt in Deutschland bleiben. Mauro vermittelt den Leuten, die definitiv hierbleiben wollen, Ehepartner. Es gibt zwei Möglichkeiten, legal in Deutschland zu bleiben", fuhr Margot mit kindlicher Unbefangenheit fort, "einen Deutschen zu heiraten oder ein Kind von ihm zu bekommen. Natürlich ist die erste Option die einfachere, da man eine Ehe annullieren kann, indem man die Scheidung einreicht."

"Was? Ich dachte, so etwas gibt es nur in Filmen", sagte ich und erinnerte mich an Geovanna, Otto und Klaus, denen ich eine ähnliche Geschichte unterstellte.

"Das ist hier ganz normal. Doch man muss dafür bezahlen."

"Bezahlen?", fragte ich erschrocken.

"Natürlich. Oder glaubst du ein deutscher Staatsbürger heiratet jemanden, den er nicht kennt, nur um ihm dabei zu helfen, eine Aufenthaltserlaubnis zu bekommen?"

"Und gibt es Typen, die so verrückt sind?", hakte ich nach, obwohl ihre Erläuterungen mich nicht sonderlich interessierten.

"Hier ist es voll davon! Mauro vermittelt einen pro Monat. Für die Mädchen gibt es eine Warteliste. Und nicht nur für sie, es gibt sehr viele Männer, die eine Deutsche heiraten. Und auch welche, die mit einer Kinder haben. Hier in Deutschland leben viele finanziell unabhängige, berufstätige Frauen mit einem intensiven Arbeitsleben. Manche möchten sich weder verlieben noch zu zweit leben, träumen jedoch davon, ein Kind zu bekommen. In diesem Fall werden zwei Probleme gleichzeitig gelöst und niemand muss etwas bezahlen. Für Männer ist es einfacher. Ihr Männer könnt ein Kind in die Welt setzen und es für den Rest eures Lebens vergessen. Wir Frauen hingegen, oder zumindest die Mehrheit der Frauen, trauen uns das nicht, ein Kind neun Monate in uns wachsen zu spüren, um es dann irgendjemandem in die Arme zu drücken und einfach zu vergessen, dass es existiert. Ich könnte das nicht, ich liebe meine drei Kinder sehr. Ich sterbe schon vor Heimweh, nur weil ich nicht bei ihnen sein kann, denke jeden Tag an sie, erwarte sehnsüchtig das Wochenende, wenn ich in Brasilien anrufe und mit jedem ein bisschen reden kann."

Während Margot ununterbrochen plapperte, musste ich an Klaus denken.

„Was ist los? Hörst du mir zu? Wolltest du nicht die Geschichte hören?"

„Doch", antwortete ich mehr oder weniger abwesend.

„Ah! Siehst du die Burgen?", fragte Margot, „sie sind wunderschön."

Erst jetzt fielen mir die imposanten mittelalterlichen Burgen an beiden Ufern des Rheins auf.

„Sie sind wirklich unglaublich schön", rief ich begeistert und richtete meine Aufmerksamkeit auf die großartigen Bauwerke des Mittelalters.

„Es gibt noch mehr Burgen, die du auf der Fahrt bewundern kannst", sagte Margot und küsste mich.

„Um auf das Thema zurückzukommen, wie war das Treffen der zukünftigen Ex-Ehefrau mit ihrem Ex-Ehemann?", fragte ich.

„Wie, zukünftige Ex-Ehefrau und Ex-Ehemann?", nahm mich Margot ins Verhör.

„Na ja", antwortete ich, „wenn sie bereits wissen, dass sie sich gleich nach der Heirat wieder scheiden lassen, sind es zukünftige Ex! Findest du nicht?"

„Das stimmt. Und es ist lustig."

„Lustig und traurig, würde ich sagen. Aber wer weiß, vielleicht mögen sie sich am Ende doch und beschließen zusammenzubleiben?"

„Das glaube ich nicht. Doch den Blicken nach zu urteilen, die sie sich zugeworfen haben, könnte ich mir vorstellen, dass es eine echte Hochzeitsreise wird und wenn Carolina das akzeptiert, könnte sie um einen Nachlass auf den Preis für die Eheschließung bitten. Ich selbst habe ihr dazu geraten."

„Du bist so verrückt wie sie. Und wie viel muss sie bezahlen?"

„Sollte es bezüglich der Hochzeitsreise keine Abmachung geben", antwortete Margot und lächelte, „zweitausend Euro an den Jungen und fünfhundert an Mauro.

„Wenn dieser Mauro tatsächlich all diese Geschäfte

macht, von denen du mir erzählst, muss er Millionär sein."

„Millionär, weiß ich nicht. Aber er lebt gut."

„Und denkst du auch an diese Art Heirat?", fragte ich.

„Nicht so eine. Ich hätte den Mut zu heiraten, selbst wenn ich dabei an Trennung denken würde, nur um eine Aufenthaltsgenehmigung für Deutschland zu bekommen. Aber es tät mir Leid um die viele Kohle. Lieber suche ich mir ganz normal einen Freund. Verstehst Du?"

„In diesem Fall ist es noch schlimmer. Es handelt sich nicht um einen verabredeten Handel wie bei Carolina, sondern um eine Geldheirat! Gut, dass ich kein Deutscher bin", scherzte ich.

„Wenn du Deutscher wärst, würde ich dich problemlos heiraten und ich schwöre, dass ich zweimal überlegen würde, bevor ich die Scheidung einreiche."

„Und hast du schon mal versucht, ein Opfer zu finden?", fragte ich.

„Ehrlich gesagt, habe ich mich in diesen acht Monaten vollständig der Arbeit gewidmet, meine einzige Abwechslung sind ein paar Ausflüge ins Schokoladenmuseum und die Partys von Mauro. Wie du selbst feststellen konntest, ist die Mehrheit von Mauros Freunden nicht so sympathisch, als dass man mit ihnen zusammen sein möchte."

„Aber ich bezweifle, dass du auf der Straße nicht von Männern belagert wirst. Die Deutschen lieben schöne Mulattinnen…"

„Das stimmt, manchmal sind sie wirklich goldig, aber so funktioniert das nicht. Selbst wenn es nicht so aussieht, ich bin romantisch. Ich möchte erobert werden, mag die Blicke, verstehst du?"

„Ich verstehe!", antwortete ich und lächelte.

Ich beschloss, das Thema zu wechseln. Wir sprachen über uns, Deutschland, die Deutschen, die Burgen. Unser Nachmittag verlief angenehm, der Ausflug verging wie im Fluge und ich konnte die Pünktlichkeit der deutschen Transportmittel überprüfen, genau nach sechzig Minuten legten wir wieder an der Anlegestelle an. Danach spazierten wir bis zum Einbruch der Dunkelheit am Ufer des Rheins entlang. Wir aßen in einem deutlich besseren Restaurant zu Abend, als das, in dem ich Mittag gegessen hatte, und ich konnte Margots Einladung, sie nach Hause zu begleiten, nicht widerstehen.

Dieses Mal übernachtete ich auf Margots Wunsch nicht bei ihr, denn ihre Freundin hatte sich beschwert. Sie hatten die Abmachung, keine Übernachtungsgäste mitzubringen. Beide hatten das Abkommen jeweils zweimal gebrochen. Jetzt waren sie quitt. Und Margot wollte nicht die erste sein, die die Abmachung erneut brach.

# 23

Als ich an der Rezeption um meine Schlüssel bat, erhielt ich eine Nachricht mit einer Telefonnummer und den Worten ‚Bitte Klaus König anrufen'. Ich ging hoch ins Zimmer, es war bereits sehr spät und obwohl ich es kaum erwarten konnte, würde ich bis zum nächsten Tag ausharren. Vor Aufregung konnte ich nicht einschlafen, grübelte darüber nach, was Klaus wollen könnte, schließlich hatte er sich bei unserem ersten Treffen nicht gerade freundschaftlich verhalten.

Die Nacht war lang, um sechs Uhr hielt ich es nicht mehr im Bett aus. Ich schaltete den Fernseher ein, es liefen die Morgennachrichten. Ein grauhaariger Mann mit heiserer Stimme sprach in schnellen Worten über Finanzen. Anhand der Hintergrundmusik und der Schrift mit deutschen Namen voller Konsonanten, die im Abspann über den Bildschirm liefen, erkannte ich, dass die Nachrichten zu Ende waren. Die nächste Attraktion war eine Art Programm für Frauen mit kulinarischen Tipps, Interviews, Tanz und Mode. Ich schaute es mir an und versuchte, etwas zu verstehen, irgendein Wort aufzuschnappen, doch nichts. Mehrmals schaltete ich um, die Sprache deprimierte mich. Um zehn Uhr entschied ich, dass es an der Zeit wäre, anzurufen.

„König", meldete sich eine offensichtlich müde, heisere, männliche Stimme, von der mir sofort auffiel, dass sie nicht Klaus gehörte.

„Klaus bitte", stammelte ich.

„Warten Sie einen Moment", antwortete die Stimme am anderen Ende. Wäre am Ende des Satzes nicht das Wort ‚Moment' aufgetaucht, ich hätte aufgelegt.

„Hallo, Klaus König", hörte ich Klaus nur wenige Sekunden danach sagen.

„Ich bin's, Eric", antwortete ich, ebenfalls auf Englisch, „ich rufe an, weil man mir gestern Abend im Hotel deine Nachricht übermittelt hat."

„Ich habe angerufen, um ein Treffen mit Ihnen zu verabreden, wir müssen wirklich reden", sagte Klaus.

„Gerne! Willst du, dass ich zu dir komme? Oder möchtest du lieber ins Hotel kommen? Wir können auch irgendwohin gehen."

„Nein! Wir treffen uns an einem öffentlichen Ort", erwiderte Klaus kurz angebunden. „Wie es aussieht, fahren Sie nicht ab, bevor wir uns unterhalten haben, stimmt's? Also werden wir uns die Chance geben, einander zuzuhören und danach können Sie wieder in Ihr Land zurückkehren."

„Entschuldige, ich wusste nicht, dass dich mein Aufenthalt in Köln so sehr nervt."

„Ihre Anwesenheit in Köln nervt mich weniger, als die vor meinem Haus. Glauben Sie etwa, dass ich Sie nicht von Anfang an auf der Bank im MediaPark habe sitzen sehen, wie Sie jeden meiner Schritte beobachteten? Das ist es, was mir auf den Geist geht."

„Ok! Wann und wo?", fragte ich.

„Hier in der Nähe gibt es ein brasilianisches Restaurant, wir können uns dort um acht treffen, wollen Sie die Adresse notieren?"

„Ein brasilianisches Restaurant?" – Er will mir gefallen – dachte ich. „Wie heißt das Lokal?", hakte ich gespannt nach.

„Churrascaria do Manuel."

„Das kenne ich schon, ich war ein paar Mal dort, aber in deiner Begleitung wird es sehr viel netter sein."

„Wenn Sie das Lokal bereits kennen, dann bis später!", sagte Klaus und legte auf, ohne mir Zeit zu geben, mich zu verabschieden.

Sofort wählte ich dieselbe Nummer.

„König", dieses Mal war es Klaus Stimme, er schien noch neben dem Telefon zu stehen.

„Ich bin's nochmal", sagte ich auf Englisch.

„Was wollen Sie?", fragte er in derselben Sprache.

„Ich wollte dich etwas fragen."

„Dann fragen Sie, ich bin auf dem Sprung."

„Erinnerst du dich, dass du mir sagtest, ich könnte deine Mutter nur auf dem Deutzer Friedhof treffen? Also würde ich dich gerne fragen, wo sich das Grab befindet, damit ich es besuchen kann."

„Flur sieben, Weg zwei, es gibt ein Schild mit dem Namen. Sie kennen doch ihren Namen, oder?", sagte Klaus und legte auf.

Zehn Minuten später rief ich ein Taxi.

„Deutzer Friedhof, please", sagte ich zu dem Fahrer.

Am Eingang des Friedhofs kaufte ich einen Blumentopf. Es dauerte nicht lange, bis ich den Grabstein mit der Inschrift Geovanna Gomes da Silva König gefunden hatte. Anhand der Blumen und des glänzenden Messingschilds war zu erkennen, dass es sich um ein frisches Grab handelte. Ich stellte meine Blumen ab und bewunderte das Foto Geovannas. Auch mit zweiundvierzig Jahren war sie noch dieselbe Schönheit, an ihren Gesichtszügen sah ich, wie wenig sie sich in all diesen Jahren verändert hatte. Ich kniete nieder, umarmte den Grabstein und weinte. Ich weinte, wie ich nie in meinem ganzen Leben geweint hatte. Dann betete ich für Geovanna, bat sie, mir mit Klaus zu helfen, ich wollte mich so gerne mit ihm verstehen. In diesem Moment erkannte ich, dass dies auch ihr Wille war, es war Geovannas Wunsch, deshalb hatte sie den Brief geschrieben. Anfangs wollte ich ihn aus Neugier auf Geovanna kennenlernen, eigentlich hatte ich diese Ausrede benutzt, um nach Deutschland zu kommen, doch im Grunde wollte ich nur Geovanna sehen, viel mehr als meinen vermeintlichen Sohn. Jetzt, nachdem ich sie gefunden hatte, entdeckte ich, dass ich eigentlich mich selbst suchte. Ich wollte mich mit meiner Vergangenheit treffen, um mich von den Fehlern, die ich so lange gemacht hatte, zu befreien, wollte die verlorene Zeit aufholen und die einzige Möglichkeit, dies zu erreichen, war, mich mit Klaus zu verstehen, die einzige Frucht dieser Liebe, deren Keim in einem Nachtclub gesetzt worden war, die im Ibirapuera Park erblühte und die ich nun auf einem Friedhof in Deutschland wiederfand. Ich streckte die Hände gen Himmel, als wollte ich Gott bitten, Geovanna zurückzubringen oder sie zumindest ein paar Minuten mit mir sprechen zu lassen. Obwohl ich ihre Stimme nicht hörte, fühlte ich sie in meinem Herzen. Plötzlich löste sich meine Traurigkeit auf, meine Seele war von einem tiefen Frieden erfüllt, die Stille des Friedhofs hatte sich auf mich übertragen. Ich schloss die Augen, der Gesang der Vögel ließ mich ans Paradies denken, ich spürte, dass Geovanna mich umarmte, als wollte sie mich beruhigen, mir etwas sagen, das meine Tränen versiegen ließe, die zuerst traurig, in diesem Augenblick jedoch von Sehnsucht und Erinnerungen herrührten. Die Arme ausgebreitet, legte ich mich der Länge nach auf den Grabstein, küsste das Bild von Geovanna und schloss die Augen, regungslos blieb ich zehn oder fünfzehn Minuten mit geschlossenen Augen auf dem Grab liegen.

Danach verabschiedete ich mich von Geovanna und als

ich durch die verrostete Tür der Totenstadt ging, fühlte ich die Melancholie, die man immer verspürt, wenn man einen Friedhof verlässt. Ein Gefühl der Leere und des Verlusts.

# 24

Vor dem Hotel stieg ich aus dem Taxi, der Name ‚Plaza' auf leuchtendem Grün erinnerte mich an den Nachtclub ‚Estação Plaza', genauer gesagt an den Tag, an dem ich Geovanna kennengelernt hatte.

Als ich an der Rezeption vorbeikam, fragte ich nach Nachrichten. Voller Erleichterung hörte ich das ‚Nein', zumindest hatte Klaus nicht von dem Treffen abgesehen. Ich riss mir die Klamotten vom Leib und stopfte sie in den Wäschebeutel, vor langer Zeit hatte ich die Gewohnheit meiner Mutter übernommen, nach einem Friedhofsbesuch alle Kleider in die Wäsche zu tun. Dann legte ich mich nackt aufs Bett, nahm die Fernbedienung, ich musste mich ablenken, damit die Stunden schneller vergingen. Sehnsüchtig dachte ich an Priscila, wie sie mir sagte, dass für mich die Zeit nicht verging, weil ich tagsüber nicht viel zu tun hatte. Ich überlegte, sie anzurufen, doch ich wusste, dass ich das Treffen mit Klaus abwarten sollte, am Abend hätte ich wesentlich mehr Neuigkeiten zu berichten. Nur konnte ich noch nicht vorhersehen, ob sie gut oder schlecht sein würden.

Ich war gerade dabei einzuschlafen, als das Telefon klingelte. Zuerst dachte ich an Priscila, dann war mein Körper wie gelähmt, nur von dem Gedanken, dass Klaus das Treffen absagen könnte.

„Hallo Liebling. Alles in Ordnung?", sagte eine sanfte Stimme am anderen Ende der Leitung.

„Hallo…", einen Augenblick dachte ich, es wäre Priscila, Geovanna, meine Mutter, die drei Frauen, die meine Gedanken in genau diesem Moment mit Beschlag belegten. Mithilfe des Ausschlussverfahrens entschied ich, dass es auf keinen Fall meine Mutter sein konnte, noch viel weniger Geovanna und sicher war es auch nicht Priscilas Stimme.

„Hallo. Ist da jemand?", fragte die Stimme.

„Hi Margot", antwortete ich, nachdem ich sie endlich erkannt hatte. „Ich habe ein bisschen geschlafen, entschuldige."

„Du schläfst? Um diese Zeit? Du weißt ja, ich arbeite heute nicht. Was hältst du davon, wenn wir bei einem Italiener essen, den ich kenne?"

„Leider kann ich nicht, heute ist der Tag, an dem ich die wichtige Verabredung habe."

„Diese wichtige Verabredung, von der du versprochen hast, mir zu erzählen und es bisher noch nicht getan hast?"

„Genau diese. Es ist nichts weiter, eigentlich vermeide ich es, darüber zu sprechen, weil es sich um einen Vertrag für ein neues Buch handelt. Normalerweise rede ich nicht gerne über etwas, bevor nicht alle Einzelheiten geklärt sind", wich ich aus.

„Ich weiß. Staatsgeheimnisse. Das neue Projekt von Eric Resende. Berühmte Leute und ihre Geheimnisse", sagte Margot scherzhaft. „Aber wenn das so ist, muss ich es respektieren und dir viel Glück bei deinem Projekt wünschen."

„Danke, das werde ich brauchen. Wie wäre es, wenn wir den Italiener auf morgen verschieben?", fügte ich hinzu.

„Morgen kann ich leider nicht. Carolina heiratet und ich bin ihre Trauzeugin, du weißt ja wie das ist, da darf ich nicht fehlen."

„Ich weiß! Trauzeugin der Lüge."

„Nein! Die Heirat ist seriös, du weißt das, vielleicht wird die Ehe nicht ewig halten, aber sie ist echt. Dann treffen wir uns am Sonntag?", fragte Margot, als wüsste sie bereits, dass ich zustimmen würde.

„Ja, Sonntag essen wir zusammen beim Italiener. Es ist ein guter Tag, um zu einem Italiener zu gehen, oder nicht?"

„Super, auch wenn ich bis dahin vor Sehnsucht sterben werden. Kuss, du musst dir keine Sorgen machen, ich komme morgen früh im Hotel vorbei, dann haben wir Zeit, unser Verlangen vor dem Mittagessen zu stillen."

„Jetzt bin ich es, der es kaum noch erwarten kann. Küsse."

Kurz nachdem ich aufgelegt hatte, vergaß ich Margot völlig und dachte erneut an Klaus, Geovanna und Priscila gleichzeitig, bis ich endlich einschlief.

Der kalte Wind, der durchs Fenster strömte, ließ meinen nackten Körper erschauern. Ich rannte ins Bad und stellte mich unter die heiße Dusche. Dann machte ich mich für das Treffen mit Klaus fertig. Ein paar Minuten schaute ich dem Verkehr auf der Straße zu, bis ich es für angebracht hielt, mich auf den Weg zu machen.

Gemächlich schlenderte ich zur U-Bahnstation, ließ zwei Züge ohne mich abfahren. Es war noch früh, ich war zu früh. Meine innere Unruhe, gemischt mit der Angst vor dem Treffen, vermittelte mir ein merkwürdiges Gefühl, als hätte ich etwas getan, weshalb ich mich vor den Leuten in der U-Bahnstation schämen müsste.

Da ich immer noch zu früh dran war, spazierte ich durch den MediaPark aber vermied es, in die Nähe von Klaus Wohnung zu geraten. Auf keinen Fall wollte ich das Risiko eingehen, dass er mich erneut dabei erwischte, wie ich um das Haus strich. Ich atmete tief durch und machte mich auf den Weg zur Churrascaria.

Unauffällig betrat ich das Restaurant, doch Manuel

empfing mich bereits an der Tür. Er setzte mich an einen Tisch mit zwei Plätzen, fragte, was ich trinken wollte, ich bestellte Mineralwasser. Der sympathische Mann versuchte, ein Gespräch über meinen Aufenthalt in Deutschland zu beginnen, stellte dann jedoch fest, dass mir nicht nach Unterhaltung zu Mute war und ließ mich in Ruhe.

Ich wartete über eine Stunde darauf, bis Klaus ins Restaurant trat. Er blieb in der Mitte des Gastraums stehen, ließ seinen Blick über die Tische schweifen und als er mich entdeckt hatte, kam er erhobenen Hauptes auf den Tisch zu, rückte den Stuhl mir gegenüber zurecht und setzte sich.

„Guten Abend, Herr Resende!"

„Guten Abend, Herr König", antwortete ich. „Ich war heute auf dem Friedhof, habe Blumen gebracht."

„Wirklich?", fragte Klaus, ohne eine Gefühlsregung.

„Ja. Auf dem Grabstein deiner Mutter habe ich ein vor kurzem aufgenommenes Foto entdeckt, so schön wie sie immer war."

„Sie war wirklich sehr hübsch."

„Was trinkst du?"

„Dasselbe wie Sie."

„Trinkst du Bier?", fragte ich.

„Ich trinke nicht."

„Sehr gut", sagte ich und lächelte, „dann nimmst du wahrscheinlich auch keine Drogen."

„Nein! Ich nehme keine Drogen", antwortete der Junge erschrocken, „aber all das geht Sie nichts an."

„Entschuldige, versteh mich nicht falsch. Unabhängig von unserer Geschichte macht es mich glücklich, zu erfahren, dass du ein guter Junge bist, ich freue mich für jeden Jungen in deinem Alter, der keine Drogen nimmt, nicht trinkt, nicht raucht, nur das."

„Schon klar! Nur das mit ‚unserer Geschichte' habe ich nicht verstanden."

„Du musst mich nicht mögen, musst mich nicht wiedersehen wollen, aber du kannst nicht verneinen, dass wir Teil einer ungewöhnlichen Geschichte sind, die vielleicht nicht einmal so ist, wie wir sie kennen. Ich kann weder behaupten, dass ich tatsächlich dein biologischer Vater bin, noch das Gegenteil. Es gibt nur ein Mittel, das herauszufinden. Ein DNA-Test."

„Ich wusste, dass Sie das sagen würden", warf Klaus ein, „und ich kann Sie gleich warnen, ich will nichts von alledem wissen. Was ich wissen muss, weiß ich bereits, ich habe einen Vater, er heißt Otto. Ich habe Sie hierher gebeten, um diese Situation ein für alle Mal zu klären. Ich möchte mich nicht mit Ihnen einlassen, nicht einmal Kontakt halten, sondern bitte Sie, mich in Ruhe zu lassen. Das ist mein Recht."

„Weiß dein Vater, dass ich hier bin?", fragte ich.

„Weiß er. Aber er hat nichts gesagt, nur, dass ich meinem Verstand folgen sollte. Und das tue ich."

„Dein Vater ist bestimmt ein toller Typ", sagte ich.

„So toll, dass ich keinen anderen brauche."

Mir wurde klar, dass ich nicht auf dem Thema beharren sollte, ich musste das Gespräch sehr vorsichtig führen, versuchen, ihn auf andere Art zu gewinnen, ihn dazu zu bringen, mir zu vertrauen.

„Klaus", sagte ich und schaute ihm in die Augen. „Ich bin nicht hier, weil ich dein Vater sein möchte, wie du selbst gesagt hast, hast du bereits einen. Du hattest eine Mutter, eine echte Familie, diese Familie bist jetzt du und dein Vater. Ich bin nicht hierhergekommen, um dir vorzuschreiben, dass du mich akzeptierst. Um ehrlich zu sein bin ich hier, weil ich neugierig auf dich war. Auch der Wunsch, Geovanna zu sehen, hat sehr zu meinem Kommen beigetragen. Leider kam ich zu spät, sie war bereits verstorben. Doch wenigstens konnte ich dich kennenlernen. Ich mag dich allein deshalb, weil du ihr Sohn bist und das wissen wir mit Sicherheit, stimmt's? In Brasilien gibt es ein Sprichwort, das heißt ‚Mutterschaft ist ein Fakt, Vaterschaft ein Geheimnis'", ich lächelte.

Klaus hörte schweigend zu, zeigte jedoch keine Gefühlsregung.

Manuel kam an unseren Tisch, legte eine Hand auf meine Schulter und fragte auf Portugiesisch:

„Möchte Ihr Begleiter etwas trinken?"

„Wasser", antwortete ich, ebenfalls auf Portugiesisch. Klaus beobachtete uns mürrisch.

„Eigentlich möchte ich wirklich nur dein Freund sein", fuhr ich auf Englisch fort. „Ich habe Freunde in vielen Ländern, manchmal, wenn ich ein neues Buch herausbringe, erinnere ich mich an sie und besuche sie, doch das kommt nur alle drei oder vier Jahre vor. Mit dir wäre es das Gleiche, wenn ich in Deutschland wäre, würde ich dir einen Besuch abstatten, wir würden uns ein bisschen unterhalten und danach würde ich in mein Land zurückkehren und mein Leben leben sowie du deins. Ich werde dich nicht stören. Du kannst beruhigt sein."

„Wenn das so ist, ok. Also haben wir uns verstanden, Sie können nach Brasilien zurückkehren und wir treffen uns in vier Jahren wieder, bis dahin", sagte Klaus und drohte aufzustehen.

„Warte", sagte ich, „du nimmst mich doch ernst, oder? Wenn ich Freunde sage, dann meine ich wirkliche Freunde. Freunde unterhalten sich, lachen, haben Gemeinsamkeiten, fühlen sich wohl, wenn sie zusammen sind."

„Dann glaube ich nicht, dass wir Freunde sein können", gab Klaus zurück.

„Du willst es nicht. Du willst dir gar nicht die Chance geben, mich kennenzulernen, du willst keinerlei Annäherung versuchen. Auf diese Art ist es wirklich unmöglich, das ist es, was du willst, oder? Dass es unmöglich ist", sagte ich und schrie fast dabei, ohne mich an den Leuten um uns herum zu stören, die verwundert zu uns herübersahen.

„Ich möchte dir etwas erzählen, das mir passiert ist", fuhr ich fort. „Vor kurzem habe ich eine sensationelle Frau kennengelernt. Obwohl sie fast zwanzig Jahre jünger ist, sind wir gerne zusammen, sie war sogar mit mir hier in Deutschland, um mir Kraft zu geben. Sie sorgt sich um mich, wir waren verliebt. Vom ersten Tag als wir hier ankamen, sagte sie mir, dass ich bei dir klingeln sollte, den Brief deiner Mutter zeigen und die Geschichte klären. Ich sagte, dass ich das nicht wollte und erklärte, dass ich nicht dein Vater sein wollte, dass du bereits einen Vater hättest. Ich wollte mich als ein Freund deiner Mutter vorstellen. Sie konnte nicht darauf warten, hat Termine in Brasilien, sie hat mich verlassen, ist in dem Glauben abgefahren, dass wir uns nicht unterhalten würden. Ich bin in sie verliebt, aber als sie nach Brasilien zurückgekehrt war, habe ich in genau diesem Restaurant eine Brasilianerin kennengelernt, die hier tanzt, habe mich mit ihr eingelassen und jetzt bin ich in einer schwierigen Lage. Es ist nicht in Ordnung, was ich mit Priscila mache. Sie ist in Brasilien, ich mag sie und betrüge sie hier in Deutschland. Sie ist im Streit abgereist, hat mich darum gebeten, dass ich sie nicht mehr kontaktiere, aber ich weiß, dass es nicht das ist, was sie wirklich will. Ich bin zwischen zwei Frauen hin und her gerissen. Und das Schlimmste ist, dass ich an Margot, der Frau, die ich hier in dem Restaurant kennengelernt habe, nur den Sex mag."

„Alles in allem sind Sie ein Drecksack", sagte Klaus und lächelte zum ersten Mal, doch gleich darauf verschwand das Lächeln und er fuhr fort:

„Das ist ein ernstes Problem. Aber es ist Ihr Problem."

„Ich weiß. Ich habe es dir nur erzählt, weil es ein Problem ist, das mich beschäftigt, ich wollte nicht, dass du es für mich löst, habe nicht einmal Rat erwartet. Ich habe darüber gesprochen, weil dies eine Angelegenheit ist, über die zwei Männerfreunde sprechen. Und du, hast du eine Freundin?"

„Ich bin in ein Mädchen verliebt, ja, aber erst seit kurzem, zwei Monate", sagte Klaus, etwas entspannter.

„Was Ernstes?", fragte ich.

„Ich mag sie sehr, aber ich weiß nicht, ob ich sie genug liebe, um heiraten zu können."

„Es ist zu früh, darüber nachzudenken. Diese Gewissheit wirst du erst haben, wenn ihr eine Zeit lang zusammen seid. So ist es wirklich. Ist sie hübsch?"

„Ich finde ja. Doch ich finde auch, dass das nicht das Wichtigste ist."

„Genau! Du hast Recht. Ich freue mich für dich. Auch wenn du nicht mein Sohn bist, ist es gut zu wissen, dass du keine Laster hast, dass du ein anständiger Mensch bist. Wenn ich einen Sohn hätte, würde ich mir darüber Gedanken machen", sagte ich scherzhaft.

Klaus lächelte erneut.

„Studierst du? Was machst du?"

„Ja, ich studiere Werbung und habe vor, mich auf den Bereich Grafikdesign zu spezialisieren. Zurzeit suche ich einen Praktikumsplatz. Zuerst wollte ich meinen Vater um Hilfe zu bitten, dann habe ich davon abgesehen. Ich werde aus eigener Kraft etwas finden."

„Toll. Es ist gut, Eigeninitiative zu ergreifen. Arbeitet dein Vater auch in diesem Bereich?", fragte ich.

„Eigentlich ist mein Vater Techniker für Druckmaschinen. Er arbeitet in einem großen Unternehmen für Druckmaschinen. Das größte der Welt. Der Sitz des Unternehmens ist in einer Stadt, dreihundert Kilometer von hier entfernt. Aber heute arbeitet er von zu Hause aus, er ist für den technischen Service der Druckereien in Köln und den Nachbarstädten verantwortlich. Jetzt hat man ihm das Angebot gemacht, in der Zentrale zu arbeiten und er hat mir gesagt, dass er nach Mamas Tod ernsthaft darüber nachdenkt, es anzunehmen. Er ist daran gewöhnt, zu reisen, bevor er nur hier in der Gegend eingesetzt wurde, ist er durch die ganze Welt gereist und hat Techniker in anderen Ländern ausgebildet. Das Problem ist, dass er sich sicher ist, dass ich mitkommen werde, aber ich möchte nicht. Sollte er sich wirklich entschließen zu gehen, werde ich hier in Köln bleiben."

Klaus schien die Meinungsverschiedenheiten vergessen zu haben, unterhielt sich ungezwungen, ich musste mir die Gelegenheit zunutze machen:

„Du möchtest deine Freundin nicht zurücklassen?", fragte ich.

„Nicht nur das. Ich habe dieses Jahr angefangen zu studieren, aber ich habe bereits Freunde an der Uni. Und dann sind da noch meine Freunde aus dem Viertel, das Haus, in dem ich aufgewachsen bin und immer noch wohne. Außerdem bin ich Mitglied von Greenpeace in Köln, nehme aktiv an den Kampagnen teil. Das kann ich nicht so einfach zurücklassen."

„Klasse, ich habe Leute immer bewundert, die einen Teil ihrer Zeit dem Umweltschutz widmen oder anderen freiwilligen Tätigkeiten."

„Greenpeace ist viel mehr als das. Morgen haben wir eine Kampagne in der Nähe der Deutzer Brücke. Die

Stadtverwaltung will dort alle Bäume fällen, da sie die Stromkabel der Straßenbahn anheben. Sie haben versprochen, neue zu pflanzen, es jedoch nicht getan. Wenn Sie wollen, können Sie uns begleiten."

Seit Beginn unseres Gesprächs hatte Klaus sich verändert. Ich konnte es fast nicht glauben, dass er mich einlud.

„Ich komme. Es wird mir ein Vergnügen sein", antwortete ich.

„Wir treffen uns um zehn vor dem Dom, Sie kennen ihn bestimmt, es ist der beliebteste Ort der Stadt."

„Ja, ich kenne ihn. Diese Kathedrale ist unglaublich. Ich werde vor zehn da sein."

„Also dann, bis morgen. Ich muss los. Die Kollegen von Greenpeace sind gerde dabei, das Material, das wir mitnehmen, vorzubereiten und ich habe versprochen zu helfen."

„Jetzt schon? Wirst du nicht mit mir zu Abend essen?"

„Leider kann ich nicht, sonst wird es zu spät."

Klaus erhob sich, drückte ohne ein weiteres Wort meine Hand und ging. Gleich darauf bemerkte ich, dass mich das Mädchen hinter der Kasse aufmerksam beobachtete. Sie war mir bereits bei meinen anderen Besuchen in der Churrascaria aufgefallen. Meist schien sie sehr beschäftigt, stellte Rechnungen aus, nahm die Bestellungen der Ober entgegen. Nie war mir aufgefallen, dass sie zu den Tischen schaute, immer hielt sie den Kopf gesenkt, hämmerte auf den Tasten des Computers herum, zählte Geld. Jetzt erhob sie sich von ihrem Stuhl und gab einer etwas älteren Frau, die an der Tür zur Küche stand, ein Zeichen. Die Frau nahm den Platz an der Kasse ein, das Mädchen bückte sich und kam mit einem Buch in der Hand auf mich zu. Als sie näher kam, bemerkte ich, dass es sich um ein Exemplar von ‚Traços da vida' handelte.

„Hallo, Senhor Eric! Könnten Sie mir ein Autogramm in dieses Buch schreiben?", fragte sie auf gutem Portugiesisch.

„Na klar. Wie heißen Sie?", fragte ich.

„Gisele. Ich bin die Tochter von Manuel."

„Ah ja!", sagte ich und schrieb die Widmung.

„Ich bewundere Ihre Arbeit. Darf ich mich ein bisschen zu Ihnen setzen?", fragte das Mädchen lächelnd und zog bereits einen Stuhl heran.

„Natürlich!", gab ich etwas ratlos zurück.

„Bitte entschuldigen Sie die Neugier, aber was machen Sie in Deutschland?"

„Ich bin gekommen, um ein altes Problem zu lösen."

„Dieser Junge, der vorhin hier war und nicht gerade Ihr Freund zu sein scheint?"

„Um ehrlich zu sein ist er das Problem, das ich zu lösen versuche."

„Hat er irgendein Problem?", fragte Gisele.

„Nein. Wir haben ein großes Problem."

„Sie scheinen sich um den Jungen Sorgen zu machen. Kann ich Ihnen irgendwie behilflich sein? Möchten Sie darüber sprechen?"

Anfangs hatte mich die Anwesenheit der jungen Frau an meinem Tisch erschreckt, jetzt wunderte ich mich über ihre Frage. Wieso sollte ich mit einer mir absolut unbekannten Person über solch ein intimes Thema reden? Das Mädchen kannte mich nicht, war jedoch ungefähr in Klaus Alter. Vielleicht sollte ich mit ihr über die Angelegenheit sprechen, sie könnte mir eine neue Sichtweise aufzeigen und dazu beitragen, dass ich Klaus besser verstehen würde. Außerdem könnte ich meine anfängliche Angst sowie meine Freude, zu der Greenpeace-Kampagne eingeladen worden zu sein, mit ihr teilen.

„Eigentlich ist dieser Junge mein Sohn", legte ich los.

„Wahnsinn!", erschrak sie. „Aber so viel ich weiß, wohnt er schon immer in Köln. Haben Sie schon in Köln gewohnt?"

„Nein. Das ist eine lange Geschichte. Die beste Art sie mehr oder weniger schnell zu verstehen ist, diesen Brief zu lesen", sagte ich, zog Geovannas Brief aus der

Hemdtasche und legte ihn auf den Tisch. Aufmerksam las das Mädchen den Brief und lächelte.

„Was für ein schöner Brief. Es muss eine wundervolle Geschichte sein", fügte sie enthusiastisch hinzu.

„Eigentlich nicht", antwortete ich.

„Haben Sie dem Jungen heute diesen Brief gezeigt?"

„Ehrlich gesagt, nein. Er kannte den Inhalt bereits. Als ich ihm den Brief gezeigt habe, wusste er schon über die Geschichte Bescheid. Das Problem ist, dass er mich nicht einmal als Freund akzeptieren will."

„Freund? Aber sind Sie nicht sein Vater?", fragte Gisele offensichtlich verwirrt.

„Nein. Er hat bereits einen Vater, der ihn von klein auf großgezogen hat. Eigentlich haben wir keine Gewissheit über nichts, lediglich eine DNA-Untersuchung könnte die Zweifel beseitigen. Doch er hat schon klar zu verstehen gegeben, dass er nicht vorhat, eine zu machen. Mir ist es auch nicht wichtig, doch hätte ich ihn gerne wenigstens als Freund. Ich habe seine Mutter sehr geliebt, war neugierig, ihn kennenzulernen, doch ich möchte nicht den Platz dessen einnehmen, den er immer als Vater angesehen hat. Ich möchte nur seine Freundschaft. Hin und wieder mit ihm sprechen können. Er scheint mir ein sehr vernünftiger Junge zu sein, ein Sohn, den sich jeder Vater wünschen würde. Ein bewundernswerter junger Mann, aber er glaubt mir nicht."

„Wie schade. Sie scheinen ebenfalls sehr nett zu sein. Was haben Sie vor?"

„Nichts. Ich werde noch ein paar Tage hierbleiben, wenn ich die Freundschaft des Jungen gewinne, super, ansonsten werde ich nach Brasilien zurückkehren müssen und versuchen, ihn zu vergessen oder ihn zumindest nicht mehr zu kontaktieren."

„Sie werden keinen DNA-Test verlangen? Um Anerkennung der Vaterschaft bitten? Den Fall vor Gericht bringen? Irgendeine Maßnahme ergreifen, die dazu beiträgt, die Wahrheit zu erfahren?"

„Ganz und gar nicht. Ich habe kein Recht, das zu tun. Ich kann nicht hier auftauchen und das Leben des Jungen durcheinanderbringen. Ich will das Beste für ihn. Er hat einen Vater, den er sehr zu lieben scheint, er hat sein Leben hier. Ich hätte nicht das Recht, irgendetwas daran zu ändern. Ich kann mich nur um seine Freundschaft bemühen, Kontakt halten, das ist es."

„Sie wollen wirklich keinen Einfluss nehmen?"

„Nein. Nur freundschaftlichen Einfluss. Ich wünsche dem Jungen alles Glück der Welt und wäre nicht in der Lage, irgendetwas zu tun, was ihm Kummer machen könnte. Nicht ihm, nicht seinem Vater, der ebenfalls all meinen Respekt verdient, schließlich hat er ihn gut erzogen und einen anständigen Menschen aus ihm gemacht."

„Ich kann mir vorstellen, dass er seine Meinung ändert", sagte Gisele und lächelte.

„Warum sagen Sie das?", fragte ich, verwundert über den Kommentar.

„Weibliche Intuition", gab sie zurück. „Entschuldigen Sie, Senhor Eric, ich habe Doris gebeten, mich an der Kasse zu vertreten, aber jetzt muss ich zurück an die Arbeit, mein Vater hat bereits zweimal ungehalten hergesehen. Vielen Dank für das Autogramm", sagte Gisele, erhob sich und nahm das Buch in die Hände.

„Und ich bedanke mich für die Unterhaltung. Es tut gut, sich ein bisschen Luft machen zu können."

Ich hatte nichts weiter vor, deshalb bestellte ich ein Bier, bediente mich am Salatbüffet und drehte die Karte auf dem Tisch von der roten auf die grüne Seite, auf der stand ‚solta o boi, lasst den Ochsen frei'. Sofort umringten mich die Kellner mit Spießen, auf denen die unterschiedlichsten Fleischsorten steckten. Schnell aß ich, doch dieses Mal begeisterte mich die leckere Picanha, die Rinderhüfte, nicht so sehr. Ich bezahlte meine Rechnung persönlich an Giseles Kasse, verabschiedete mich und nahm ein Taxi zum Hotel. Ich war nicht in der Stimmung, bis zum Bahnhof zu laufen, wollte nur schnell ins Hotel und ins Bett fallen.

# 25

Als ich am Kölner Hauptbahnhof ankam, standen bereits zig Menschen in Greenpeace-T-Shirts vor dem Dom. Ich suchte in der Menge nach Klaus, an der Seite der großen Basilika konnte ich eine Gruppe Leute beobachten, die Baumsetzlinge in kleinen schwarzen Plastiktüten voller Erde bei sich hatten. Die Leute, die auf dem Domvorplatz herumstanden, kamen näher und einer nach dem anderen nahm sich einen Setzling. In diesem Moment erblickte ich Klaus in Begleitung einer jungen Frau am Ende der Schlange. Zu meiner großen Überraschung stand er Hand in Hand mit Gisele da, der Tochter von Manuel. Unbemerkt trat ich zu ihnen und berührte Klaus an der Schulter.

„Hallo! Wie geht's?" fragte ich.

„Hallo Eric. Ich möchte Ihnen meine Freundin Gisele vorstellen", antwortete Klaus.

„Hallo Gisele. Wir haben uns ja bereits gestern Abend kennengelernt."

„Ich weiß, aber jetzt stelle ich sie Ihnen offiziell vor, und als meine Freundin", gab Klaus ironisch zurück.

„Ihr solltet…"

„Wir sprechen später darüber", unterbrach mich Klaus bestimmt. „Jetzt müssen wir unsere Setzlinge holen und zur Brücke laufen. Reihen Sie sich in die Schlange ein,

Eric, Sie können sich vor uns stellen, dies ist die einzige Schlange in der sich niemand beschwert, wenn er einen Platz an einen neuen Anhänger der Bewegung für ein besseres Leben verliert."

Ich schluckte eine Antwort hinunter und versuchte mich zu beruhigen. Jede Aufregung würde unsere neu geknüpfte Beziehung komplizieren. Wir kamen an die Reihe, jeder nahm einen Setzling, dann setzten wir den Weg Richtung Rhein fort. Die Leute liefen geordnet auf dem Bürgersteig, ohne den Verkehr zu behindern. Sie schrien etwas auf Deutsch, das ich nicht verstand. Ich überlegte, Klaus und Gisele zu fragen, doch die schienen sich auf den Marsch zu konzentrieren und schrien denselben Satz, den dutzende Menschen angestimmt hatten.

Wir erreichten das Rheinufer an der Deutzer Brücke, wo bereits viele andere Leute warteten. Sie trugen die gleichen T-Shirts und standen neben hunderten Löchern, die für die Setzlinge vorbereitet waren. Die Leute, die mit uns gelaufen waren, traten an die Löcher und pflanzten ihre Setzlinge. Schließlich waren wir an der Reihe. Klaus begrüßte jemanden, der schon auf ihn wartete, dann drückte er seinen Setzling fest. Gisele pflanzte ihr Bäumchen links neben das von Klaus und ich setzte meins neben ihres. Nachdem die Bäume gepflanzt waren, versammelten sich alle am Ufer und nahmen sich an den Händen. Gisele zog mich in die Menge. Es wurden ein oder zwei Lieder gesungen, dann fuhren zwei

Lastwagen vor und sammelten die Werkzeuge ein, alles verlief sehr geordnet. Nachdem die Lastwagen abgefahren waren, löste sich die Menge in kleine Gruppen auf, die gemeinsam weggingen.

Wir machten uns auf den Weg ins Zentrum. Wieder am Dom angekommen, fragte ich Klaus und Gisele, ob sie hungrig wären. Sie verneinten, nahmen jedoch meine Einladung an, sich an einen der Tische zu setzten, die in der Fußgängerzone, in einer der Seitenstraßen des Doms, aufgestellt worden waren. Ich bestellte ein Bier sowie eine kalte Platte von der Speisekarte, Klaus und Gisele bestellten Saft.

„Entschuldige, ich weiß, dass du nur ungern auf meine Fragen antwortest, doch diese ist unvermeidlich", sagte ich spröde auf Englisch. „Ihr zwei schuldet mir eine Erklärung."

Klaus sagte nichts, sondern sah nur ernst zu Gisele, die lächelte.

„Klaus ist ein sehr misstrauischer und unsicherer Mensch", erklärte das Mädchen in flüssigem Portugiesisch. „Wir wissen sogar bereits, was Sie fragen werden."

„Genau", fuhr ich auf Portugiesisch fort. Klaus hat mich um ein Treffen in der Churrascaria gebeten, in der du arbeitest, oder besser gesagt, in der du praktisch die Chefin bist. Ihr tut alles, um den Eindruck zu vermitteln, dass ihr euch nicht kennt, Klaus lässt mich im Restaurant sitzen, dann tauchst du auf und fängst ein Gespräch an, damit ich dir vertraue und mein Leid klage. Er hatte bereits alles geplant, als er mich einlud, heute hierher zu kommen."

„Das stimmt. Es war seine Idee, anfangs war ich nicht einverstanden, doch er bestand darauf, sagte, es wäre wichtig für ihn."

„Wichtig für ihn?"

„Ja! Er dachte, Sie würden sich mir anvertrauen und mir verraten, was Sie tatsächlich vorhaben. Und so war es, Sie haben mir ehrlich gesagt, was sie von Klaus erwarten."

„Aber das hatte ich ihm bereits ehrlich erzählt."

„Ja, ich weiß. Doch wie ich gesagt habe, ist er ein sehr misstrauischer Mensch. Er dachte, dass wenn Sie ihn tatsächlich als Sohn haben wollten, Sie möglicherweise vor Gericht gehen, die Vaterschaft oder zumindest einen DNA-Test einfordern würden. Aber Sie haben mir die Wahrheit erzählt, ich habe in Ihren Augen, an Ihrer Art zu sprechen gesehen, dass sie ehrlich sind. Sie haben gesagt, Sie würden ihn lediglich kennenlernen wollen, wissen wer er ist und sein Freund sein."

„Und was denkt er jetzt, nachdem er deine Meinung gehört hat?"

„Ich glaube, er hat seine Meinung geändert oder denkt

zumindest genauer darüber nach."

„Da er so misstrauisch ist, sprechen wir besser Englisch, damit er versteht, was wir sagen..."

„Nicht nötig", antwortete Gisele und lächelte erneut. „Er versteht uns gut, sogar sehr gut."

„Heißt das, ihr habt mich erneut hereingelegt?", fragte ich überrascht und wütend zugleich. „Klaus macht sich Sorgen über meine Absichten, unterstellt, dass ich ihn täuschen will und führt mich selbst die ganze Zeit hinters Licht?"

Was mich in diesem Augenblick zutiefst ärgerte, war Klaus Verhalten, der uns weiterhin lediglich beobachtet, als würde er kein Wort verstehen.

„Klaus und ich kennen uns seit unserer Kindheit", fuhr Gisele, jetzt nicht mehr lächelnd, fort. „Seine Mutter hat unser Restaurant geliebt. Mindestens einmal pro Woche aßen Klaus und seine Eltern dort zu Abend. Geovanna und Otto waren mehr als Gäste. Sie waren die Freunde meiner Eltern. Wir besuchten sie häufig, ebenso wie sie uns. Seit ich aus Brasilien nach Köln gekommen bin, sind wir zusammen aufgewachsen. Vielleicht begann die Freundschaft unserer Eltern gleich beim ersten Mal, als sie ins Restaurant kamen, weil Geovanna Brasilianerin war. Klaus und ich haben dieselbe Schule besucht, wir hatten gemeinsam Portugiesisch- und Englischunterricht. Kurze Zeit später verliebte sich Klaus in eine

Brasilianerin, die in der Churrascaria auftrat, aber sie hat ihn ohne ein Wort verlassen, hat ihn einfach gegen einen anderen eingetauscht, wahrscheinlich weil sie heiraten wollte, um in Deutschland bleiben zu dürfen. An jenem Tag habe ich meinen Freund aus Kindheitstagen getröstet, aus Freundschaft wurde Mitgefühl, das sich dann in Liebe verwandelt hat. Auch mein Vater wusste von Anfang an, wer Sie sind. Doch hat er nicht gelogen, als er sagte, dass er Ihre Bücher bewundert, er kennt Ihre schriftstellerische Arbeit. Und kurz bevor Geovanna starb, erzählte sie von eurer Geschichte und von dem Brief, den sie geschrieben hatte. Anfangs wollten meine Eltern es nicht glauben. Geovanna, eine Brasilianerin, die alles zurückließ, um in Deutschland zu leben, weil, wie sie sagte, die Dinge in Brasilien nicht gut liefen. Als Sie dann zum ersten Mal hier in der Churrascaria auftauchten, wussten wir bereits, wer Sie sind oder besser gesagt, wen Sie suchten. Klaus bat uns darum, uns nicht einzumischen und dann bat er mich, Sie dazu zu bringen, Ihre wirkliche Intention offenzulegen. Wir hatten nur nicht damit gerechnet, dass Sie gleich bei unserem ersten Gespräch so ehrlich wären. Klaus Plan war, dass ich mich Ihnen annähern und wir Bekanntschaft schließen würden. Da Sie niemanden kannten, würden Sie mir vertrauen und von Ihren Plänen berichten."

„Pläne? Welche Pläne? Der einzige, der hier Pläne geschmiedet hat, ist er", unterbrach ich sie. „Und wenn wir schon von Plänen sprechen, wenn ich mich bei unserer ersten Unterhaltung dir gegenüber nicht geöffnet hätte, wie hättet ihr dann dieses Treffen heute erklärt?"

„Ich bin heute nur hier, weil Sie, wie ich bereits sagte, schon bei unserem ersten Gespräch gestern ehrlich waren. Deshalb hat Klaus Plan B in Kraft gesetzt. Plan A, der uns am logischsten erschien, war, dass ich heute nicht hier bei euch gewesen wäre, Klaus hätte Sie erneut zum Abendessen in die Churrascaria eingeladen, mit einer Entschuldigung hätte er Sie wieder allein gelassen und ich hätte mich an Ihren Tisch gesetzt, um mich mit Ihnen zu unterhalten. Plan B hat er sich erst gestern Abend ausgedacht", antwortete Gisele und brach in Lachen aus.

„Offensichtlich bin ich der einzig Ehrliche und Naive hier. Ich weiß nicht, was ich sagen soll. Irgendwie bin ich enttäuscht, jetzt bin ich es, der euch kein Wort mehr glaubt."

„Entschuldigen Sie, Senhor Eric, ich wollte Sie nicht verärgern", sagte Gisele.

„Ich bin nicht sauer auf dich, ich kenne dich kaum, aber ich bin sauer auf ihn. Und bitte, tu mir den Gefallen und hör auf mich zu siezen."

„Auch mich kennst du kaum! Deshalb kannst du nicht einfach ein Urteil über mich fällen", zum ersten Mal seit wir in der Kneipe saßen, sagte Klaus etwas und das in gutem Portugiesisch.

„Ich verurteile niemanden, ich ziehe lediglich Schlüsse aus den Fakten. Anders als du, der du bereits ein Urteil gefällt hast, bevor wir uns überhaupt getroffen haben. Du hast mich verurteilt und die ganze Zeit über getäuscht. Aber ich bin kein misstrauischer Mensch, sondern ehrlich, wie deine Freundin sagte. Vielleicht hat du Recht, es heißt, dass es besser ist, allem misstrauisch gegenüberzustehen, bevor das Gegenteil bewiesen ist. Was mich betrifft, glaube ich alles, bis mir das Gegenteil bewiesen wird, deshalb bin ich Gift für mich."

„Komischer Ausdruck", stellte Klaus fest.

„Das ist doch nur eine Redewendung", warf Gisele ein."

„Verstehe", antwortete Klaus. „Aber das war nicht meine Absicht. Du sagst, du willst mein Freund sein, hast aber nicht den Mut, dich in meine Lage zu versetzen."

„In welche Lage? Die des Jungen, der bei seinen Eltern aufgewachsen ist und plötzlich taucht jemand auf, von dem seine Mutter behauptet, er sei sein biologischer Vater, doch niemand kann das mit Sicherheit sagen, nicht einmal die beiden selbst, der Junge weiß nicht, was dieser Mann wollen könnte, also wird er misstrauisch, hat Angst, ist erschrocken, weiß nicht, was er tun soll. Oder soll ich mich in die Lage des Typen versetzen, der allem und jedem misstraut, der Pläne macht, um einen Mann zu täuschen, der aus Brasilien gekommen ist, um ihn kennenzulernen, weil er nach zwanzig Jahren einen Brief einer alten Freundin erhält, die ihm schreibt, dass sie einen Sohn hätten, der groß geworden ist, gesund und glücklich in Deutschland lebt? Diese Frau ist der Meinung, dass es das Recht der beiden ist, sich kennenzulernen, sie ist sehr krank und macht in dem Brief deutlich, dass dies vielleicht ihr letzter Wunsch ist. Der Mann ist verzweifelt, kommt nach Deutschland, um etwas mehr über diese Geschichte zu erfahren, die ihm nicht aus dem Kopf geht, doch als er in dem so fernen, so unbekannten Land ankommt, erhält er die Nachricht, dass diese Frau, die wahrscheinlich die einzige Person war, die diese ganze Geschichte hätte bestätigen können, gestorben ist. Eigentlich muss ich mich nicht in deine Lage versetzen und werde dich auch nicht bitten, dass du dich in meine versetzt, denn wir sind in derselben Lage oder sitzen im selben Boot, wir sind beide misstrauisch, haben beide dieselben Ängste und keine Gewissheit." Ich machte eine Pause, die beiden schwiegen, daher beschloss ich, weiterzureden. „Und wenn du so weitermachen willst, dann ist das ok für mich. Denn mit dir kann man nicht einmal über einen DNA-Test sprechen, ohne dass du beleidigt bist. Ich kann mich dir nicht annähern, muss Distanz halten, kann nicht einmal das Thema anschneiden. Ich habe bereits gesagt, dass ich nicht dein Vater sein will. Dennoch dachte ich, dass wir beide das Recht hätten, zu erfahren, ob all das wirklich wahr ist. Vielleicht hat sich deine Mutter geirrt, vielleicht war sie gar nicht schwanger, als sie Brasilien verließ, sondern wurde erst hier schwanger, nachdem sie deinen Vater kennengelernt hatte. Alles ist sehr schnell gegangen. Außerdem glaube ich, dass sie, wäre sie damals bereits schwanger gewesen, mich gleich darüber informiert hätte. Sollen wir uns den Rest unseres Lebens fragen, ob es tatsächlich so war oder doch nicht? Und wenn es nicht so gewesen wäre? Und wenn es tatsächlich so war? Was mich betrifft, hat die Wahrheit keinerlei Einfluss, egal, was für eine Art von Beziehung wir haben könnten. Doch mittlerweile bin ich fast sicher, dass du nicht mein Sohn bist. Und wenn du es wärst, zöge ich es vor, es gar nicht zu erfahren! Ich würde keinen Sohn haben wollen, der unentschlossen und ängstlich ist wie du, einen Typen, der nicht weiß, was er will, einen Schwächling!" In diesem Augenblick musste ich an Priscila denken, als würde sie neben mir sitzen und mich mit dieser missbilligenden Miene ansehen, denn sie hatte bereits dasselbe über mich gesagt.

„Puh, Klaus, ich glaube dein ex-zukünftiger Vater ist dabei, dich zu enterben", sagte Gisele mit ironischem Blick und gab mir zu verstehen, dass Klaus das Ziel ihrer Worte war. Zum ersten Mal, seit ich Klaus getroffen hatte, stieg ein merkwürdiges Gefühl in mir auf, ein Gefühl, dass ich nie zuvor verspürt hatte, das Gefühl, Vater eines pubertären Jugendlichen zu sein, ein Gefühl ewiger Liebe für den Sohn, gemischt mit vorübergehendem Hass, weil er mir widersprach, mich ignorierte, ein Junge, der meinem Rat nicht folgen, nicht hören wollte, was ich zu sagen hatte, der mit nur achtzehn Jahren glaubte,

Herr einer unverrückbaren Wahrheit zu sein, und dann musste ich auch noch die kleine Freundin im selben Alter ertragen, die die ganze Zeit ironische Bemerkungen von sich gab.

„Hier gibt es nichts mehr für mich zu tun", sagte ich und versuchte nervöser zu wirken, als ich es tatsächlich war. „Jetzt weiß ich sicher, dass ich nach Brasilien zurückkehren kann. Du kannst beruhigt sein, ich werde dich nie wieder belästigen. Ich bereue es nicht, gekommen zu sein, ich musste dich kennenlernen, hätte ich es nicht getan, hätte außer dem Zweifel, ob ich dein Vater bin oder nicht, ein viel schlimmerer Zweifel mein Gehirn gequält, nämlich wissen zu wollen, wie du wohl bist. Zumindest diesen Zweifel werde ich nicht weiter mit mir herumtragen. Ciao, es war ein Vergnügen, euch kennenzulernen", sagte ich, während ich mich erhob und einen Zehn-Euro-Schein auf den Tisch legte.

„Warte!", sagte Klaus. Voller Erleichterung und Hoffnung drehte ich mich augenblicklich um.

„Wir brauchen dein Geld nicht, ich bezahle die Rechnung", sagte er, als wollte er mich herausfordern.

„Auch ich brauche niemanden, der mein Bier bezahlt!", erwiderte ich und tauschte den Schein gegen einen Fünf-Euro-Schein aus. Gisele schaute uns an und schüttelte ungläubig den Kopf.

# 26

Zurück im Hotel überlegte ich, den Koffer zu packen, es gab nichts mehr für mich zu tun. Ich hatte Klaus bereits ausreichend kennengelernt. Damit der Tag schneller verging, schaute ich Fernsehen, sah mir Sendungen an, von denen ich kein Wort verstand. In einer geistlosen TV-Show wurden Kandidaten vorgestellt, die blödsinnige Dinge taten, wie zum Beispiel fünf Liter Bier in einem Zug austrinken, ohne irgendwelche Sicherheitsvorkehrungen aus mehr als sechs Metern Höhe springen, lächerliche Tänze vorführen und andere idiotische Sachen, die man leicht auch in vergleichbaren Sendungen in Brasilien oder jedem anderen Teil der Welt verfolgen konnte.

Um acht Uhr abends hielt ich die Langeweile nicht mehr aus und rief Priscila in Brasilien an.

„Hallo", nahm sie das Telefonat entgegen.

„Hi. Ich bin's", sagte ich schüchtern, „geht es dir gut?"

„Hier ist alles in Ordnung! Und wie läuft's bei dir? Deutschland hat mir wirklich sehr gut gefallen!"

„Ehrlich gesagt, gefällt es mir hier nicht ganz so gut", gab ich zurück. „Doch wenigstens habe ich das erreicht, was ich wollte. Jetzt bleibt mir nur noch, wieder zurückzufliegen."

„Zurückfliegen? Du hast erreicht, was du wolltest? Und

weiter?", fragte Priscila gespannt.

„Ich habe es geschafft, mit Klaus zu sprechen. Wir haben die letzten zwei Tage zusammen verbracht. Seine Freundin habe ich auch kennengelernt."

„Und, wie war es?"

„Vom Bäume pflanzen abgesehen, absolut beschissen."

„Beschissen? Bäume pflanzen? Geht's dir gut, Eric?", fragte Priscila mit einem Lachen in der Stimme.

„Es geht mir gut! Aber der Junge ist nicht so, wie ihn Geovanna im Brief beschrieben hat."

„Hast du sie ebenfalls getroffen?", fragte sie.

„Ja. Auf dem Friedhof. Sie ist tot. Sie ist kurz vor unserer Ankunft gestorben!"

„Oh je! Die Arme. Aber wie sie selbst schrieb, ging es ihr sehr schlecht. Vielleicht war es das Beste", sagte Priscila und machte eine Pause, als schien sie sich ihrer Worte nicht sicher zu sein.

„Warst du traurig wegen ihrem Tod, Eric? Hattest du Sehnsucht? Hast du auf dem Friedhof geweint? Das ist normal, wenn wir jemanden verlieren, den wir lieben. Selbst bei Menschen, die wir jahrelang nicht gesehen haben."

„Ja, ich habe geweint. Aber ich wollte dir von Klaus erzählen."

„Erzähl!"

Das Telefonat dauerte über anderthalb Stunden – die mich später ein Vermögen kosteten – ich erzählte Priscila alles, was geschehen war.

„Wahnsinn, was für ein seltsamer Junge!", sagte sie.

„So ist es, deshalb habe ich beschlossen, zurückzufliegen. Ich denke, es gibt hier nichts mehr für mich zu tun. Heute Nachmittag habe ich noch darüber nachgedacht, ein letztes Mal mit ihm zu reden. Doch ich habe den Gedanken verworfen, weil ich weiß, dass es auf dasselbe oder schlimmeres hinauslaufen wird. Wie ich dir sagte ist es leichter, mich mit der Freundin zu unterhalten als mit ihm selbst. Ich werde bis Montag oder Dienstag hierbleiben, dann fliege ich zurück."

„Wenn du vorhast, noch zwei oder drei Tage zu bleiben, dann versuch es noch einmal, es kostet nichts."

„Nein! Es reicht. Ich werde nur Gisele, die Freundin, über den Tag meiner Abreise informieren. Sicher wird sie es ihm sagen und wenn er will, kann er sich ja bei mir melden."

„Gut, du weißt selbst, was du tun musst. Ich wäre gerne bei dir, um dich zu unterstützen, wer weiß, vielleicht würde uns mithilfe der Freundin eine Annäherung gelingen."

„Du bist nicht wütend auf mich?", wechselte ich das Thema.

„Warum fragst du das? Ich mag dich. Ich drücke dir die Daumen. Ich bin nicht mehr so wütend wie noch bei meinem Rückflug. Mittlerweile ist es vorüber, um ehrlich zu sein, sterbe ich vor Sehnsucht. Wir können problemlos Freunde bleiben."

„Und ich hatte vor, zurückzukommen und die Fehler, die ich dir gegenüber begangen habe, wiedergutzumachen! Doch mit deiner Freundschaft allein kann ich mich nicht begnügen."

„Dafür ist es viel zu früh."

„Glaubst du, dass ich eine Chance habe?", fragte ich.

„Eric, ich habe dir bereits gesagt, dass ich dich sehr gerne mag. Ich verspreche nichts, von dem ich nicht weiß, ob ich es halten kann, auch mache ich niemandem Hoffnungen, um ihm zu gefallen, denn das wäre sehr viel schlimmer. Ich halte es für verfrüht, darüber zu reden. Die Dinge müssen sich entwickeln."

„Verstehe! Aber ich werde nicht so schnell aufgeben. Ich habe Sehnsucht."

„Ich auch."

„Glaubst du wirklich, dass du mir, wenn du hier wärst, mit dem Mädchen helfen könntest?"

„Ich denke schon. Aber jetzt ist es zu spät. All das hätte in der Woche, in der ich dort war, passieren können. Doch du hast lange gebraucht, um Mut zu fassen. Wer weiß, vielleicht wäre alles anders gelaufen. Jetzt kann ich dir nur noch die Daumen drücken. Ich glaube, wir haben schon viel zu lange gesprochen, dieses Telefonat wird sehr teuer für dich, besser wir legen auf, meinst du nicht?"

„Nein, meine ich nicht! Aber ich kann dich ja nicht am Telefon festhalten. Einen dicken Kuss."

„Dir auch", sagte Priscila und legte auf, bevor ich noch etwas hinzufügen konnte.

## 27

Am Sonntagmorgen riss mich das Telefon neben meinem Bett um Punkt zehn aus dem Schlaf. Die Rezeptionistin kündigte an, dass Frau Margot mich an der Rezeption erwartete. Sofort dachte ich an Priscila. Ich wollte Margot nicht sehen, am liebsten hätte ich sie weggeschickt, sie darum gebeten, dass wir uns nie wiedersehen. Ein seltsames Gefühl überkam mich, ein Gefühl von Traurigkeit, grundloser Wut auf Margot. Als wäre sie der Grund dafür, dass alles schief lief. Ich sprang aus dem Bett, nahm eine kalte Dusche und grübelte darüber nach, was mit mir geschah. Endlich kam ich zu dem Schluss, dass es außer mir keine Schuldigen gab. Doch dann dachte ich an Geovanna, sie trug die Schuld an allem. Sie hatte mich vor zwanzig Jahren ohne eine Erklärung sitzen gelassen, sie war für dieses ganze Durcheinander mit der Schwangerschaft verantwortlich, wegen ihr war ich gerade hier. Das Schlimmste war, zu wissen, dass sie sich nie mehr dafür würde entschuldigen können. Sie war tot. Ich sank auf den Boden und weinte wie ein verzweifeltes Kind. Ich konnte erst aufhören zu weinen, als ich feststellte, dass das Badezimmer überschwemmt war, das Wasser hatte bereits den Teppich des Zimmers erreicht. Sofort erhob ich mich, das Weinen hatte mir geholfen, mich von diesem seltsamen Gefühl zu befreien.

Fast vierzig Minuten später tauchte ich an der Rezeption auf. Margot saß in einem kleinen Sessel neben dem Empfang und blätterte in einer deutschen Autozeitschrift. Sie war wunderschön, ganz in weiß, auch die Sandalen, in denen sie noch größer wirkte und die zeigten, was für eine hochgewachsene Frau sie tatsächlich war. Die weiße Kleidung kontrastierte mit ihrer braunen Haut, sodass sie die Aufmerksamkeit aller Männer, die an der Rezeption vorbeikamen, auf sich zog.

„Hallo! Du bist schön", sagte ich.

„Danke. Gehen wir? Du hast mich bereits lange genug warten lassen", gab sie zurück und küsste mich auf den Mund.

Kilometerlang spazierten wir Hand in Hand durch Köln und sprachen über die Stadt.

Wir besuchten das Römisch-Germanische Museum,

das wichtigste Museum der Stadt, in dem verschiedene Gegenstände aus der Zeit, in der Köln von den Römern besetzt war, wie Keramik und Schmuck, die die ersten Bewohner benutzt hatten, ausgestellt waren. Doch das sehenswerteste Stück der Ausstellung, die Besucherattraktion, war das Dionysos-Mosaik. Das Werk entstand um das Jahr 200 nach Christus und wurde erst 1941 entdeckt, als ein Luftschutzbunker gegen die Kriegsbombardierungen gebaut wurde. Das Mosaik war Teil des Bodens des Speiseraums eines römischen Hauses, es zeigt Dionysos, den römischen Gott des Weines. Ein Zeichen dafür, dass die Rheinregion bereits damals für ihre guten Weine bekannt war.

Der Museumsbesuch hatte mich beeindruckt. Danach gingen wir noch ein paar Stunden spazieren und kamen an eine Art Platz, der als Fischmarkt bekannt ist, in der Nähe der romanischen Kirche Groß St. Martin, eine der beliebtesten und angenehmsten Ecken der Stadt. In den kleinen Nebenstraßen befanden sich viele Kneipen und Restaurants, die typisch deutsche Gerichte sowie Spezialitäten anderer Länder des Kontinents servierten. Es war unmöglich, sich nicht von der entspannten, kameradschaftlichen Stimmung auf dem Platz anstecken zu lassen. Margot zog mich an einen Tisch auf der Straße, der unter der grün-rot-weißen Markise der ‚Cantina do Guappo' stand. An den Wänden des Restaurants hingen Fotos von Italien, hauptsächlich Venedig. Ein lächelnder Kellner legte uns eine italienische Speisekarte auf den Tisch. Die Bedienungen mit ihrer ansteckend guten Laune waren in der Lage, ihre Kunden mit den unterschiedlichsten Muttersprachen bei der Wahl ihrer Gerichte zu unterstützen. Wir bestellten einen italienischen Wein und Nudeln, eine leckere Vier-Käse-Lasagne.

„Was hast du heute Abend vor?", fragte Margot.

„Keine Ahnung. Aber ich habe mir überlegt, in den nächsten Tagen nach Brasilien zurückzufliegen."

„Wie schade! Also müssen wir die uns noch verbleibende Zeit voll auskosten. Hast du schon alles erledigt, was du erledigen wolltest?"

„Ja und nein", antwortete ich.

„Wie, ja und nein?"

„Ja, weil ich alles erledigt habe und nein, weil es nicht so gelaufen ist, wie ich erwartet hatte."

„Ich verstehe und verstehe auch nicht", sagte Margot und brach in lautes Gelächter aus, das die Aufmerksamkeit der Leute an den Nachbartischen auf uns zog. Ich würde keine Zeit darauf verschwenden, nachzufragen.

Margot war die ideale Frau, dachte ich in diesem Augenblick, sie stellte keine Ansprüche oder schwierige Fragen, wollte den Moment genießen, liebte Sex und war sehr hübsch.

„Hat dir das Essen geschmeckt?", fragte Margot.

„Ja, es war hervorragend. Das Essen und das Lokal", antwortete ich.

„Sollen wir gehen?"

„Wann du willst!"

Sie bat den Kellner um die Rechnung, zog das Portemonnaie aus ihrer kleinen Handtasche, doch ich brachte sie dazu, es wieder einzustecken und mich die Rechnung bezahlen zu lassen. Auf Margots Drängen hin gingen wir von dort zum Schokoladenmuseum. Wir kosteten die verschiedensten Schokoladen und Pralinen. Mir war schon ganz schlecht, als sie sich endlich entschloss, dass Museum zu verlassen. Danach spazierten wir durch die Schildergasse, in der sich die größten Kaufhäuser der Stadt und kleine Einkaufsgalerien für Touristen befanden, die alles, von der Dom-Miniatur bis hin zu Fünf-Liter-Biergläsern sowie Flakons mit Kölnisch Wasser anboten. Letzteres wurde 1709 in Köln erfunden und man hatte das Parfüm nach der Stadt benannt.

Unbemerkt war es Abend geworden. Der Spaziergang war angenehm. Ich war müde vom vielen Laufen, aber es hatte sich gelohnt, all diese Orte kennenzulernen. Um acht Uhr waren wir zurück im Hotel.

„Möchtest du nicht mit hinaufkommen?", fragte ich.

„Es ist mein letzter freier Tag. Ich muss ihn bis zum Ende auskosten", gab Margot zurück und schob mich ins Hotel, als wäre sie der Gast.

Im Zimmer warf Margot ihre Handtasche auf das kleine Sofa, zog die Sandalen aus, befreite sich von ihren Kleidern, legte sich nackt mit ausgebreiteten Armen aufs Bett und lud mich zu sich ein. Augenblicklich vergaß ich alles, was ich morgens gedacht hatte, vergaß sogar erneut, wer ich war, vergaß Priscila, Klaus, Brasilien. Ich dachte an nichts mehr, außer an diesen wunderschönen braunen Körper. Es war zu spät, Ludus hatte erneut von uns Besitz ergriffen. Gleich danach schliefen wir erschöpft ein.

## 28

Auch wenn ich wusste, dass kein harter Arbeitstag vor mir lag, gab mir der Montagmorgen immer dieses Gefühl, sei es in Brasilien oder an irgendeinem anderen Ort der Welt. Niedergeschlagenheit überkam mich. Ich blickte zu Margot, die mit einem zufriedenen Ausdruck des Glücks neben mir schlief. Leise stand ich auf, um sie nicht zu wecken. Ich stellte mich unter die Dusche und ließ das Wasser über meinen Körper prasseln, als würde es mich von allem, was passiert war, reinigen, eine Reinigung von der begangenen Sünde, eine Möglichkeit, die Reue zu lindern. Ich schloss die Augen und versuchte, zu entspannen, doch dann wurde ich von Margot mit einem Kuss überrascht. Erschrocken versuchte ich, ihr auszuweichen, was sie mit Befremden bemerkte.

„Was ist los? Ist irgendetwas passiert?"

„Nein. Ich dachte, du würdest schlafen", antwortete ich.

„Ich muss gehen. Heute Nachmittag um drei habe ich ein Vorstellungsgespräch. Ich versuche, eine neue Arbeit zu finden. Mein Plan ist, tagsüber zu arbeiten und abends zu tanzen, sollte es mit der Arbeit gut klappen, höre ich im Restaurant auf. Ich kann nicht mein restliches Leben in einer Churrascaria tanzen. Kannst du dir eine sechzigjährige Frau vorstellen, die in einem kleinen Bikini zu Karnevalsmusik tanzt?"

„Und um was für eine Art Job handelt es sich?"

„Ein Freund hat mich dem Geschäftsführer eines großen Kölner Kaufhauses vorgestellt, in dem mehrere Brasilianer arbeiten. Das Problem ist, dass ich meine Papiere in Ordnung bringen müsste. Dafür habe ich drei Monate Zeit. Danach läuft die Probezeit aus, wenn ich es nicht schaffe, war es das."

„Und wie willst du deine Papiere so schnell in Ordnung bringen?"

„Das weiß ich noch nicht! Vielleicht indem ich eine Ehe kaufe. Ich habe bereits mit Mauro gesprochen, dass er einen Ehemann für mich findet. Er hat gesagt, er würde mir helfen. Er wird den Typen bezahlen und ich zahle dann die Raten bei ihm ab. Wie eine Finanzierung. Natürlich wird er Zinsen verlangen, aber ich denke, es lohnt sich, es ist die einzige Lösung."

„Entschuldige, aber glaubst du das wirklich? Damit du hier in Deutschland als Verkäuferin arbeitest?"

„Ich habe nicht vor, den Rest meines Lebens hier zu arbeiten. Aber es ist besser, als abends zu tanzen. Außerdem werde ich mehr Geld verdienen und es ist eine normale Arbeit."

„Hast du nie daran gedacht, nach Brasilien zurückzukehren?"

„Daran denke ich immer. Aber ich möchte nicht wieder als Bedienung in einer dreckigen Snackbar arbeiten!"

„Hast du jemals darüber nachgedacht, eine Ausbildung zu machen?"

„Schon. Aber in Brasilien ist das schwierig. Ich möchte das hier tun. Dann könnte ich meine Familie hierherholen. Oder genug Geld zusammenkratzen, um nach Brasilien zurückzukehren und meinen Kindern ein würdiges Leben zu ermöglichen, das ist die Bedingung, die ich mir selbst auferlegt habe, bevor ich zurückgehen kann."

„Das wird sehr schwierig werden! Warum glaubst du, sollte es dir gelingen, so viel Geld zusammenzubringen?"

„Weil ich wenig Ausgaben habe und alles, was ich verdiene, spare! Für jemanden, der arbeitet, ist das Leben hier einfacher. Wenn du hier eine Arbeit hast, dann weißt du, dass es für ein normales Leben reicht, in Brasilien nicht.

Dort arbeiten viele Menschen hart, um den Mindestlohn zu erhalten, von dem man kaum überleben kann. Nicht jeder hat Glück oder Talent wie du, Eric."

„Ich habe kein Glück! Was das Talent betrifft, kann ich es selbst nicht einschätzen. Aber ich habe mich immer dem gewidmet, was ich tun wollte. Ich habe Journalismus studiert, gearbeitet, weiter studiert. Als ich anfing zu schreiben, glaubte ich an meine Arbeit, habe mich hinter alles geklemmt. Andererseits habe ich viele Dinge schleifen lassen, sogar mein eigenes Leben."

„Du hattest wenigstens die Möglichkeit, zu studieren. Ich musste die Schule mit fünfzehn abbrechen, um zu arbeiten und die Familie zu unterstützen. Sowohl in Brasilien als auch hier in Deutschland hat man mir angeboten, als Prostituierte zu arbeiten, ich habe abgelehnt. Ich weiß, dass ich viel schuften muss, um die Dinge zu erreichen, und das werde ich tun. Aber wie ich sagte, hier habe ich mehr Möglichkeiten."

„Das musst du wissen! Lass uns runtergehen, wir haben nur wenig Zeit zum Frühstücken. Es ist schon fast elf."

Während wir im Restaurant saßen, schwieg Margot abwesend.

„Irgendein Problem?", erkundigte ich mich.

„Nein. Ich habe über das Leben nachgedacht. Über unsere Unterhaltung. Ich muss los. Vorher muss ich noch meine Tasche im Zimmer holen."

Schweigend gingen wir hinauf, als wollten wir beide eine gewisse Distanz einhalten. Einen Moment fühlte ich, dass Ludus dabei war, uns zu verlassen. Margot betrat den Raum, nahm die Handtasche, die noch an derselben Stelle lag, an die sie sie am Abend zuvor geworfen hatte.

„Warum kommst du heute Abend nicht in die Churrascaria?"

„Ich habe nicht vor, noch einmal dorthin zu gehen. Ich muss mich auf meine Rückreise nach Brasilien vorbereiten."

„Noch ein Grund zu gehen. Ein Abschied."

In diesem Augenblick überfiel mich Entsetzen. Ich erinnerte mich daran, dass Gisele mir erzählt hatte, dass Klaus mit einer Tänzerin aus dem Restaurant befreundet gewesen war. Margot hatte ebenfalls über eine Freundschaft zu einem jungen Deutschen berichtet, den sie heiraten wollte, um das Visum zu erhalten. Es wäre zu viel des Zufalls, wenn er es wäre. Gisele war immer in der Churrascaria, sicher hatte sie Margot und mich gesehen, sie hätte es Klaus erzählen können und es könnte sein, dass dies der tatsächliche Grund seiner Ablehnung war.

„Ich denke darüber nach", antwortete ich und versuchte, sie zu verabschieden.

„In Ordnung!", gab Margot zurück und küsste mich schnell. „Dann ciao. Bis wenn du mich wiedersehen willst."

„Ich bringe dich noch nach unten."

„Nicht nötig, ich kenne den Weg."

„Ich gehe sowieso hinunter. Ich will einen Spaziergang machen."

Ohne ein Wort gingen wir hinunter. An der Tür legte ich Margot die Hände auf die Schultern, in der Absicht, mich mit einem Kuss zu verabschieden. Zu meinem Schrecken stand plötzlich Priscila vor uns, einen Rollkoffer in der Hand.

„Hi Eric, wie ich sehe, hast du mich nicht sehr vermisst", sagte Priscila, wütend und traurig zugleich.

„Es ist nicht so, wie du denkst", erschrocken sagte ich den lächerlichsten Satz der Welt, den jemand, der in einer solchen Situation überrascht wird, von sich geben konnte.

„Beruhigen Sie sich", sagte Margot und lächelte Priscila an. „Ich bin eine Freundin seines Sohns und kam vorbei, weil ich zu einem Vorstellungsgespräch ganz in der Nähe muss, ich habe eine Nachricht von Klaus überbracht."

Margots Haltung verunsicherte mich noch mehr und versetzte mich in Panik. Woher wusste sie von Klaus?

„Ich bin Tänzerin in der Churrascaria, in der die Freundin von Klaus arbeitet. Sie waren schon mit Herrn Resende dort, ich erinnere mich, Sie haben sogar mit uns getanzt. Ich bin eine Freundin von Gisele und Klaus", fuhr Margot fort.

„Entschuldigen Sie", sagte Priscila verlegen. „Ich dachte…"

„Kein Problem", erwiderte Margot, „dasselbe hätte ich auch gedacht, wenn ich die Hände meines Freundes auf den Schultern einer anderen Frau hätte liegen sehen. Aber Herr Resende hat sich nur für die Nachricht bedankt. Es muss sehr wichtig für ihn sein. Also dann, Herr Resende", sagte Margot und drehte ihr Gesicht zu mir, „um neun in der Churrascaria, Ihr Sohn erwartet Sie. Ciao."

„Wie schön", sagte Priscila und küsste mein Gesicht. „Wer weiß, vielleicht tut es ihm leid und er will sich entschuldigen."

„Das könnte sein, aber ich halte es für unwahrscheinlich", antwortete ich, da mir nichts anderes einfiel. Ich war völlig durcheinander, verstand gar nichts mehr. Der Gedanke, Priscila könnte mich zwingen, zu diesem von Margot erfundenen Treffen zu gehen, ließ mich erschaudern. Und Margot, warum wusste sie über Klaus Bescheid? Meine Fragen blieben unbeantwortet.

„Lass uns hochgehen, Eric. Oder ist es dir lieber, dass ich ein anderes Zimmer nehme?"

„Nein. Auf keinen Fall. Du bleibst bei mir."

„Ich werde in deinem Zimmer sein und in deinem Bett schlafen, das heißt jedoch nicht, dass wir wieder von vorne anfangen oder irgendetwas zwischen uns passiert.

Es wird so sein wie die ersten beiden Male, in denen wir die Nacht zusammen verbracht haben, erinnerst du dich?"

„Ich wollte gerade einen Spaziergang machen. Lass den Koffer an der Rezeption stehen, ich werde darum bitten, dass sie ihn auf das Zimmer bringen", sagte ich, da mir siedend heiß einfiel, wie sie das Zimmer vorfinden würde: das Bett zerwühlt, zwei nasse Handtücher im Badezimmer. Ich konnte Priscila auf keinen Fall hinaufgehen lassen.

„Lass uns erst den Koffer hochbringen, es geht ganz schnell."

„Nein, komm mit mir, die Leute von der Rezeption können sich um den Koffer kümmern", erwiderte ich, nahm ihr den Koffer aus der Hand und brachte ihn an die Rezeption.

„Bitte bringen Sie den Koffer in Zimmer 202 und lassen Sie es aufräumen. Ich werde einen Spaziergang machen und in zwanzig Minuten wieder zurück sein. Können Sie währenddessen das Zimmer putzen lassen?" Die junge Frau an der Rezeption antwortete auf Englisch „Kein Problem, mein Herr, wenn Sie zurückkommen, wird alles fertig sein". Ich bedankte mich und verließ mit Priscila das Hotel.

„Was für eine angenehme Überraschung", sagte ich.

„Ich war so glücklich über das, was du mir am Telefon

erzählt hast", sagte Priscila, „obwohl der Junge deine Annäherung ablehnt, hast du den ersten Schritt getan. Wer weiß, vielleicht kann ich dir helfen, ohne mich direkt einzumischen. Ich glaube, ich habe dir bereits Glück gebracht. Schließlich hat die Frau eine Nachricht überbracht, die du nicht erwartet hast."

„Das stimmt", sagte ich und versuchte Priscila zu küssen, sie wich meinen Lippen aus.

Was Priscila nicht wusste, war, dass mir Margots Schwindel die größten Sorgen bereitete, mich verunsicherte. Wie konnte ich verhindern, dass Priscila von mir verlangte, die vermeintliche Bitte zu erfüllen? Und woher kannte Margot die ganze Geschichte, warum hatte sie mir nie etwas erzählt? Auch die Verbindung von Margot und Klaus machte mir Sorgen. Sollte sie Teil eines weiteren von Klaus Plänen sein? Ich konnte nicht aufhören, zu grübeln, versuchte, Antworten auf die Fragen zu finden, die meine Gedanken nicht losließen. Es fiel mir schwer, Priscila Aufmerksamkeit zu schenken.

Eine halbe Stunde später waren wir wieder im Hotel. Erst nachdem ich die Tür des Zimmers geöffnet und festgestellt hatte, dass alles aufgeräumt war, empfand ich eine gewisse Erleichterung.

Priscila nahm auf dem kleinen Sessel Platz, schaltete den Fernseher ein, zog die Turnschuhe aus und streckte den Körper, um zu entspannen. Sofort ging ich ins Bad, schloss die Tür ab und suchte nach Spuren, die die

Putzfrau übersehen haben könnte. Alles war sauber. Ich stand auf und klappte laut den Deckel zu, damit Priscila den Lärm hörte, dann drückte ich die Klospülung.

Ich öffnete die Tür und ging zum Bett. Ich zog die Schuhe aus, legte mich hin und wir sprachen geraume Zeit über die Tage, in denen wir getrennt gewesen waren. Aber als ich sie einlud, sich zu mir zu legen, lehnte sie ab und wechselte das Thema, fing an, über die Arbeit zu sprechen.

Ich bestellte das Mittagessen aufs Zimmer, denn Priscila war von der Reise erschöpft. Sie aß schnell, dann legte sie sich hin. Ich machte es mir in dem kleinen Sessel bequem, um sie nicht zu verärgern. Eine Stunde später weckte uns das Klingeln des Telefons, ich rannte hin, um abzuheben, die Rezeptionistin kündigte Margots Anruf an.

„Eric Resende", sagte ich panisch.

„Hallo Eric! Ich bin's Margot."

„Hallo, wie geht's?", antwortete ich, um Zeit zu gewinnen und sie den Grund ihres Anrufs erklären zu lassen.

„Sag deiner Freundin, dass Klaus bereits weiß, dass sie hier ist, weil ich es erzählt habe und sag ihr auch, dass er möchte, dass du allein zu dem Treffen in der Churrascaria kommst."

„Aber…"

„Du solltest um neun da sein. Vertrau mir. Ich will nur dein Bestes!", sagte Margot und legte auf.

„Ciao… Danke…", sprach ich in das stumme Telefon, damit Priscila keinen Verdacht schöpfte.

„Wer war es?"", erkundigte sich Priscila.

„Es war Klaus. Er weiß bereits, dass du hier bist und hat angerufen, um darum zu bitten, dass ich allein zu dem Treffen heute Abend komme. Warum, habe ich nicht verstanden."

„Ich auch nicht. Keine Ahnung, bei was ich stören könnte. Aber wenn eine Annäherung so schwierig ist und er darum gebeten hat, respektieren wir die Bitte des Jungen am besten. Ich bleibe hier, ich will euch auf gar keinen Fall zur Last fallen."

„Bist du sicher, dass das für dich ok ist?"

„Warum denn nicht? Sicher wird es mir viel besser gehen als dir. Dir bricht ja jetzt schon der kalte Schweiß aus."

# 29

Um acht Uhr verabschiedete ich mich von Priscila, die mir viel Glück wünschte. Ich machte mich auf den Weg Richtung Churrascaria, zu dem Treffen, das ich herbeisehnte und vor dem ich mich gleichzeitig fürchtete.

Ohne Eile spazierte ich vom Hotel bis zum Restaurant,

entschlossen, nach diesem letzten Zusammentreffen nach Brasilien zurückzukehren.

Ich betrat die Churrascaria, nur Manuel entdeckte mich und winkte mir zur Begrüßung zu. Ich sah Margot, Gisele und Klaus, die an einem entlegenen Tisch saßen. Unbemerkt näherte ich mich. Ich rückte einen Stuhl zurecht und setzte mich zwischen Margot und Klaus.

„Ich denke, ihr seid mir eine Erklärung schuldig!", legte ich los, ohne wenigstens Hallo zu sagen.

„Ganz ruhig, Eric", sagte Margot und lächelte. „Du suchst immer Erklärungen."

„Genau! Wer wird sich als erster erklären?", fragte ich.

„Ich habe dich nicht hergebeten, um dir eine Erklärung zu geben!", sagte Klaus in arrogantem Ton.

„Es reicht. Ich habe deine infantile Autorität satt. Ich dachte, du hättest mir etwas Wichtiges zu sagen, hättest beschlossen, wie ein Erwachsener mit mir zu sprechen, aber wie ich sehe, bist du derselbe verwöhnte, dumme Junge."

Gisele sah ihn mit einem ironischen Lächeln an.

„Eric", mischte sich Margot ein", „ich wollte dir nur erzählen, dass Klaus, Gisele und ich uns kennen, seitdem ich hier angefangen habe zu tanzen. Ich glaube, Brasilien war der Beginn unserer Freundschaft, ich bin Brasilianerin, Gisele hat schon in Brasilien gelebt und Klaus ist Sohn einer Brasilianerin, außerdem war er mit Márcia befreundet, einer Freundin, die mit mir nach Köln gekommen ist und auch hier getanzt hat. Nachdem sie Schluss gemacht hatten, verschwand Márcia aus dem Restaurant, um in einem Nachtclub in Düsseldorf zu arbeiten und Klaus verliebte sich in Gisele."

„Eine Weile dachte ich, du wärst die brasilianische Tänzerin, mit der er zusammen war", sagte ich und schaute Margot an. „So wie der deutsche Junge, mit dem du, wie du mir erzählt hast, zusammen warst, um ein Visum zu bekommen."

„Nein!", antwortete Margot lachend. „Der Junge, von dem ich gesprochen habe, war Wolfgang, ein Bekannter von Klaus. Ich wusste bereits vor dem Tag, an dem ich ihn kennenlernte und wir zum ersten Mal zusammen waren, wer du warst."

„Das heißt, ich wurde erneut getäuscht. Noch einer von Klaus Plänen! Oder etwa nicht?"

„Nein", erwiderte Margot laut, „ich habe mich wirklich für dich interessiert. Ich weiß, dass du eine Freundin hast, dass sie hier ist, ich will dein Leben nicht durcheinanderbringen. Ich mag dich sehr. Warum, weiß ich nicht genau. Doch ich bin gerne mit dir zusammen, unter anderem", sagte sie und schaute lächelnd zu Gisele. „Aber auch wenn du mich vielleicht nicht verstehst, wusste ich von Anfang an, dass es nur etwas Vorübergehendes ist."

„Ich verstehe dich!", sagte ich bedrückt. „Es ist Ludus."

„Was bedeutet das denn?", fragten Margot und Gisele gleichzeitig.

„Nichts. Ich habe nur laut gedacht", antwortete ich geistlos.

„Ich hoffe, du bist nicht verärgert, ich wollte dich nicht durcheinanderbringen, Eric, deshalb musste ich heute mit dir sprechen."

„Ganz im Gegenteil, Margot. Ich bin erleichtert und glücklich, alles zu erfahren, doch gleichzeitig verletzt, dass ihr mich erneut hintergangen habt."

„Sei nicht so!", sagte Margot und küsste mich ins Gesicht. „Ich muss mich auf den Auftritt vorbereiten und glaube, auch ihr müsst euch unterhalten."

Margot erhob sich und ging auf die Seitentür zu, hinter der ich eine Art improvisierte Künstlergarderobe vermutete, durch die die Tänzerinnen erschienen und hinter der sie danach wieder verschwanden. Stille legte sich über den Tisch, Klaus schaute zu Boden, als würde er etwas suchen, Gisele schaute zur Kasse, an der ein anderes Mädchen saß, die ich bisher noch nicht in der Churrascaria gesehen hatte. Ich für meinen Teil beobachtete die Leute um uns herum und versuchte, meine Verlegenheit zu verbergen.

„Klaus ist durcheinander. Er hat Probleme!", sagte Gisele plötzlich.

„Wirklich?", sagte ich. „Ich dachte, dass diese ganze Geschichte bereits geklärt wäre."

„Nicht nur eure Geschichte verwirrt ihn, jetzt hat er ein Problem mit seinem Vater."

„Was ist passiert?", fragte ich.

„Eigentlich wollte er es dir nicht erzählen, aber dann konnte ich ihn doch überreden, schließlich hast du gesagt, dass du sein Freund sein willst und Freunde gehen gemeinsam durch dick und dünn. Außerdem wirst du bald abreisen und er muss jemandem sein Herz ausschütten. Das Problem ist, dass er niemandem vertraut, manchmal scheint er nicht einmal mir zu vertrauen. Sprich mit ihm, Klaus, vielleicht kann Eric dir helfen, dir einen Rat geben, er hat mehr Erfahrung."

„Ich benötige keine Ratschläge", sagte Klaus, den Kopf noch immer gesenkt.

„Wie es scheint, will er nicht sprechen, Gisele", warf ich ein und blickte zu Klaus.

„So ist er halt. Die Wahrheit ist, dass sein Vater etwas mit einer dreißigjährigen Asiatin hat, das heißt, sie ist zwanzig Jahre jünger als er."

„Das ist das Problem? Hast du etwas gegen Asiatinnen? Oder ist das Alter der jungen Frau das Problem? Auch ich habe mich in Priscila verliebt, eine sehr viel jüngere Frau."

„Nein, es ist nichts von alledem. Nur, dass meine Mutter gerade erst gestorben ist, das ist das Problem", warf Klaus ein.

„Er glaubt, dass sein Vater schon vor dem Tod seiner Mutter etwas mit der Frau hatte", fuhr Gisele fort. „Und um die Situation noch zu verschlechtern, hat er beschlossen, sich nicht an den Stammsitz des Unternehmens versetzen zu lassen."

„Und was hat das eine mit dem anderen zu tun?", hakte ich neugierig nach.

„Er hat sich entschlossen, um Versetzung nach Japan zu bitten, denn dort kommt die Frau her und sie will nicht länger in Deutschland leben, nachdem sie ihr Studium hier abgeschlossen hat", sagte Gisele. „Seit Geovanna gestorben ist, hat Otto sich sehr verändert. Er kommt tagelang nicht nach Hause, ohne Klaus irgendeine Erklärung zu liefern. Schon zweimal hat die Frau in der Wohnung übernachtet und als er Klaus erzählte, dass er darüber nachgedacht hätte, nach Japan zu ziehen, sagte er ihm auch, dass er ja bereits alt genug wäre und sehr gut allein zurechtkommen würde."

„Was das betrifft, hat Otto recht", sagte ich. „Du bist bereits volljährig, kannst studieren und nebenbei jobben, um deinen Unterhalt zu verdienen. Dein Vater musste wegen seiner Arbeit immer viel reisen, war häufig weit von euch entfernt, daran müsstest du dich gewöhnt haben."

„Ich habe mich an die Abwesenheit meines Vaters gewöhnt, jedoch nicht an die meiner Mutter", sagte Klaus.

„Auch an ihr Fehlen wirst du dich gewöhnen müssen, denn es ist definitiv. Was den fehlenden Respekt deines Vaters betrifft, kann man nur schwer etwas sagen. So sind die Menschen eben. Wenn jemand stirbt, leiden die Hinterbliebenen. Ich garantiere dir, dass dein Vater sehr gelitten hat. Er hat jahrelang mit deiner Mutter zusammengelebt. Es lohnt sich nicht die Frage zu stellen, die durch deinen Kopf spukt, ob er, als deine Mutter noch lebte, eine Geliebte hatte oder ob nicht. Wir können ihm auch keine Vorwürfe machen, dass er sich eine neue Freundin gesucht hat, das Leben geht weiter. Dies bedeutet nicht, dass er deine Mutter nicht geliebt hat oder sie respektlos behandelt. Er hat das Recht, wieder glücklich zu sein."

„Aber es hätte nicht so schnell gehen müssen, findest du nicht?", fragte Klaus.

„Das finde ich nicht. Niemand kann einen anderen beurteilen, ohne zu wissen, was in ihm vorgeht. Vielleicht hat er sie während der Krankheit deiner Mutter kennengelernt, vielleicht hat er sie auch erst jetzt kennengelernt, vor wenigen Tagen. Aber das ist unwichtig, Klaus. Ich weiß nicht, ob du das weißt, aber ich habe deine Mutter sehr geliebt, habe mit ihr zusammengelebt, wir hatten vor, zu heiraten. Ich habe eine Arbeit für sie gefunden, es ging uns gut, trotzdem hat sie mich ohne eine

Erklärung verlassen. Sie hatte zwar davon gesprochen, wegzugehen, aber ich hatte dies nie besonders ernst genommen. Sie ist gegangen und hat, wie wir dem Brief entnehmen können, wenige Tage später deinen Vater kennengelernt, ihn geheiratet. Glaubst du, sie hat mich respektlos behandelt?"

„Ja. Leider hat sie dich respektlos behandelt", sagte Klaus. „Und jetzt muss sie für das, was sie getan hat, büßen. Mein Vater macht dasselbe mit ihr."

„Das wollte ich nicht damit sagen. Sie büßt nicht für etwas, sie ist nicht mehr hier, um zu fühlen oder für etwas zu büßen, das sie getan hat. Was ich sagen wollte war, dass Menschen manchmal Dinge tun, ohne nachzudenken, aus einem Impuls heraus, andere Male hält das Leben Überraschungen für uns bereit. Unser Leben ist wie ein Auto, das auf einer langen Geraden fährt, die kein Ende zu haben scheint, manchmal beschleunigen wir oder drosseln die Geschwindigkeit, wir wissen, dass wir ein Ziel haben, weshalb wir ans Ende der Straße gelangen wollen, doch wissen wir nicht genau, welches, und plötzlich stehen wir vor einer Kreuzung, jetzt müssen wir uns für einen Weg entscheiden, alle Straßen bringen uns irgendwohin, trotzdem muss uns bewusst sein, dass wir, wählen wir den einen Weg, die anderen nicht kennenlernen werden. Und haben wir unser Ziel erreicht, denken wir darüber nach, wie es gewesen wäre, wenn wir die andere Straße genommen hätten, wo wären wir gelandet? Wäre es besser oder schlechter gewesen? Manche Menschen sind mutig oder neugierig genug, dass sie die ganze Strecke bis zur Abzweigung zurückfahren und einen anderen Weg einschlagen. Doch meistens bereuen sie es, es ist zu spät, erreicht man dieses neue Ziel, stellt man fest, dass man Zeit verloren hat, an dem Ort, den man verlassen hat, hatte man sich sicher gefühlt und jetzt muss man von neuem beginnen, also merkt man, dass es zu spät ist. Verstehst du?"

„Mehr oder weniger!", erwiderte Klaus.

„Ich will damit sagen, dass du deinen Vater sein Leben so leben lassen solltest, wie er es für richtig hält, und das gleiche solltest du auch mit deinem tun. Wie es aussieht, ist er viel besser darauf vorbereitet als du. Was erwartest du von ihm? Dass er sich eine asiatische Freundin sucht, zwanzig Jahre jünger als er, sich entschließt, in Japan zu wohnen und dich zwingt, mitzukommen und sie darüber hinaus noch Mutter zu nennen? Wenn es so wäre, läge er wirklich falsch! Dann würde er deiner Mutter keinen Respekt zollen."

„Das stimmt, Klaus. Eric hat Recht", merkte Gisele an.

„Hat er, trotzdem müsste Otto mich nicht gerade jetzt verlassen."

„Otto hat dich nicht verlassen", fügte sie hinzu, „er lässt dir die Wohnung und schickt dir jeden Monat genug Geld für deine Ausgaben."

„Wohnung, Geld, das meine ich nicht. Nur weil er für mich zahlt, heißt es nicht, dass er mich nicht verlassen hat. Ich rede nicht von Geld", sagte Klaus.

„Aber du musst zugeben, dass Geld wichtig ist. Leider gelingt es uns nicht, ohne auszukommen", warf ich ein. „Vielleicht schaffen dies noch ein paar Menschen in Brasilien, aber hier in Europa halte ich das für unmöglich. Auf jeden Fall musst du dir einen Job suchen, um nicht von deinem Vater abhängig zu sein, das wird dich erwachsen machen."

„Ich weiß. Ich muss mir einen Job suchen."

„Ich hoffe, dass du darüber nachdenkst. Ich hoffe aus ganzem Herzen, dass ich deinen Dickkopf zumindest ein wenig beeinflussen konnte. Ich werde noch diese Woche nach Brasilien zurückfliegen, hier sind meine Adresse und Telefon, wenn du irgendetwas brauchst, ruf an, ich werde tun, was ich kann, um dir zu helfen", sagte ich und streckte ihm meine private Visitenkarte entgegen.

„Danke, Eric", sagte Klaus ehrlich.

„Wir haben überlegt, zusammenzuziehen, aber mein Vater hat etwas dagegen", sagte Gisele. „Ich habe ihn gebeten, Klaus bei uns wohnen zu lassen. Er hat nicht zugestimmt, obwohl er Otto und Geovanna seit Jahren kennt. Deshalb habe ich beschlossen, sobald Otto gegangen ist, zu Klaus zu ziehen, doch das war noch schlimmer. Mein Vater ist sehr konservativ, sagte, dass ich sein Haus nur verheiratet verlassen würde. Dabei bin ich bereits volljährig und müsste seine Entscheidung überhaupt nicht respektieren."

„Aber ist heiraten wirklich das, was ihr wollt?", fragte ich.

„Natürlich, ich liebe Klaus, und wenn mein Vater nicht zulässt, dass wir zusammenziehen, werden wir heiraten."

„Soweit ich informiert bin, seid ihr noch nicht lange zusammen. Ihr seid beide noch sehr jung, könnt diese Zeit nutzen, um euch davon zu überzeugen, dass es tatsächlich das ist, was ihr wollt."

„Das werden wir tun. Ist das keine Liebe?", fragte Gisele.

„Doch. Aber dafür muss ich wirklich einen Job haben. Außerdem sollte ich vorher das Studium abschließen, dann habe ich bessere Chancen, eine gute Stelle zu finden."

„Genau, das ist wichtig. Und du Gisele, studierst du auch?", fragte ich.

„Ich studiere im ersten Semester Psychologie. Wer weiß, vielleicht kann ich bald Klaus behandeln", sagte Gisele und lächelte Klaus an, der den Scherz kein bisschen lustig fand.

„Ist deine Freundin hier?", fragte Gisele, ohne mir Zeit für eine Antwort zu geben. „Gut, dass dir das heute Morgen mit Margot passiert ist, wäre es Ana oder Renata gewesen, hättest du echte Probleme bekommen, aber Margot ist eine tolle Frau und scheint dich zu mögen, sie würde dir nie irgendwelche Schwierigkeiten machen. Warum bringst du deine Freundin morgen nicht mit hierher, damit wir sie kennenlernen?"

„Ich weiß nicht, ob das gut ist."

„Kein Problem, außerdem hast du doch gesagt, dass du bald abreist, wir haben nicht viel Zeit und ich muss gestehen, dass ich neugierig auf sie bin."

„Ich denke darüber nach. Morgen rufe ich an und gebe Bescheid."

In diesem Augenblick öffnete sich die Seitentür und die Mädchen in den Karnevalskostümen tanzten an den Tischen vorbei Richtung Bühne. Margot warf mir eine Kusshand zu, ich schaute mir den Anfang der Aufführung an, die Musik und Reihenfolge der Tänze war immer dieselbe. Als ich meine Aufmerksamkeit wieder Gisele und Klaus zuwandte, sah ich, zum ersten Mal, wie sie sich küssten.

„Ich muss gestehen, dass die Show nach dem dritten oder vierten Mal ein bisschen von ihrer anfänglichen Anmut verliert", bemerkte ich.

„Jetzt stell dir vor, dass ich sie beinahe jeden Tag sehen muss", sagte Gisele.

„Ok, ich muss gehen, ich habe Sehnsucht nach Priscila. Und ich muss mich mit ihr versöhnen, denn obwohl sie zurückgekommen ist, ist sie noch nicht bereit, wir sind zusammen, aber getrennt, versteht ihr?"

„Danke, Eric", sagte Klaus noch einmal voller Aufrichtigkeit.

„Dafür sind Freund da", antwortete ich, drückte seine Hand und Gisele einen Kuss auf die Backe.

„Und vergiss nicht anzurufen, ob du uns deine Freundin vorstellen wirst", warf Gisele ein, bevor ich mich zurückzog.

# 30

Es war noch früh, als ich wieder ins Hotel kam. Priscila schaute Fernsehen. Kaum hatte ich die Tür geöffnet, fragte sie mich nach dem Treffen. „Es war super", sagte ich, während sie erneut meinen Küssen auswich. In allen Einzelheiten erzählte ich ihr von meiner Unterhaltung mit Klaus und Gisele, auf den Teil mit Margot verzichtete ich hingegen.

„Ich weiß nicht, ob Otto sich jetzt in die Asiatin verliebt hat oder als Geovanna noch lebte, aber damit konnte ich bei dem Jungen Punkte machen. Findest du nicht?", fragte ich lächelnd.

„Punkte machen?", erwiderte Priscila. „Willst du dem Deutschen den Jungen streitig machen?"

„Nein, das nicht, aber du musst doch zugeben, dass uns das nähergebracht hat. Er ist vom Vater enttäuscht, deshalb sind meine Chancen gestiegen."

„Ich persönlich glaube, dass das eine nichts mit dem anderen zu tun hat. Du brauchst das nicht, um sein Vertrauen zu gewinnen."

„Sie wollen dich kennenlernen. Deshalb haben sie uns für morgen in die Churrascaria eingeladen."

„Sehr gut. Ich muss gestehen, dass ich es kaum erwarten kann, sie persönlich zu treffen."

„Prima. Morgen rufe ich an und sage zu."

„Dann lass uns schlafen, ich bin müde und wäre fast eingeschlafen, habe nur noch auf dich gewartet, um die Neuigkeiten zu erfahren", sagte Priscila und legte sich ins Bett.

„Ich bin zwar müde, weiß jedoch nicht, ob ich einschlafen kann. Ich bin ganz schön aufgeregt wegen unseres nächsten Treffens", sagte ich, legte mich neben sie und umarmte sie.

„Wenn du willst, dass ich in deinem Zimmer bleibe, legst du dich besser ans Fußende und hältst dich von mir fern", warnte Priscila und schob mich beiseite.

„Ok. Ich hatte sowieso bereits Sehnsucht nach diesen

Füßchen", antwortete ich grinsend und begab mich an den von Priscila befohlenen Platz.

# 31

Ich wachte buchstäblich zu Priscilas Füßen auf. Die Nacht war lang gewesen, eine der Nächte, in denen man mehrmals aufwacht. Ich war deprimiert, wusste allerdings nicht genau, warum oder weshalb. An allem, was ich in den letzten Tagen durchlebt hatte, schien etwas falsch zu sein. Mein Leben hatte sich unerwartet verändert, trotzdem wusste ich, dass ich an all diesen Veränderungen beteiligt war. In diesem Augenblick, am Fußende des Bettes, zu Füßen Priscilas, die ruhig schlief, lag ich wach und malte mir meine Zukunft aus. Ich überlegte, was sich geändert hatte und was sich in meinem Leben noch ändern würde. Noch vor kurzem war ich ein angesehener Schriftsteller, Kenner des Nachtlebens in São Paulo und hatte wenige Freunde. Einige hassten mich, andere beachteten mich nicht. Jetzt war ich in ein vierundzwanzigjähriges Mädchen verliebt und schlief zu ihren Füßen in Deutschland, wegen eines achtzehnjährigen Sohnes, von dem ich erst vor kurzem erfahren hatte, und von dem ich nicht sicher wusste, ob er tatsächlich mein Sohn war. Dennoch machte ich mir Sorgen um ihn, um seine Probleme, als wären sie Teil meiner Verantwortung. Zu allem Überfluss hatte ich eine junge Frau kennengelernt, eine brasilianische Tänzerin, die mich in Versuchung geführt hatte. Wie sollte ich nach Brasilien zurückkehren und dasselbe Leben führen wie vor der Reise? Plötzlich überkam mich ein eisiger Schauer, eine derartige Angst, dass ich von Priscila abrückte, als träfe auch sie Schuld an meiner Situation. Ich stand lautlos auf, um sie nicht zu wecken. Es war, als hätte sie die Macht, mich ins Gleichgewicht zu bringen sowie mich aus jedem x-beliebigen Grund mit Scham zu erfüllen. Es war, als könnte ich all diese Fragen nicht kompetent und reif genug klären und zu einem guten Ende bringen. Vergeblich hatte ich versucht, leise zu sein. Mein lautes Schluchzen, das das Weinen unterdrücken sollte, zerriss die Stille. Priscila wachte auf und bemerkte mein vermeintlich grundloses Entsetzen.

„Was ist los, was machst du für ein Gesicht, Eric?"

„Ich weiß nicht! Plötzlich hat mich ein seltsames Gefühl überkommen. Ich kann es nicht erklären. Vielleicht Angst."

„Angst vor was?"

„Ich weiß es nicht. Manchmal, wenn ich an Klaus denke, möchte ich ihn so gerne verstehen, angenehme und für ihn wichtige Momente mit ihm teilen, ihm Ratschläge geben, wie jeder Vater es tun würde, doch gleich darauf möchte ich verschwinden, ihn nie wiedertreffen, so tun, als wäre all dies nie passiert, nur ein Albtraum gewesen, als hätte ich nie irgendeinen Sohn gehabt."

„Vielleicht hast du ja gar keinen! Du weißt doch noch gar nicht, ob er tatsächlich dein eigenes Fleisch und Blut ist. Hast du das vergessen?"

„Nein, habe ich nicht. Aber jetzt, wo du dieses wichtige Detail erwähnst, wächst meine Angst, bin ich innerlich wie erstarrt. Dabei kann ich nicht sagen, ob es an dem Gedanken, er könnte doch nicht mein Sohn sein oder am Gegenteil liegt. Ich weiß nicht, was mit mir los ist."

„Du kommst mir so vor wie du bist, durcheinander wie immer!"

„Ich kaufe die Tickets und wir fliegen heute nach Brasilien zurück!"

„Daran habe ich auch gedacht, ich wollte meins heute kaufen. Allerdings bin ich nicht davon ausgegangen, dass du tatsächlich noch diese Woche zurückfliegen würdest. Ich für meinen Teil muss es jedoch."

„Entschuldige, Priscila, aber ich verstehe nicht ganz, warum du überhaupt gekommen bist!"

„Ehrlich gesagt, ich auch nicht. Ich glaube, es hat mich glücklich gemacht, als du mich anriefst und mir die Neuigkeiten berichtet hast. Und ich muss zugeben, dass ich Sehnsucht hatte, dich sehen wollte. Deshalb bin ich gekommen."

„Ich auch. Wenn das so ist…", sagte ich und näherte mich Priscila, um sie zu küssen, doch sie wich mir aus.

„Und wie es scheint, verursacht es dir mittlerweile Übelkeit, mich zu sehen?"

„Das ist es nicht. Aber zum ersten Mal fühle ich mich wie du. Bin unsicher, ob es richtig war, nach Deutschland zu kommen. Ich habe Angst, es zu bereuen. Glaubst du, dass man mit jemandem eine Liebesbeziehung haben muss, um Sehnsucht zu haben oder ihn zu mögen?"

„Zwischen Mann und Frau? Ich glaube schon."

„Was für ein saublöder Gedanke, Eric. Willst du damit sagen, dass Mann und Frau keine Freunde sein können? Sehnsucht nach Freundschaft, nach Zusammensein haben können? Man kann sich auf verschiedene Weisen mögen."

„Vielleicht hast du Recht, Priscila. Doch ich bin mir sicher, dass das nicht auf uns zutrifft. Gib mir noch eine Chance, dir meine Liebe zu beweisen."

„Manchmal weiß ich nicht einmal, ob du dich selbst liebst, Eric. Davor habe ich Angst. Ein Mensch, der sich selbst nicht liebt, kann auch niemand anderen lieben und schon gar nicht respektieren. Wenn du das in Betracht ziehen würdest, wären vielleicht auch die Dinge zwischen dir und Klaus einfacher, selbstverständlicher, ohne diese ganzen Dilemmas."

Schwungvoll verließ Priscila das Bett und schloss sich im Badezimmer ein, ich erinnerte mich daran, wie sie aus dem Bad in ihrer Wohnung gekommen war, in dem blauen Hausanzug, der ihren Körper zur Geltung brachte, genau nach diesem Moment sehnte ich mich jetzt.

Ich wartete darauf, dass sie ihre Toilette beendete, dann fuhren wir zum Flughafen. Wir buchten unsere Flüge für Donnerstag, was bedeutete, dass wir noch zwei weitere Tage in Köln verbringen würden. Da die Direktflüge ausgebucht waren, würden wir nach Portugal fliegen und dort einen Anschlussflug nach Brasilien nehmen. Obwohl wir wussten, dass wir ein paar Stunden auf dem Lissabonner Flughafen warten müssten, war uns das lieber, als den Aufenthalt bis zum Wochenende hinauszuzögern.

„Willst du nicht Klaus anrufen und das Treffen heute Abend bestätigen?", fragte Priscila mich.

„Nein! Sie wollen meine Freundin kennenlernen, da du nicht meine Freundin bist, kann ich das Treffen nicht bestätigen!"

„Wie du meinst! Das ist dein Problem!", sagte Priscila und versuchte, unbekümmert zu wirken.

„Was willst du? Dass ich perfekt bin? Unmöglich. Nur eine Figur in einem Roman kann absolut perfekt sein oder absolut falsch. Ganz wie ihr Schöpfer es wünscht. Noch besser, eine Figur kann sich von jetzt auf nachher radikal verändern. Doch bei einem echten Menschen ist alles anders, viel schwieriger. Ich bin keine Figur und ich werde keine erfinden, nur um dich zufriedenzustellen."

„Du sprichst zu laut, Eric, wir sind auf der Straße, die Leute schauen bereits zu uns her."

„Na und? Sie verstehen nicht, was wir sagen!"

„Das müssen sie auch nicht. Schon an deinem Tonfall können sie erkennen, dass wir streiten."

„Wir streiten nicht!"

„Oh! Dann halt diskutieren!"

„Wir diskutieren nicht! Die können mich mal! Du machst dir um die anderen Sorgen? Verpisst euch, du und die anderen!

„Verpiss du dich", sagte Priscila und überquerte die Straße.

„Du jagst mich weg? Ich liebe dich", schrie ich hinter ihr her.

„Du bist verrückt", antwortete sie und ging weiter, ohne sich um die Leute zu kümmern, die uns interessiert beobachteten.

Ich ging ins erste Restaurant, das ich fand, trank drei Whiskys und machte mich auf den Weg zum Hotel. Als ich dort ankam, blieb ich an der Rezeption stehen und bat, ohne es zu merken, auf Portugiesisch um meine Schlüssel. Auch wenn sie nicht verstand, was ich gesagt hatte, informierte mich die junge Frau auf Englisch darüber, dass meine Begleiterin bereits im Zimmer wäre.

Ohne ein Wort betrat ich das Zimmer, öffnete den Schrank und stopfte die Kleider irgendwie in den Koffer. Insgeheim wartete ich darauf, dass Priscila irgendetwas sagte, aber sie tat es nicht. In der Hoffnung, Priscilas Schweigen zu brechen, griff ich zum Telefon und rief Klaus an.

„Hi Klaus, ich bin's, Eric."

„Hallo Eric! Wie geht's?"

„Gut! Wie sieht es mit unserem Treffen heute Abend aus? Klappt alles?"

„Natürlich! Aber ist irgendwas passiert? Du wirkst bedrückt."

„Nein, nichts weiter. Wir sprechen heute Abend darüber."

„Und deine Freundin, kommt sie mit?"

„Ich weiß es nicht!", antwortete ich laut genug, dass Priscila es hörte. „Ich habe ihr gesagt, dass ihr sie gerne kennenlernen würdet, weiß jedoch nicht, ob sie kommt. Die Einladung steht, sollte sie mitkommen wollen…"

„Wie es scheint, liegt das Problem bei ihr, stimmt's?"

„Genau! Treffen wir uns um acht?"

„Ok! Ich spreche mit Gisele, wir erwarten euch dort", sagte Klaus.

„Kommst du mit?", fragte ich Priscila.

„Nein!", antwortete sie trotzig.

„Ich packe meine Sachen", sagte ich, „und ziehe in ein anderes Zimmer." Priscila zuckte die Achseln.

Mit dem Koffer in der Hand ging ich zur Rezeption hinunter und bat um ein neues Zimmer. Die Rezeptionistin füllte die Anmeldung aus und tat, als wäre das selbstverständlich.

## 32

Punkt achtzehn Uhr wachte ich auf. Nach dem Mittagsschläfchen und weil ich nichts gegessen hatte, war ich hungrig und wegen den Nachwirkungen des Whiskys ziemlich schlecht gelaunt. Ich duschte und machte mich für das Abendessen mit Klaus und Gisele fertig. Mittlerweile dachte ich wieder anders über Priscila und fühlte mich schrecklich.

Sogleich griff ich zum Telefon und rief sie in ihrem Zimmer an.

„Hi. Ich will gerade gehen. Kommst du mit mir mit?", fragte ich, als wäre nichts geschehen.

„Nein. Sie wollten deine Freundin kennenlernen. Und ich bin nicht deine Freundin. Erinnerst du dich?"

„Das stimmt nicht. Sie möchten dich kennenlernen, Priscila."

„Ich bleibe lieber hier. Bin nicht in der Stimmung für so etwas. Ich würde sie enttäuschen."

„Nur weil ich dich enttäuscht habe, heißt das nicht, dass du jemand anderen enttäuschen wirst."

„Danke für die Einladung. Sag ihnen, dass ich müde bin, Kopfschmerzen habe. Denk dir irgendwas aus, entschuldige dich für mich."

„Ich ziehe es vor, meinem Sohn die Wahrheit zu sagen, zu sagen, dass du nicht kommen wolltest."

„Dann tu, was du willst! Ciao."

„Warte!", zu spät, sie hatte bereits aufgelegt, ohne mir noch eine Gelegenheit zu geben, etwas zu erwidern.

Ich ging zu ihrem Zimmer hoch, klopfte zweimal sanft an die Tür, damit sie mich für einen Hotelangestellten hielt. Es klappte nicht.

„Eric, bist du es?"

„No!", sagte ich mit verstellter Stimme. Dass das noch schlimmer war, wurde mir klar, als sie die Tür öffnete.

„Du bist wirklich lächerlich, Eric!"

„Ich weiß, es war lächerlich. Aber du musst mir verzeihen, mir eine letzte Chance geben. Ich brauche dich. Ich liebe dich!"

„Eric, bitte. Es reicht!"

„Ich habe viel Mist geredet, das stimmt, aber seit du angekommen bist, provozierst du mich, hältst mich auf Abstand, auch wenn du das nicht wirklich geplant hattest. Du wolltest mich sehen, bei mir sein, dessen bin ich sicher, doch seit du hier bist, hat sich etwas verändert. Du hast diese ganze Sache erfunden, dass du mir nicht verziehen hättest, dass du mich sehen wolltest, dass du glücklich warst, als ich anrief. Es fehlte nur noch, dass du gesagt hättest, du wärst lediglich gekommen, weil ich dir leid tat. Seit du hier bist, behandelst du mich von oben herab."

„Das stimmt nicht!", sagte sie, dabei veränderte sich ihre Stimme.

„In Ordnung, wir werden nicht erneut darüber streiten. Aber ich habe das Recht zu erfahren, was wirklich mit dir los ist."

„Ich habe es bereits gesagt! Es ist nichts weiter. Du versuchst schon wieder, die Dinge zu verdrehen und mich dazu zu bringen, nachzugeben."

„Du musst kein Stück nachgeben. Doch ich habe das Recht zu erfahren, warum du dich so verhältst. Ich habe es dir schon gesagt! Ich liebe dich! Gib mir eine Chance. Ich bin bereit, mich auf die Probe stellen zu lassen. Wie gerne möchte ich dich Klaus und Gisele vorstellen, auch als meine Freundin, sie haben dich bereits gesehen, wissen, dass du hier bist. Tu diesem dummen Eric, dessen Bestes du willst, den Gefallen, nicht weil du ihn liebst, sondern weil er dir leid tut. Tu es aus Mitleid, ich weiß, dass du ein guter Mensch bist, tu es mir zuliebe oder noch besser, für Klaus und Gisele, sie haben nichts mit unseren Problemen zu tun."

„Jetzt gehst du zu weit, Eric! Du weißt sehr wohl, dass das nicht stimmt. Doch nach all dem ziehe ich es vor, hierzubleiben. Ich würde euch nur stören."

„Das musst du wissen. Ich kann dich nicht zwingen. Auch wenn ich es gerne täte…"

„Morgen ist unser letzter Tag hier. Donnerstagvormittag fliegen wir. Wer weiß, vielleicht verabreden wir uns erneut für morgen Abend. Dann könntest du sie noch einmal sehen."

„Sagst du das, um mir zu gefallen? Mir Hoffnungen zu machen? Oder einfach, um mich loszuwerden?"

„Keine deiner Vermutungen ist richtig. Ich habe gesagt, was ich gedacht habe. Wer weiß, vielleicht morgen!"

„In Ordnung! Auf alle Fälle möchte ich mich, auch wenn du nicht mitkommen willst, für mein Verhalten heute entschuldigen."

„In Ordnung! Du entschuldigst dich wirklich immer", sagte Priscila, „ist dir das schon aufgefallen?"

„Stimmt. Ich mache immer alles falsch. Doch gutherzige Menschen wie du besitzen die göttliche Gnade, Schwachköpfen wie mir zu verzeihen."

„Bitte… Mir bleibt die Ungewissheit, ob es sich um Zynismus handelt oder nicht. Und noch schlimmer, versuche nicht, dich herabzusetzen. So sollten wir nicht miteinander umgehen."

„Wie denn dann?"

„Ich weiß wirklich nicht, warum du so bist. Ein intelligenter Mann über vierzig."

„Wenn man sich in diesem Alter verliebt, verhält man sich wieder wie ein Jugendlicher. Hast du davon noch nie gehört?"

„Es hat wirklich keinen Zweck!", sagte Priscila und schlug mir die Tür vor der Nase zu, bevor sie ein „Gute Nacht", hinterherschrie.

Mir wurde klar, dass ich sie nicht würde überzeugen können, deshalb machte ich mich allein auf den Weg in die Churrascaria.

# 33

Nachdem ich die U-Bahnstation verlassen hatte, spazierte ich gelassen durch den MediaPark. Seit Tagen hatte ich nicht an Geovanna gedacht, jetzt stieg die Erinnerung in mir hoch. Was hatte sie bewegt, diesen Brief zu schreiben? Waren die Dinge so gelaufen, wie sie es sich vor ihrem Tod vorgestellt hatte? Ich war traurig. Hätte sie gerne persönlich gefragt. Ich unternahm den absurden Versuch, sie zurückzuholen, um mit ihr darüber zu sprechen. Langsam drehte ich durch. Das wäre doch nie möglich. Und dann noch ein gewöhnlicher Mensch wie ich, der an nichts dergleichen glaubte. Ich setzte meinen Weg Richtung Churrascaria fort und versuchte, an etwas anderes zu denken.

Das Restaurant war voll, es gab fast keine freien Tische mehr. Klaus saß allein an einem Seitentisch in der Nähe eines der Fenster und trank einen Softdrink. Gisele thronte hinter der Kasse. Ich setzte mich neben ihn, wir begrüßten uns wie zwei Freunde. Dann rief ich den Ober und bestellte ein Bier. Es dauerte nicht lange und Gisele kam an unseren Tisch, ein anderes Mädchen hatte die Kasse übernommen. Sie begrüßte mich mit einem Kuss und fragte:

„Wo ist Priscila?"

„Sie kommt nicht", antwortete ich.

„Warum nicht?"

„Sie haben gestritten", antwortete Klaus, bevor ich etwas sagen konnte.

„Nicht ganz!", warf ich ein. „Eigentlich hat der Streit gleich nach unserer Ankunft begonnen. Sie ist nach Brasilien zurückgefahren, dann ist sie wieder hierhergekommen... Ich dachte, weil sie wieder an unsere Beziehung anknüpfen wollte. Doch das scheint nicht der Grund gewesen zu sein. Ehrlich gesagt, verstehe ich sie nicht."

„Und warum ist sie dann zurückgekommen?"

„Keine Ahnung", gab ich zurück. „Das würde ich auch gerne wissen."

„Wie schade! Sie scheint ein netter Mensch zu sein."

„Das ist sie. Aber auch ein sehr seltsamer", sagte ich. „Ich erzähle euch eine Geschichte: Die ersten Tage in Köln habe ich Klaus lediglich beobachtet, habe einen Weg gesucht, mich ihm zu nähern und mit ihm zu reden, wusste jedoch nicht, wie ich es anstellen sollte. Mir fehlte der Mut. Ich glaube, das war es, was sie verärgert hat. Dauernd warf sie mir vor, ein Feigling zu sein. Gerne hätte ich ihr alles erklärt, leider ohne Erfolg. Danach ging sie davon aus, dass ich nach Brasilien zurückkehren würde, ohne dich kennengelernt zu haben. Manchmal ist sie sehr direkt, als wäre alles ganz einfach. Als ich sie anrief, um ihr zu erzählen, dass wir miteinander gesprochen hatten, war sie überglücklich. Deshalb kam sie zurück, sie wollte diese Freude mit mir teilen."

„Sie liebt dich!", sagte Gisele voller Zuneigung.

„So kommt mir das nicht vor", erwiderte ich.

„Vielleicht liebst du sie nicht", fuhr Gisele fort.

„Wieso sagst du das?"

„Weil du sie nicht verstehst und nicht den geringsten Versuch unternimmst, sie zu verstehen. Merkst du nicht, dass sie dein Bestes will?"

„Wenn das so wäre, würde sie mich nicht so unter Druck setzen."

„Entschuldige Eric, aber du bist Klaus sehr ähnlich. Du bist sehr langsam. Deshalb müssen wir euch unter Druck setzen. Wenn wir es euch überlassen würden, würde nie etwas passieren."

Während Gisele sprach, beobachtet Klaus sie verdrossen.

„Das ist nicht wahr. Ihr Frauen seid sehr merkwürdig. Geht es um Banalitäten, zum Beispiel die Wahl eines Kleidungsstücks für eine bestimmte Gelegenheit, macht ihr einen riesigen Aufstand, sind die Dinge komplexer, beispielsweise wenn es um Gefühle geht, verhaltet ihr euch, als handelte es sich um die normalste Sache der Welt."

„Deine Geschichte mit Klaus, beispielsweise, ist etwas ganz normales. Ihr wisst nicht, ob ihr tatsächlich Vater und Sohn seid. Aber du bist hierhergekommen und er wollte dich ebenfalls unbedingt kennenlernen, selbst wenn er das nicht zugeben konnte. Seit er mit mir darüber gesprochen hat, verstehe ich seine Sorge, also warum dann dieses ganze Durcheinander? Er hat einen Vater, Otto, doch plötzlich taucht ein Unbekannter, sein vermeintlicher biologischer Vater, in seinem Leben auf. Was spricht dagegen, einfach diesen verdammten DNA-

Test zu machen und die Sache ein für alle Mal zu klären?"

„Je nach Ergebnis könnte dies alles verändern", gab ich zurück.

„Was verändern?", hakte Gisele nach. „Klaus ist ein Mann. Er ist achtzehn Jahre alt. Es würde nicht viel verändern. Würde der Test negativ ausfallen, hätte er einen neuen Freund gewonnen. Wäre er positiv, wüsste er, dass Otto nicht sein leiblicher Vater ist, nur das. Er würde seine Herkunft erfahren, seine Geschichte. Dass sein wahrer Vater ein Brasilianer ist, der achtzehn Jahre zuvor mit seiner Mutter zusammengelebt hat, doch er hätte weiterhin Hochachtung für Otto, den Vater, den er als seinen Vater kennengelernt hat. Das Problem ist, dass ihr Machos seid."

„Machos?", fragte ich ironisch.

„Stimmt das etwa nicht?", fragte Gisele ernst. Klaus schaute sie schweigend an und auch ich wusste nicht, was ich antworten sollte, sie fuhr fort: „Machos, jawohl. Im Grunde glaubt Klaus, dass es eine Schande für Otto wäre, herauszufinden, dass er nicht sein echter Vater ist. Und du hast ähnliche Befürchtungen. Hättest du den Beweis, Klaus leiblicher Vater zu sein, wärst du Otto irgendwie überlegen, nicht wegen des Sohns, sondern wegen der Frau. Sollte jedoch das Gegenteil der Fall sein, würdest du dich erneut von Geovanna hintergangen fühlen."

„Ich würde gerne das Thema wechseln! Darf ich?", fragte ich.

„Gerne", antwortete Klaus schnell. Ich stellte fest, dass auch ihm das Gespräch unangenehm war.

„Was hältst du von mir? Antworte ehrlich", sagte ich.

„Du scheinst ein netter Typ zu sein!", sagte Klaus.

„Du sollst ehrlich antworten. Er hat dir eine ehrliche Frage gestellt", unterbrach Gisele. „Hättest du ihn gerne als Vater?"

Klaus antwortete nicht, sondern senkte lediglich den Kopf.

„Du brauchst nicht darauf zu antworten", sagte ich.

„Seht ihr, ihr seid Feiglinge", sagte Gisele und schien verärgert. „Ihr könnt nicht mit ja oder nein antworten. Dabei wäre das viel einfacher. Aber nein, ihr habt Hemmungen. Warum bist du aus Brasilien hierhergekommen? Um weiter zu zweifeln?"

„Ich musste ihn sehen!", antwortete ich irritiert.

„Nur um ihn zu sehen? Warum hast du Geovanna nicht gebeten, ein Foto zu schicken?"

Giseles Selbstvertrauen machte mich zornig:

„Jetzt hör mal, Mädchen, das geht dich nichts an!"

„Geht es mich doch", antwortete sie zu meiner Überraschung. „Klaus ist mein Freund, ich habe vor, ihn zu heiraten. Alles, was meinen künftigen Ehemann betrifft, geht mich etwas an."

„In Ordnung!" erwiderte ich und versuchte, ruhig zu bleiben. „Ich halte dich für einen sehr vernünftigen Jungen, deshalb hätte ich dich gerne als Sohn. Und selbst wenn es nicht so wäre, möchte ich, dass du glücklich bist, dass du frei über die Dinge entscheiden kannst, so wie du es für richtig hältst. Auch wenn ich nicht dein Vater bin, werde ich mich, immer wenn du mich brauchst oder mich um Hilfe bittest, so verhalten, als wäre ich es."

„Warum umarmt ihr euch nicht?", fragte Gisele.

„Jetzt übertreib mal nicht", gab Klaus zurück.

„Warum?", fuhr das Mädchen fort. „Kannst du nur deinen Vater umarmen, nicht einen Freund?"

Ich nutzte Giseles Worte als Entschuldigung, stand auf, zog Klaus am Arm hoch und umarmte ihn lange fest. Aus den Augenwinkeln sah ich, wie Manuel uns hinter der Theke beobachtete und dabei so tat, als bemerkte er nicht, was an unserem Tisch vorging.

„Hat's weh getan?", fragte Gisele und zerstörte den Zauber des Augenblicks. „Nein!", antworteten wir beide gleichzeitig und lösten uns aus der Umarmung. Erneut setzten wir uns hin, genau in dem Moment, in dem die Mulattinnen durch die Seitentür Richtung Bühne kamen. Margot tanzte an uns vorbei und lächelte mich an, nachdem sie unseren Tisch aufmerksam gemustert hatte. Die Tänzerinnen betraten die Bühne und begannen ihren Auftritt mit einer Choreografie zu dem Karnevalslied von Carmen Miranda ‚O que é que a baiana tem?', sie alle waren wie die Sängerin gekleidet. Während der Show wurden Tänze zu Liedern verschiedener brasilianischer Karnevalsepochen vorgeführt, dabei wurden die Kostüme der Mädchen immer kleiner, bis sie nur noch winzige Bikinis trugen. Als die Show vorüber war, verließen die Mädchen den Saal durch die Seitentür und ein junger, ungefähr dreißigjähriger Mann mit einer akustischen Gitarre in der Hand, betrat die Bühne. Es dauerte keine fünf Minuten, dann hatte er die Geräte eingestellt und begann, mehrere brasilianische Hits zu spielen. Nach dem dritten oder vierten Lied tauchte Margot unerwartet an unserem Tisch auf.

„Hallo Eric. Wo ist deine Freundin?"

„Die Frau, nach der du dich erkundigst, ist nicht gekommen. Und sie ist nicht meine Freundin", antwortete ich.

„Echt? Das letzte Mal, als wir uns gesehen haben, war sie es!"

„Jetzt ist sie es nicht mehr. Ehrlich gesagt, weiß ich nicht einmal, ob sie es je war."

„Wenn das so ist, kann ich mich ja setzen", sagte Margot.

„Natürlich", sagte ich, umarmte sie und schob ihr den Stuhl neben mir hin. „Heute bin ich hier, um mich von euch zu verabschieden. Am Donnerstag fliege ich zurück nach Brasilien."

„Warum gehen wir dann nicht alle zu Mauro, es findet eine Party statt", schlug Margot gut gelaunt vor.

„Nein, danke", gab ich zurück, „Die Partys bei deinem Freund Mauro sind zu viel für mich."

„Für uns auch", ergänzte Gisele.

„Ich ziehe es vor, unseren Abschied allein zu feiern, was meinst du?", flüsterte ich Margot ins Ohr, meinen Arm noch immer um sie gelegt.

„Wenn es für dich kein Problem ist, soll es für mich kein Hindernis sein", sagte sie und küsste mich auf die Backe.

„Kinder, schaut weg, tut so als würdet ihr nichts sehen!", scherzte ich und küsste Margot.

„Eric!", Gisele gab mir einen Stups.

„Was ist los?", fragte ich und küsste Margot erneut.

„Zu spät!", rief Gisele.

In dem Augenblick, in dem ich mich von Margot löste, sah ich, dass Priscila vor mir stand.

„Guten Abend", sagte sie und tat gleichgültig. „Ich heiße Priscila, ich weiß nicht, ob Eric bereits von mir gesprochen hat, aber wir haben uns schon einmal gesehen. Ihr müsst Klaus und Gisele sein. Und Sie?", fragte sie und blickte zu Margot.

„Ich heiße Margot", gab diese etwas verlegen zurück.

„Hallo Margot, sind Sie die neue Freundin von Eric oder nur eine vorübergehende Affäre?", fragte Priscila ironisch.

„Darauf kann eigentlich nur Eric antworten", sagte Margot, jetzt im selben Tonfall.

„Priscila, ich…"

„Du bist mit ihr zusammen", unterbrach mich Priscila, „aber das ist mir egal, ich weiß nicht einmal, warum ich gefragt habe. Tatsächlich bin ich nur gekommen, um Klaus und Gisele kennenzulernen. Kann ich mich setzen?"

„Natürlich", erwiderte Gisele.

Margot erhob sich und deutete an, kurz mit mir unter vier Augen sprechen zu wollen.

„Entschuldige, Eric, aber ich glaube, es ist besser, ich gehe. Es wird noch sehr unangenehm werden."

„Nein, du kannst bleiben!"

„Nein. Bis dann. Ich habe keinen Bedarf an solchen Situationen."

„Warte. Warum bleibst du nicht bei mir? Wir können uns an einen anderen Tisch setzen. Oder gemeinsam ins Hotel gehen."

„Bitte tu mir den Gefallen und vergiss es. Ich denke, es ist besser, wir sehen uns nicht mehr. Du fährst übermorgen nach Hause, wahrscheinlich werden wir uns nie wiedertreffen, deshalb ist es besser, wir beenden es gleich hier."

„Komm mit mir nach Brasilien!", sagte ich.

„Du bist verrückt. Du redest einfach so daher. Außerdem habe ich noch sehr viele Dinge vor, bevor ich nach Brasilien zurückkehren werde. Ich kann und will nicht mitkommen. Entschuldige, Eric, es war nett, aber wir beide wissen, dass es nicht lange halten würde. Besser, wir beenden es gleich jetzt, wer weiß, vielleicht bekommst du noch eine Chance, dich bei ihr zu entschuldigen."

„Wer sagt, dass ich mich bei ihr entschuldigen möchte?"

„Ich weiß, dass du es willst. Du und sie habt viel mehr gemeinsam als wir beide. Du magst sie. Unsere Affäre ist vorübergehend, reiner Zeitvertreib. Ciao", schloss Margot.

Niedergeschlagen ging ich zum Tisch zurück. Anschenend hatten sich Priscila, Gisele und Klaus während meiner Abwesenheit gut unterhalten.

„Wo ist deine Freundin, Eric?" fragte Priscila ironisch.

„Sie ist nicht meine Freundin. Das mit ihr war ein Moment der Schwäche, du hast mich nicht beachtet und…"

„Und dann hast du beschlossen, dir mit einer anderen Frau zu behelfen. Falls es das erste Mal war, dass ihr zusammen wart, doch so schien es mir nicht. Du bist ein Schwächling!"

„Entschuldige, Priscila, aber seit du nach Köln zurückgekehrt bist, schenkst du mir keinerlei Beachtung. Du bist nur gekommen, um mich zu demütigen."

„Nein. Ich bin gekommen, um Augenblicke der Freude mit dir zu teilen. Dir bei Bedarf zu helfen. Natürlich habe ich gehofft, dich in einem anderen Zustand vorzufinden. Das hat mich enttäuscht."

„Du bist gekommen, ohne mir irgendetwas zu erklären."

„Natürlich. Ich wollte deine Reaktion abwarten. Aber das ist jetzt nicht mehr wichtig. Wir beide wissen, dass du eine andere hast."

„Das stimmt nicht ganz. Ich habe bereits gesagt, es war ein Ausrutscher. Ich liebe dich."

„Ich weiß. Und ich habe dir schon vorher gesagt und wiederhole es jetzt erneut, deinem Verhalten nach liebst du nicht einmal dich selbst."

„Entschuldige, Eric, aber es ist dumm von dir, eine Frau wie Priscila aufs Spiel zu setzen", mischte sich Gisele ein.

„Ich weiß. Nachdem ich Geovanna, so wie es passiert ist, verloren habe, kann ich mich niemandem mehr hingeben, geschweige denn einer Frau völlig vertrauen."

„Du musst an niemand anderem auslassen, was dir vor achtzehn Jahren widerfahren ist", fuhr Gisele fort.

„Das ist keine Rache, sondern eine Blockade. Ich weiß, dass Priscila mehr Hingabe verdient hätte. Nie habe ich jemanden wie sie getroffen. Doch auch das ist ein Problem. Sie ist zu rational. So kann ich nicht sein. Manchmal überkommt es mich und es passieren Dinge, die sich meiner Kontrolle entziehen. Andererseits bin ich ehrlich und bescheiden genug, um zuzugeben, dass ich mich geirrt habe. Das gelingt nicht jedem. Aber es ist schon in Ordnung, ich bin nicht in der Verfassung, etwas zu sagen. Oder besser gesagt, ich muss doch etwas sagen: Klaus, nimm dir kein Beispiel an diesem Freund, sonst wirst du in deinem Leben viele Verluste erleiden."

„Sei nicht dramatisch", sagte Priscila. „Du kamst mir vorhin nicht sonderlich besorgt vor."

Ein peinliches Schweigen legte sich über den Tisch. Als ich es nicht mehr aushielt, beschloss ich, es zu brechen.

„Klaus, darf ich dir eine Frage stellen?"

„Klar!", sagte der Junge verwundert.

„Hat Geovanna viel mit dir geredet? Wusstest du alles über die Vergangenheit deiner Mutter?"

„Ich glaube schon", erwiderte Klaus. „Sie hat mir von Brasilien erzählt, meiner Großmutter, meinem Großvater, der in der Welt verschwunden ist. Über den Nachtclub, in dem sie gearbeitet hat. Sie hat von dir gesprochen, davon, dass ihr zusammengelebt habt, doch sie hat nicht erwähnt, dass ich dein Sohn bin. Vielleicht war ich deshalb zuerst so wütend. Als ich erfuhr, dass du hier warst, dachte ich, jetzt wird alles noch schlimmer, dieser

Typ wird mir dauernd nachlaufen."

„Ich verstehe nicht, warum du wütend auf mich warst. Auch ich war wütend, als ich den Brief erhielt. Doch meine Wut bezog sich auf Geovanna, nicht auf dich, mir war klar, dass du in dieser ganzen Geschichte genauso das Opfer warst wie ich."

„Was mich betrifft, war ich auf dich wütend, weil es einfacher war. Es wäre unmöglich gewesen, auf meine Mutter wütend zu sein, auch wenn ich wusste, dass sie all das so lange Zeit verheimlicht hat. Doch heute empfinde ich keine Wut mehr, nicht dir und noch viel weniger ihr gegenüber."

„Ich glaube, dass heute nur noch Otto das Ziel von Klaus Wut ist", mischte sich Gisele ein. „Klaus denkt, Otto hätte es ihm erzählen müssen, wenn er von allem wusste. Dabei ist es sehr gut möglich, dass Geovanna darum gebeten hatte, dieses Geheimnis zu bewahren. Ehrlich gesagt, denke ich, dass Klaus Wut eher mit der Tatsache zu tun hat, dass sein Vater mit dieser Frau nach Japan ziehen wird."

„Nichts dergleichen", sagte Klaus verärgert.

„Hat er bereits entschieden, wann er abreisen wird?", fragte ich.

„In zwei Monaten", antwortete Klaus. „Er wartet auf die Versetzung innerhalb des Unternehmens. Bevor er endgültig weggeht, wird er für ungefähr vierzehn Tage nach

Tokio fahren müssen, um sich auf seine neue Stelle vorzubereiten. Er hat mir hier in Köln einen Job angeboten, in der Druckerei eines Freundes."

„Und du hast natürlich zugesagt?", fragte ich.

„Nein", kam Gisele Klaus Antwort zuvor. „Er sagte, er bräuchte die Hilfe seines Vaters nicht, um eine Stelle zu bekommen, er würde es auch allein schaffen."

„Alberner Stolz", antwortete ich. „Das hat doch damit nichts zu tun. Wir alle benötigen irgendwann in unserem Leben die Hilfe von jemandem. Und natürlich ist ein Vater immer bereit, seinem Sohn zu helfen. Heutzutage ist es das normalste der Welt, dass einen jemand für eine Stelle auf dem Arbeitsmarkt vorschlägt."

„Ich möchte nichts mehr von ihm", sagte Klaus. „Jetzt hält er seine asiatische Freundin für das wichtigste in seinem Leben. Also soll er sich doch um sie kümmern und mich in Ruhe lassen. Außerdem wissen wir nicht einmal genau, ob er tatsächlich mein Vater ist."

„Er war immer dein Vater", versuchte ich zu beschwichtigen.

„Bitte, lasst uns nicht erneut darüber sprechen", bat Klaus mit verschlossener Miene.

„Ok! Tabuthema. Kellner, bitte einen doppelten Whisky", rief ich dem Ober zu. Die Leute an den Nachbartischen schauten erschrocken her, ohne genau verstanden zu haben, was ich bestellt hatte.

„Eric, bist du sicher, dass du zurückfliegen willst?", fragte Priscila, die bis dahin schweigend am Tisch gesessen hatte.

„Natürlich. Auch ich habe meine Verpflichtungen. Warum fragst du?"

„Nur so. Du wirkst nicht, als wärst du besonders daran interessiert bereits nach Brasilien zurückkehren. Deine Verpflichtungen verlangen dir nicht allzu viel ab, du könntest noch hierbleiben, wenn du wolltest."

„Wenn du nicht mit mir reisen willst, brauchst du es nur zu sagen. Es ist unnötig, dafür Gründe zu erfinden."

„Das ist es gar nicht. Entschuldige, dass ich mich in dein Leben einmische. Aber du und Klaus, ihr müsst noch über so vieles reden."

„Ich denke nicht. Wir haben uns bereits genug unterhalten, um uns kennenzulernen, deshalb bin ich hergekommen. Gibt es noch irgendetwas Wichtiges, über das du mit mir sprechen willst, Klaus?"

„Nein", antwortete Klaus.

„Siehst du. Wir beide sind uns einig, also…"

„Also habe ich nichts gesagt!", sagte Priscila und wechselte sofort das Thema. Sie fragte Klaus nach dem Studium. Die drei unterhielten sich angeregt, vom Studium kamen sie auf die Arbeit, auf den Verlag, die Zeitung,

Bücher, während ich geschlagene zwei Stunden wie ein reiner Zuschauer daneben saß. Danach richtete Priscila nur das Wort an mich, um mich daran zu erinnern, dass ich das Essen noch nicht probiert hatte, aber bereits den fünften Whisky trank. Ich hörte erst auf, als Klaus mich fragte, ob ich immer so viel trinken würde.

„Nein! Nur wenn ich angespannt oder niedergeschlagen bin oder Probleme habe", gab ich zurück.

„Das ist Erics Problem. Er ist immer angespannt oder hat Probleme, wenn nicht, dann ist er niedergeschlagen", sagte Priscila.

„Die Mehrheit der Künstler ist so, sie sind nie völlig normal", merkte Gisele lächelnd an.

„Das ist doch alles Folklore!", rief ich böse. „Außerdem bin ich kein Künstler, ich bin Schriftsteller. Ich kenne einige Schriftsteller, die keinen einzigen Tropfen trinken, Musiker, Schauspielerinnen und Schauspieler, die Alkohol hassen, im Ausgleich dafür kenne ich mehrere Ingenieure, Techniker und Anwälte, die Alkoholiker sind. Es hängt nicht mit dem Beruf oder der Art der Betätigung zusammen, sondern mit dem Menschen, seiner Not."

„Entschuldige, Eric", sagte Gisele.

„Es ist schon spät, ich muss jetzt los", sagte Priscila. „Und du solltest dasselbe tun, Eric."

„Da ihr bereits Donnerstag abreist, sollen wir uns morgen nicht noch einmal treffen?", fragte Gisele.

„Gerne, wenn ihr möchtet", antwortete Priscila.

„Aber bitte nicht hier. Wir könnten woanders hingehen", fuhr Gisele fort. „Die Treffen hier in der Churrascaria sind schon fast Routine geworden, insbesondere für mich, die ich hier arbeite."

„Wie du willst, du musst nur im Hotel anrufen, dann verabreden wir den Ort."

„Du kommst auch, Eric!", fügte Gisele hinzu.

„Aber ja, natürlich!", antwortete ich und gab dem Kellner ein Zeichen, die Rechnung zu bringen.

Wir verließen das Restaurant wie zwei Fremde, was sich auch auf dem Rückweg zum Hotel nicht änderte. Ohne auch nur gute Nacht zu sagen, holte Priscila ihren Schlüssel. Ich blieb neben der Rezeption stehen, schenkte mir von dem aufgewärmten Kaffee ein und wartete geduldig darauf, bis Priscila im Aufzug verschwunden und allein hinaufgefahren war – was sie tat, ohne sich noch einmal umzuschauen.

# 34

Anders als im Frühling erwartet, begann der Mittwoch bewölkt und windig. Hin und wieder tauchte die Sonne auf, verschwand dann jedoch schnell hinter den weißen

Wolken. Das Klima schien mich angesteckt zu haben, meine Stimmung war getrübt, ich fühlte mich matt, die Sonne fehlte. Nicht einmal zum Mittagessen gelang es mir, das Zimmer zu verlassen. Es war, als verfolgten mich die Gespenster meiner Fehler in Form von Übelkeit, hervorgerufen durch das Trinken am Abend zuvor.

Der Nachmittag neigte sich bereits seinem Ende zu, als das Telefon klingelte. Es war Priscila, die gleichgültig mitteilte, dass Gisele angerufen und mit ihr verabredet hatte, uns um zwanzig Uhr im Hotel abzuholen. Allein ihre Mitteilung erfüllte mich mit Angst. Ich schaute in die Speisekarte, die auf dem Nachttisch lag und überlegte kurz, ob ich mir einen Whisky bestellen sollte, dann erinnerte ich mich an einen Satz von Dr. William Robert Wills Wilde, dem Vater von Oscar Wilde, den ich vor langer Zeit gelesen hatte: Der Alkohol war eine wertvolle medizinische Hilfe, denn er war das einzige Medikament, das die Schmerzen des Unterbewusstseins sowie die Leiden des schlechten oder schuldigen Gewissens lindern konnte. Was Dr. William in seiner Untersuchung nicht erwähnte, ich jedoch im Selbststudium herausgefunden hatte, war die lediglich vorübergehende Wirkung des Medikaments. Es brachte nur für wenige Stunden nach der Einnahme tatsächlich Linderung oder vermittelte das Gefühl zu helfen, danach kehrten die Schmerzen weitaus stärker zurück, man musste weiter trinken, mehr und mehr und es dauerte nicht lange, und man war süchtig. Letztendlich hielt mich dieser Gedanke davon ab, zu bestellen. Ich bereitete mich auf das letzte Treffen mit Klaus vor. Zwei Wochen in Deutschland waren lang genug, um Sehnsucht nach zu Hause zu haben. Die Lust, nach Brasilien zurückzukehren, war beinahe stärker als der Wunsch, bei ihm zu sein. In diesem Augenblick dachte ich: Definitiv ist er nicht mein Sohn.

Punkt zwanzig Uhr klingelte das Telefon. Die Dame von der Rezeption verkündete, dass Herr König mich erwartete.

Schnell ging ich hinunter, ich war seit fast einer halben Stunde bereit. Gisele und Priscila standen bereits ungeduldig an der Tür. Sehr deutlich spürte ich, dass ich nicht die Hauptperson dieses Abends war.

Klaus drückte auf den Schlüssel und öffnete die Zentralverriegelung des BMW 325i, der vor dem Hotel geparkt war. Ohne zu zögern, stieg Gisele hinten ein und zog Priscila mit sich, ich setzte mich auf den Beifahrersitz neben Klaus, der vorsichtig losfuhr.

„In Brasilien ist dies ein Luxusauto", kommentierte ich, da mir nichts anderes einfiel.

„Ja, ich weiß", antwortete der Junge, „hier gibt es den Wagen häufiger."

„Gehört er dir?"

„Nein! Er gehört meinem Vater. Aber er wollte ihn mir hierlassen, wenn er nach Japan geht, doch ich habe bereits abgelehnt."

„Das solltest du nicht tun. Schließlich benutzt du ihn gerade."

„Er wird mich weder mit einem Auto noch mit Geld kaufen."

„Du bist wirklich ein harter Brocken. Ein Geschenk deines eigenen Vaters anzunehmen, heißt nicht, dass du dich verkaufst. Außerdem weißt du nicht, was morgen sein wird. Wenn er einmal alt ist, braucht er dich vielleicht. Ärzte, Behandlungen, Reisen von Japan nach Deutschland. Oder auch, um ein Altersheim zu bezahlen. Ich bin zwar dagegen, die Eltern in ein Altersheim zu stecken, aber hier in Europa sind die Dinge anders. Oder wenn dies nicht der Fall sein sollte, könnte er bei dir wohnen müssen, eine besondere Betreuung benötigen. Da du alles wie ein Geschäft zu betrachten scheinst, wirst du künftig für diese Dinge aufkommen müssen. Das sage ich, weil er darüber nachdenkt, eine junge Frau zu heiraten, sehr viel jünger als er, und man kann nicht erwarten, dass sie ihn pflegt, wenn es einmal so weit ist. Sie wird noch voller Tatendrang sein und selbst wenn sie nicht mehr ganz jung ist, wird sie sich weiterhin allein versorgen können. Es kommt nicht sehr häufig vor, dass sich dieser Typ Frau damit abfindet, einen alten Brummbären zu pflegen, schon gar nicht, wenn er moribund ist. Hoffentlich täusche ich mich, aber ich habe bereits von einigen solchen Fällen gehört."

„Mach dich nicht lächerlich, Eric", gab Priscila zurück, „Du kennst die Frau nicht einmal."

„Das stimmt, ich kenne sie nicht, doch rede ich von Fällen, die ich kenne oder von denen ich gehört habe. Die zweite Frau eines Mannes, der mit beiden Beinen im Leben steht, gute Arbeit, erwachsener Sohn, Witwer, Abenteurer. Der ideale Typ, den man benutzt, solange es geht, um sich seiner danach zu entledigen. Wenn ein Mann seine Frau mit vierzig oder fünfzig verliert, wird er zum Tier, hält sich für einen jungen Kerl, der alles kann, den einzigen Hengst im Stall. Das nutzen die Frauen natürlich aus, sie benutzen ihn, solange er interessant ist, dann werfen sie ihn weg, ich kenne einige alte Männer in dieser Lage." Zum ersten Mal an diesem Abend lächelte Klaus. „Wen wird er dann aufsuchen? Die Familie. In diesem speziellen Fall dich, den Sohnemann, der es im Leben zu etwas gebracht hat und bereit ist, sich um seinen alten Vater zu kümmern, ihn nicht hilflos allein zu lassen. Deshalb kannst du alles, was er dir schenkt, ohne schlechtes Gewissen annehmen, du wirst später dafür bezahlen." Klaus stieß ein schüchternes Lachen aus.

„Es wundert mich, Eric, dass du einerseits so schöne Romane, so wunderbare Liebesgeschichten schreiben und gleichzeitig auf diese Art reden kannst", sagte Gisele lächelnd und schlug mir auf die Schulter.

„Genau. Ich schreibe Geschichten, Romane. Alles Illusion, alles Lüge. Schöne Bücher, manche sogar mit einem guten Ende, schlechte Literatur, deshalb verkaufen sie sich so gut. Sie vermitteln nicht das, was in unserem Leben passiert, sondern reine Fantasien, Geschichten, die die Leute gerne erleben würden. Deshalb lesen sie diese Sorte Bücher so gerne. Ich verkaufe Illusionen und sie kaufen sich diesen Trip, stellen sich vor, es wäre ihr Leben. Das ist das Geheimnis eines erfolgreichen Romans, man muss nichts erfinden, es genügt einfach, das zu beschreiben, was die Leute gerne hätten, wahre Liebe, ein perfektes schönes Leben, ohne Probleme, als könnte man von der Liebe allein leben, fertig. Sie lesen, sind eine Weile begeistert, denken, dass das auch in ihren Leben passieren könnte, danach landen sie auf dem Boden der Tatsachen, kehren ins normale Leben zurück und stellen fest, dass alles ein Trugbild war. Wenn sie dann das Leben erneut satt haben, kaufen sie ein neues Buch, eine neue Dosis Illusion, die sie die Realität für einige Stunden vergessen lässt. In diesem Moment habe ich bereits den nächsten Band fertig, um meine Leser zu bedienen, ihre Bedürfnisse zu befriedigen. Der Schriftsteller ist nichts anderes als ein Verkäufer von Illusionen." Auch diese Bemerkung fand Klaus lustig.

„War das mit dir und Geovanna so?", fragte Priscila mit einer Mischung aus Bewunderung und Wut.

Klaus sah sie durch den Rückspiegel an und runzelte die Stirn.

„Entschuldige", sagte Priscila.

„Sie ist nicht bei mir geblieben, oder etwa doch? Also war alles real. In einem Roman wären wir am Ende zusammengekommen."

Dieses Mal schaute Klaus mich missbilligend an.

„Mit uns war es genauso! Wären wir in einem Roman, wärst du jetzt mit mir zusammen", wendete ich ein.

Nach einem bedrückenden Moment der Stille sprachen Priscila und Gisele darüber, was sie auf der Straße sahen.

Wir erreichten ein typisch deutsches Restaurant am Ufer des Rheins. Eine Holzterrasse mit runden Tischen, die unter riesigen Sonnenschirmen standen, ragte über den Fluss. Alle bestellten das hauseigene Bier, nur ich bat den Kellner laut und deutlich auf Englisch um einen Orangensaft. Zwei Stunden später bereute ich es. Mein Magen schien kurz vor einer Explosion zu stehen, was auf die sechs Säfte, das Sauerkraut, die Würstchen und den Senf zurückzuführen war, ein Vorschlag von Klaus, der uns mit einem typischen Gericht einen Gefallen tun wollte. Verhängnisvoller Irrtum. Zieht man die Magenverstimmung nicht in Betracht, war es das beste von allen unseren Treffen. Angenehme Gespräche über die unterschiedlichsten Themen, nie hatte ich Klaus so vergnügt erlebt. Er lachte sogar über die Späße, die ich über das Essen machte.

Um zwei Uhr morgens verließen wir das Restaurant.

Die beiden Frauen kicherten ununterbrochen. Sie waren fröhlich, das Bier zeigte seine Wirkung. Ein paar Mal war ich etwas irritiert, weil sie über derart banale Dinge lachten. Klaus hatte nur ein Bier getrunken, trotzdem schien er glücklich. Auf einer Art Promenade spazierten wir am Ufer des Rheins entlang, dann gingen wir zum Auto zurück.

Als Klaus vor dem Hotel anhielt, umarmte Priscila die beiden zum Abschied. Ich schloss mich ihr an. Es fiel mir schwer, mich aus der Umarmung mit Klaus zu lösen, einen Augenblick hätte ich ihn am liebsten geküsst, so wie es in dieser Situation jeder Vater bei seinem Sohn tun würde, doch mir fehlte der Mut. Ich hatte Angst vor seiner Reaktion.

„Solltest du irgendetwas benötigen, ruf mich an! Egal, was es auch ist!", rief ich durch das Fenster des bereits anfahrenden Autos.

# 35

Der Flughafen war leer, nur wenige Menschen hielten sich in dem riesigen Frankfurter Terminal auf. Priscila sprach lediglich das Nötigste mit mir. Nach kurzer Wartezeit passierten wir den Check-in und um die Zeit zu überbrücken, lud ich sie zu einer Pizza in der oberen Halle des Flughafens ein.

Da wir gemeinsam eingecheckt hatten, saßen wir nebeneinander. Priscila missfiel das, wie ich deutlich spürte. Die ganze Reise über las sie ein Buch über das Leben von Margaret Thatcher oder lag im Halbschlaf. Mehrmals versuchte ich, mit ihr über das Buch zu sprechen, doch sie warf mir ungehaltene Blicke zu und antwortete nicht. Ich versuchte zu schlafen, zu lesen, zu schreiben, ohne Erfolg. Während wir den Atlantik überflogen, rutschte ich in meinem Sitz hin und her. Das verärgerte Priscila noch mehr.

In São Paulo angekommen, lud ich sie ein, mit mir ein Taxi zu teilen.

„Wir haben nicht dasselbe Ziel!", antwortete sie.

„Ich weiß, aber wir könnten uns ein bisschen unterhalten."

„Es kann dir während der Reise unmöglich entgangen sein, wie sehr ich es vermieden habe, mit dir zu reden. Es ist mir gelungen, in den zwölf Stunden im Flugzeug die Distanz zu wahren, da werden wir uns nicht jetzt, nach einer so ermüdenden Reise, im Taxi über irgendetwas unterhalten."

„Kann ich dich morgen anrufen?"

„Nein! Ich rufe an, wenn ich Zeit habe. Zunächst werde ich viel zu tun haben, muss arbeiten, mich um einige persönliche Dinge kümmern. Dann denke ich darüber nach, obwohl es eigentlich nichts Wichtiges zu besprechen gibt. Alles, was gesagt werden musste, haben wir uns bereits gesagt."

„Nein, im Gegenteil, wir haben diskutiert, gestritten, uns jedoch nicht unterhalten, wie wir es hätten tun sollen."

„Vergiss es, Eric", sagte Priscila und stieg ins Taxi. „Ciao."

Ich musste geduldig sein. Jeder Annäherungsversuch würde die Lage verschlechtern. Es gab keine Alternative, ich musste abwarten.

Seu Antônio fing mich vor dem Haus ab, sobald ich das Taxi verlassen hatte. Nachdem er mir den Koffer aus der Hand gerissen hatte, begrüßte er mich mit einem heftigen Schlag auf die linke Schulter, sein überschwänglicher Empfang verwunderte mich. Lächelnd trug er meinen Koffer Richtung Aufzug.

„Sie müssen nicht mit hinaufkommen, Seu Antônio, gehen sie ruhig wieder an Ihre Arbeit", bedankte ich mich.

„Nein, mein Herr. Ich bestehe darauf, Ihren Koffer zu tragen, Sie müssen müde sein. Außerdem habe ich die Schlüssel, erinnern Sie sich?"

„Stimmt", sagte ich und lächelte, als mir einfiel, dass er Recht hatte. „In diesem Fall ist es besser, Sie begleiten mich, sonst stehe ich vor verschlossener Tür."

Seu Antônio erhöhte die Spannung, indem er zunächst in den verschiedenen Taschen seiner Hose, seines Hemdes und des fadenscheinigen Blazers nach den Schlüsseln suchte. Als er sie endlich gefunden hatte, öffnete er mit einem lauten Trara, das mich erschrocken zusammenzucken ließ, die Tür.

„Ist die Wohnung nicht wunderschön geworden, Seu Eric?", erkundigte er sich gespannt. „Ich hoffe, es ist so, wie Sie es wollten. Ich muss zugeben, dass ich diesen Augenblick mit gewisser Sorge herbeigesehnt habe. Da ich nicht wusste, wann Sie zurückkehren würden, habe ich jeden Tag auf Sie gewartet, um Ihnen die Dekoration zu zeigen. Ich hatte schon Angst, Sie könnten frühmorgens ankommen. Sogar Maria habe ich verrückt gemacht, auf keinen Fall ihre Ankunft zu verpassen und Ihnen, sollten Sie bei uns klingeln, nicht die Schlüssel zu geben, solange ich nicht dabei wäre. Sie gab zu Bedenken, dass Sie einen Ersatzschlüssel haben könnten. Ich habe mir Sorgen gemacht, jeden Tag habe ich Carlinhos, Sie wissen schon, Carlinhos, den Nachtportier, gefragt, ob Sie bereits eingetroffen wären und ihm eingeschärft, mich umgehend zu verständigen, wenn er Sie kommen sähe. Aber was sagen Sie nun, Seu Eric? Sie scheinen nicht sehr erfreut! Gefällt Ihnen die Innenausstattung? Sagen Sie die Wahrheit! Natürlich habe ich die Möbelpacker um ihre Meinung gebeten und sogar Dona Gertrude, aus dem sechsten Stock, aber die letzte Entscheidung habe immer ich getroffen. Wie gefällt es Ihnen? Sagen Sie schon, Seu Eric!"

Erst jetzt fielen mir die neuen Möbel, die gestrichenen

Wände, die Bilder auf. Die Wohnung sah ganz anders aus.

„Sehr schön, genauso habe ich es mir vorgestellt. Aber Sie hätten Dona Gertrude nicht um Hilfe bitten müssen, Sie selbst haben immer gesagt, dass sie eine Klatschbase ist, die sich in das Leben aller einmischt, und dann bringen Sie die Frau in meine Wohnung?"

„Da haben Sie Recht, aber Sie müssen sich keine Sorgen machen. Was diese Dinge betrifft, taugt die Frau, schließlich müssen auch Leute, die ihre Nase in alles stecken, irgendeinen Nutzen haben. Sie liebt es, Ratschläge zu erteilen, sich in andere Leute Angelegenheiten zu mischen. Deshalb habe ich sie dazu gerufen. Ich werde Sie nicht belügen, was das betrifft, alle Leute im Haus wissen, dass Sie Ihre Möbel durch neue ersetzt, die Wände gestrichen und neue Bilder aufgehängt haben, doch das tut nichts zur Sache, oder?"

„Nein! Tut es nicht", antwortete ich verdrossen. „Es ist toll geworden."

„Schauen Sie sich die Zimmer an", fuhr Seu Antonio begeistert fort. „Auch das Badezimmer ist toll geworden, es wird Ihrer Freundin gefallen, Seu Eric."

„Ich habe keine Freundin!", sagte ich verlegen.

„Und das Mädchen, das Sie mitgebracht hatten…"

„Ich bitte Sie, Seu Antônio!"

„Entschuldigen Sie, Seu Eric, bitte entschuldigen Sie. Ich weiß, dass es schwer ist. Aber die Reise hat sich gelohnt, nicht wahr?"

„Sie hat sich gelohnt?", fragte ich verwundert.

„Ja, nachdem eine Beziehung beendet wurde, tut es gut, zu reisen, eine Luftveränderung zu haben, nicht wahr? Ich weiß, wie das ist."

„Entschuldigen Sie, Seu Antônio. Ich danke ihnen sehr, aber die zwölf Stunden Reise haben mir den Rest gegeben, ich würde mich jetzt sehr gerne ausruhen, wenn es Ihnen Recht ist…"

„Natürlich! Machen Sie es sich gemütlich, schließlich sind Sie zu Hause!", sagte Seu Antônio, noch immer euphorisch lächelnd.

Ich warf den Koffer in eine Ecke des frisch renovierten Wohnzimmers, setzte mich zwei oder dreimal hintereinander aufs Sofa und erhob mich, als würde ich ein neues Kleidungsstück anprobieren. Alles roch neu. Ohne wenigstens die Schuhe auszuziehen, streckte ich meinen Körper auf dem Sofa aus. Vier Stunden später wachte ich wieder auf, tastete den Boden auf der Suche nach der alten Armbanduhr ab, wunderte mich über den neuen Teppich, stand auf und dachte, zurück im Alltag.

## 36

Trotz der Erschöpfung wachte ich mehrmals erschrocken auf, schaltete das Licht an, die neue Einrichtung meiner alten Wohnung faszinierte mich. Alles schien mir fremd, die Möbel, die Farben, die Bilder. Ich dachte an die Tage in Deutschland, an Klaus und Gisele, an Priscila und Margot. Für einen Moment überkam mich Sehnsucht, ich erinnerte mich an die Straßen, den MediaPark, die Churrascaria, jeden Ort, den ich in Köln kennengelernt hatte. Als würde ich dort leben, als wäre meine Wohnung in São Paulo, in der ich die letzten fünfzehn Jahre meines Lebens verbracht hatte, ein völlig fremder Ort. Als hätte die neue Inneneinrichtung einen entgegengesetzten Effekt gehabt. Langsam stehe ich wirklich auf der Schwelle zum Wahnsinn, dachte ich. Die alte Unsicherheit überkam mich, die Monotonie, der Zweifel, der Frust allein zu leben. In diesem Augenblick wurde mir der tatsächliche Grund dieser Seelenunruhe bewusst. Die Rückreise, die fehlende Gewissheit, ob ich der Vater des Jungen war oder nicht, der Verlust von Priscila und das Bild von Geovanna auf dem Grabstein schossen mir durch den Kopf. Als würde ihr Geist aus diesem Foto treten, in wenigen zehntausendstel Sekunden auf unerklärliche Weise von Europa nach Brasilien reisen, und sie, wie bei einem Zauberkunststück oder einer Art spiritueller Erscheinung, plötzlich vor mir stehen, als wollte sie mir etwas sagen. Und ich würde sie vor lauter Unwissenheit nicht hören, würde nicht verstehen, was sie mir mitteilen wollte. Die Angst, sie nicht zu verstehen, stürzte mich in eine existenzielle Krise. Ich hatte die verrückte Idee, mich umzubringen. Sehnsüchtig schaute ich zum Wohnzimmerfenster, als würde mich etwas dorthin ziehen, als würde es mich bitten, schnell dorthin zu rennen, das Glas mit dem Körper zu durchbrechen und aus dem fünfzehnten Stock Richtung Boden zu fliegen. Nachdem ich im Garten gelandet wäre, würde meine verrückte Handlung durch die verzweifelten Schreie von Seu Antônio bis in den letzten Winkel der Wohnanlage getragen werden. Erschrocken sprang ich aus dem Bett, überzeugt, nur geträumt zu haben, auch wenn die Einbildung so klar wie eine Tatsache gewesen war. Ich ging zum Fenster, öffnete es und beugte mich vorsichtig hinaus. Unten stand Seu Antônio vor dem Wachhäuschen und unterhielt sich mit dem Pförtner. Ich schloss das Fenster und atmete erleichtert auf, da ich keinerlei Lust mehr verspürte, zu springen. Dann überkam mich erneut die Verzweiflung. Sollte ich wirklich langsam verrückt werden? Ich fühlte mich ohnmächtig, wie jemand, der für den Rest seines Lebens zur Verbitterung verurteilt war. Den ganzen Tag verließ ich die Wohnung nicht.

Am nächsten Tag wachte ich früh auf, erneut hatte ich nicht gut geschlafen. So konnte es nicht weitergehen. Mein Zustand hatte sich durch die Reise noch verschlechtert. Es war nicht ausgeschlossen, dass ich meiner Würde, meiner Karriere und sogar meinem Leben ein Ende setzte. Ich musste mich ändern, mein Leben in den Griff bekommen.

Ich beschloss, in die Zeitung zurückzukehren, mich persönlich um die Veröffentlichung meiner Kolumne zu kümmern. Ein eigenes Büro hatte ich nicht mehr. Hinter der Tür, an der vorher ein Schild mit meinem Namen befestigt war, saß jetzt ein junger Schriftsteller, der mit einem Roman über das Leben zweier Jugendlicher in einer Favela von Rio de Janeiro plötzlich in der Presse erschienen war. Ein junger Mann, den das große Publikum noch nicht entdeckt, aber der schon einen beachtlich zu nennenden Teil der ersten Auflage seines Buches verkauft hatte und dem die Medien jeden Tag mehr Aufmerksamkeit widmeten.

Man hatte an die Zukunft der Zeitung gedacht, als man ihn anstellte, um eine Kolumne in einem zweitklassigen Blatt der Gruppe zu schreiben, von dem man sagte, es würde die benachteiligten Bevölkerungsschichten erreichen. Armut, Gewalt und soziale Ungleichheit sowie eine Sprache voller Slang. Der junge Schriftsteller gewann täglich an Popularität und so unglaublich es auch scheinen mag, je populärer er auf der Straße wurde, desto mehr stieg sein Ansehen in der Zeitung. Hoffentlich hält sein Alter Ego mit diesem Aufstieg Schritt, sonst wird er schnell die Popularität verlieren und gleichzeitig die Freude an der Arbeit, die eigentlich nicht einmal schlecht war, im Gegenteil, er beutete das Elend gut aus und stellte es im Buch zur Schau, vielleicht weil er das Thema kannte, doch die Sprache, die er verwendete, war kein Beispiel für die Schule, dachte ich bei mir, bevor ich mich fragte, ob dieser Gedanke nicht ein Stück weit auf Neid oder einem anderen Gefühl, das ich nicht benennen konnte, beruhte. Trotzdem setzte ich dem nichts entgegen oder machte mir darüber Gedanken, ich richtete mich in einer kleinen Ecke der Redaktion ein und fuhr mit meiner Arbeit fort. Jeden Freitag ging ich in die Zeitung und arbeitete an meiner Kolumne, die nicht mehr wöchentlich veröffentlicht wurde, auch nicht mehr an einem bestimmten Tag, sondern nur, wenn in der Ausgabe noch Platz war. Das ein oder andere Mal traf ich Priscila auf dem Flur, wir sprachen über banale Themen, immer nur kurz, weil sie es so wollte, ununterbrochen schob sie irgendwelche Verpflichtungen als Entschuldigung vor, um sich höflich zu entfernen. Eine Zeit lang rief ich sie abends zu Hause an, um sie zu einem Treffen einzuladen, doch immer lehnte sie ab. Irgendwann begnügte ich mich damit, ihre Stimme zu hören, denn zumindest nahm sie meine Anrufe jedes Mal entgegen. Dennoch kürzte sie die Gespräche ab und fand einen Weg, mich möglichst gleich loszuwerden.

Ich begann, ein neues Buch zu schreiben, ohne der Arbeit einen Namen geben zu können. Die Geschichte entwickelte sich, es war ein Roman über ewige Liebe, die Geschichte eines Mannes, der seine Frau durch eine schwere Krankheit verloren hatte und dem es jetzt gelungen war, sich mit ihr auf einer anderen Ebene wiederzutreffen, post mortem. Anfangs erschien mir das Ganze etwas spirituell, deshalb dachte ich mehrfach darüber nach, aufzuhören, vor allem, da ich selbst nie an derartige Dinge geglaubt hatte, doch dann schrieb ich weiter, ohne mich um den Stil oder darum zu kümmern, was die anderen denken könnten.

# 37

Den Rest des Jahres konzentrierte ich mich auf die Arbeit, schaffte es, deutlich weniger zu trinken und hörte auf zu rauchen.

Auch vermied ich es um jeden Preis, in die Nähe der Rua Augusta zu kommen. Den ganzen Freitag verbrachte ich in der Zeitung, am Wochenende erholte ich mich und besuchte meine Eltern, was schnell zu einer Gewohnheit wurde, bald aßen wir jeden Samstag gemeinsam zu Mittag. Nach und nach reduzierten sich unsere Meinungsverschiedenheiten, es gelang mir sogar, mich mit meinem Vater zu unterhalten und in Bezug auf manche Dinge seiner Meinung zu sein.

Von Sonntag bis Donnerstag arbeitete ich an dem Buch. Nach sechs Monaten war es fertig, ich zeigte es Alex, der es sogleich dem Verleger vorlegte. Dieses Mal hatte ich das Gefühl, dass er sich nicht wie üblich mit dem Inhalt des Textes befasste, sondern endlich das neue Werk Eric Resendes präsentieren wollte. Das Buch wurde in Rekordzeit unter dem von mir geforderten Titel „Zwei unvergängliche Ns" publiziert, der nicht sehr viel mit der Geschichte zu tun hatte, sondern zu dem mich Geovannas Name inspiriert hatte. Die Leute vom Verlag sagten mir, dass sie sich beeilen mussten, denn schließlich hatte ich fünf Jahre lang kein Buch veröffentlicht. Ich verbrachte diese Tage in heilloser Aufregung, das war fraglos bei jeder Veröffentlichung der Fall, man machte sich Sorgen, hatte schlaflose Nächte, weil man darüber nachdachte, wie die Leser den neuen Roman annehmen würden. Was die Literaturkritiker betraf, machte ich mir nie Gedanken, vor allem, da sie keine Bücher kauften, doch über die Leser schon, sie hatten die Macht, das Buch erfolgreich zu machen oder es einfach aus den Buchhandlungen verschwinden zu lassen. Stets hatte ich gesagt, dass mir die Leser am wichtigsten waren, genau wie dem Verlag, der immer hoffte, dass sich seine Investition bezahlt machte. Doch mit diesem Buch war es anders, ich war sehr viel aufgeregter als bei meiner ersten Veröffentlichung, außerdem entsprach das Buch nicht meinem bisher gängigen Stil. Die ersten Tage nach der Veröffentlichung schlief ich nicht, wartete auf die Kommentare über das Buch. Mein Verleger erreichte bei der Zeitung, dass meine Kolumne wieder wöchentlich erschien, eine Marketingstrategie, damit mich die Leser in

Erinnerung behielten. Außerdem investierte der Verlag in Werbeplakate und Anzeigen in Zeitschriften, doch leider zeigte keine dieser Bemühungen Erfolg. Das Buch war ein Misserfolg, in den ersten vier Wochen nach der Veröffentlichung blieben die Verkäufe weit hinter den Erwartungen des Verlags zurück.

Priscila rief mich an und lobte das Buch. Ein eiliges Gespräch, ich spürte, dass es ihr darum ging, mich zu ermuntern. Ich versuchte, das Thema zu wechseln, aber sie gab mir keine Chance, höflich wie immer.

Zwei Monate nach Veröffentlichung des Buches verlor ich endgültig meine Kolumne bei der Zeitung. Alex versuchte alles, damit ich wieder Mut fasste, doch es war vergeblich. Ich glaube, er las das Buch erst nach der Veröffentlichung und versuchte, mich allein deshalb aufzumuntern, weil er tatsächlich mein Freund war. Er fühlte, dass ich am Ende war, das Buch blieb ein Misserfolg, Priscila hatte mich endgültig aus ihrem Leben gestrichen, jeden Tag dachte ich an Klaus. Ständig wartete ich auf einen Anruf von ihm, der nicht kam. Auch mir fehlte der Mut, ihn anzurufen, immer wartete ich darauf, dass er sich zuerst meldete. Ich dachte sogar über die Möglichkeit nach, das Buch in Europa zu veröffentlichen, dann könnte Klaus es lesen und würde mich vielleicht kontaktieren. Doch natürlich passierte nichts von alledem, niemand war daran interessiert, das Buch zu übersetzen. Nach der Veröffentlichung dauerte es keine drei Monate, dann erinnerte sich außer mir, Alex und dem Verleger keiner mehr an dieses Buch.

Es waren bereits achtzehn Monate vergangen, seit ich Klaus kennengelernt hatte, mein Wunsch, dass das Buch ein Erfolg würde und möglicherweise Klaus wiederzutreffen, um den neuen Mann durchscheinen zu lassen, der ich geworden war, waren mit dem Erscheinen des Buches zunichte gemacht worden.

# 38

In den darauffolgenden Monaten verlief mein Absturz kontinuierlich. Ich fing wieder an zu rauchen und trank übertrieben viel. Jeden Abend verließ ich zu Fuß die Wohnung, überquerte die Avenida Paulista und trieb mich bis in die frühen Morgenstunden in der Rua Augusta herum. Ich sprach mit den unterschiedlichsten Typen und auch wenn ich den mir angebotenen Drogen noch widerstand, wusste ich nicht, wie lange ich es durchhalten würde. Ich gab mich ganz dem Trinken hin und oft trug mich Seu Antônio in die Wohnung, legte mich auf das Sofa und schloss vorsichtig die Tür, wie ein verbitterter Vater. Ich wusste, dass er meinen Zustand um jeden Preis vor den Bewohnern der Wohnanlage verheimlichen wollte, doch in der Nachbarschaft kommentierten ein paar Leute bereits meine Situation.

Ein Tag war wie der andere, ich wachte spät auf, frühstückte in irgendeiner Kneipe, ging wieder nach Hause, schlief bis zum Einbruch der Dunkelheit und verließ die Wohnung, um auf der Suche nach etwas, von dem ich selbst nicht wusste, was es war, durch die Straßen zu irren.

In dieser Phase erhielt ich keinen einzigen Anruf, keinen Besuch, niemand fragte nach mir, als existierte Eric Resende nach dem Misserfolg seines letzten Buches gar nicht mehr. Niemand sprach mehr über meine anderen Bücher, die übersetzt und in mehreren Ländern veröffentlicht worden waren, als wäre meine ganze Vergangenheit ausgelöscht worden, als hätte ein einziger Misserfolg ein ganzes Leben ausgelöscht. Der einzige Mensch, der mich hin und wieder anrief und sich wirklich für mich zu interessieren schien, war Alex, doch da er ein vielbeschäftigter Mann war, hatte er lediglich Zeit, um sich mit mir am Telefon zu unterhalten, und natürlich hatte ich nicht den Mut, meinem Freund zu beichten, wie ich lebte.

Die Tage schienen sich zu wiederholen, mittlerweile fehlte mir jegliche Zeitvorstellung, häufig wachte ich erst nach vier Uhr nachmittags auf und sehr selten aß ich etwas anderes als ein Sandwich in der Bäckerei an der Ecke, nutzte die Gelegenheit, um zwei oder drei Wodka abzukippen und ging wieder nach Hause, um auf den Abend zu warten. Das wenige Geld, das ich verdiente, nahm ich durch die ein oder andere alte Kurzgeschichte ein, die ich mithilfe von Bekannten an nichtssagende Zeitschriften und Zeitungen verkaufte, und die meist unter anderem Namen veröffentlicht wurden, trotzdem stimmte ich zu, es blieb mir keine andere Wahl. Als das Geld noch knapper wurde, verkaufte ich in den Antiquariaten im Stadtzentrum ein paar Bücher. Das reichte, um die Tagesausgaben zu decken, einen Imbiss zur Mittagsessenszeit, Getränke und Zigaretten am Abend und hin und wieder eine Nutte, die ich nach vier Uhr morgens in der Gegend von Boca do Lixo traf.

Auf dem Höhepunkt meiner Karriere hatte ich mir keine Gedanken um Geld gemacht, sondern immer betont, dass es zum Ausgeben da wäre und so auch gehandelt, durchgemachte Nächte, Nachtclubs, Nutten und wenn ich keine Begleiterin fand, Glücksspiele zum Zeitvertreib. Die Wohnung und ein Auto, das ich seit Tagen nicht aus der Garage geholt hatte, waren alles, was mir noch geblieben war. Ab und zu dachte ich darüber nach, sie zu verkaufen, um ein bisschen Geld einzunehmen. Ich könnte mir in einer Pension im Zentrum ein Zimmer mieten und hätte den Rest meiner Tage ein bisschen Geld in der Tasche, schließlich war eine Wohnung im Viertel Jardins ein kleines Vermögen wert.

## 39

An einem regnerischen Nachmittag, auf dem Rückweg

von der Bäckerei, ging ich in der Apotheke vorbei, um wie üblich ein paar Schmerzmittel zu kaufen. Dort beschloss ich, mich zu wiegen und es verblüffte mich nicht, dass ich über acht Kilo meines Normalgewichts verloren hatte. Ich spürte selbst, dass ich dünner und schwächer geworden war.

Wieder zu Hause, schaute ich mich im Spiegel an und stellte fest, dass auch der Bart mein Aussehen sehr verändert hatte, ebenso wie die Haare, denen ein Schnitt fehlte, und die Falten, die in so kurzer Zeit so viel tiefer geworden waren. Doch all das war unwichtig, das war der neue Eric Resende, in dessen Gesicht sich das sinnlose Leben widerspiegelte, wie bei den meisten meiner Bekannten in den Bars.

Ich entschloss mich, einen Spaziergang durch das Viertel zu machen, ich wollte nicht trinken, nur gehen. Die großartigen Gebäude in Jardins erfüllten mich nicht wie früher mit Stolz, im Gegenteil, ich fühlte mich wie ein Fremder in diesem Viertel, war nicht mehr Teil dieser Gesellschaft. Überhebliche Damen oder ihre Hausangestellten führten lächerliche Hunde spazieren, deren Fell meist besser geschnitten war als meine Haare. In den Schaufenstern der Designerläden lagen überteuerte Klamotten und die Menschen liefen eilig von einem Büro ins nächste, als würde die Welt untergehen und sie müssten vorher noch etwas Wichtiges erledigen. Ich setzte mich auf den Boden, und fing an, über diese ganze Situation zu lachen, wie lächerlich war das alles. Ich, der ich einmal ein wichtiger Schriftsteller gewesen war, saß hier unbemerkt auf dem Bürgersteig, während die Menschen auf der Suche nach ihrer Verwirklichung eilig vorbei hasteten. Getriebene ihres Willens, ihrer Angst, irgendetwas erobern zu müssen, obwohl von jetzt auf nachher alles vorbei sein konnte, ohne dass sie es wahrnahmen. Warum sollte man dafür kämpfen? Ich, ein Mann von vierundvierzig Jahren, habe erobert, was ich wollte, habe die Spitze erreicht und bin abgestürzt. Dabei lohnt sich die ganze Anstrengung nicht, denn je höher der Aufstieg, desto tiefer ist der Fall, dachte ich. Die Leute, die an mir vorübergingen, schauten mich jetzt erstaunt an, wie ich sie kaltblütig beobachtete und einsam vor mich hin lachte. Doch plötzlich verwandelte sich das Gelächter in Wehklagen. Die ersten Tränen kullerten, dann konnte ich das Weinen nicht mehr unterdrücken. Das Leben hatte keinen Sinn mehr. Ich hatte bereits alles erlebt, was mir zugedacht war, jetzt könnte ich sterben, sollte sterben. Mein letztes Stündlein hatte geschlagen, es gab nichts mehr für mich zu tun.

Ich erhob mich mit der deutlichen Gewissheit, dass mein Leben kurz vor seinem Ende stand. Es blieb mir nichts anderes, als auf den Tod zu warten und sollte er noch auf sich warten lassen, könnte ich über eine Art nachdenken, seine Ankunft zu beschleunigen, vielleicht mehr trinken, rauchen, vielleicht auch harte Drogen nehmen, die man überall in der Stadt kaufen konnte.

Als ich das Portiershäuschen erreichte, rief mich Seu Antônio:

„Senhor Eric!"

„Ja", antwortete ich, ohne die geringste Lust, mich zu unterhalten.

„Eine junge Frau war hier und hat nach Ihnen gefragt. Eigentlich war sie bereits das dritte Mal diese Woche hier, aber Sie sind ja nie zu Hause. Das erste Mal kam sie mit einem jungen Mann, die beiden anderen Male allein. Ich glaube, es war dieses Mädchen… Wissen Sie?"

„Welches Mädchen?", fragte ich desinteressiert.

„Dieses Mädchen… in das Sie verliebt waren", sagte Seu Antônio ein bisschen verlegen.

„Priscila?", fragte ich.

„Hm, sie hat ihren Namen nicht genannt. Aber sie muss es gewesen sein. Diese, die sogar schon ihr Auto auf Ihrem Stellplatz in der Garage geparkt hat, erinnern Sie sich?"

„Ah ja. Und was wollte sie?"

„Sie wollte mit ihnen sprechen, aber nachdem sie Sie nie angetroffen hat, hat sie Ihnen heute diesen Briefumschlag hier gelassen und mich gebeten, ihn Ihnen auszuhändigen."

„Danke!", antwortete ich, nahm den weißen Umschlag

ohne ein weiteres Wort entgegen und ging auf den Serviceaufzug zu. Seit ein paar Tagen hielt mich eine gewisse Scham davon ab, den Personenfahrstuhl zu benutzen. Ich fuhr nur noch im Serviceaufzug hoch und runter. Und selbst diesen betrat ich nur, wenn er völlig leer war. Hin und wieder traf ich einen Hausangestellten, oder Damen mit ihren kleinen Hunden – denn im Personenfahrstuhl war das Mitführen von Tieren verboten – aber ich hatte bereits bemerkt, dass sie mich aus reiner Höflichkeit, Verlegenheit oder sogar Angst grüßten. Ich war in der Wohnanlage zu einer Art Legende geworden, der berühmte Schriftsteller, der alles verloren hatte, wurde langsam wahnsinnig. Ebenso wenig wusste ich, ob die Hausverwaltung die noch ausstehenden acht Monate Nebenkostenzahlungen für die Wohnanlage aus Mitleid oder Angst nicht eingetrieben hatte.

Ich öffnete die Tür und untersuchte den Umschlag, auf dem in ornamentaler Schrift stand: An Herrn Eric Resende.

Für einen einfachen Brief oder eine Karte war der Umschlag viel zu groß. Ich zögerte, ihn zu öffnen, kannte diese Art Umschlag von früher und so gerne ich mich auch getäuscht hätte, wusste ich, um was es sich handelte. Ich war gerade so weit, ihn öffnen zu wollen, als das Telefon klingelte. Da ich keine Lust hatte, dranzugehen, wartete ich auf das Signal des Anrufbeantworters. Vielleicht war es Priscila, die erfahren wollte, ob ich den Umschlag erhalten hatte. Doch dann hörte ich die besorgte Stimme meiner Mutter, die sich erkundigte, warum ich seit über sechs Monaten nicht mehr bei ihnen erschienen war. Ich ging nicht dran. Ließ sie in dem Glauben, ich sei nicht zu Hause. Sollte sie doch annehmen, ich müsste so viel arbeiten, dass ich sie nicht besuchen konnte. Das würde sie mehr trösten, als wenn ich ihr die ganze Wahrheit erzählen würde.

Erneut richtete ich meine Aufmerksamkeit auf den Umschlag. Ich öffnete ihn und fand bestätigt, was ich bereits wusste. Es war eine Hochzeitseinladung. Priscila lud mich zu ihrer Hochzeit ein, die in einem Monat in der Kirche Nossa Senhora do Brasil stattfinden würde, ein paar Blocks von meiner Wohnung entfernt.

Ich zögerte nicht lange, warf die Einladung auf den Tisch und verließ die Wohnung, um einen trinken zu gehen.

# 40

Erst am nächsten Tag kam ich wieder nach Hause. Mit dem wenigen Geld, das mir noch geblieben war, hatte ich eine Nutte dazu überredet, mit mir eine Nacht in einem fünftklassigen Hotel in der Nähe der Rua da Consolação zu verbringen.

Ich war noch immer betrunken und sehr müde. Deshalb streifte ich lediglich die Schuhe ab und legte mich auf das Sofa, doch mein Schlaf sollte nicht lange dauern.

Vom Klingeln des Telefons aufgeschreckt, schaute ich auf die Uhr, fünf Uhr nachmittags.

„Hallo", murmelte ich schlaftrunken ins Telefon.

„Eric?".

Sofort erkannte ich die Stimme.

„Ja!", antwortete ich und fragte: „Klaus?"

„Ja, ich bin's, Eric. Habe ich dich geweckt? Oder habe ich mich bei der Berechnung der Zeitverschiebung geirrt?"

„Nein! Es ist fünf Uhr nachmittags."

„Ah ja! Davon bin ich ausgegangen."

„Wie geht es dir? Was veranlasst dich dazu, nach so langer Zeit anzurufen? Ist irgendetwas passiert?"

„Mehr oder weniger. Ehrlich gesagt, habe ich lange darüber nachgedacht, ob ich dich anrufen soll."

„Jetzt rede schon!", sagte ich aufgeregt und besorgt. „Die Dinge passieren nicht mehr oder weniger!"

„Erinnerst du dich, dass du sagtest, ich könnte dich anrufen, wenn ich irgendetwas brauchen würde?"

„Natürlich!"

„Ich stecke in Schwierigkeiten. Doch weil wir so lange nichts voneinander gehört haben, habe ich gezögert, ich hatte Zweifel, fand es nicht gerechtfertigt, nur anzurufen, weil ich Hilfe benötige, aber Gisele hat mich überredet und…"

„Nun mal raus mit der Sprache! Was ist das Problem?"

„Es ist Gisele."

„Was ist mit Gisele?"

„Sie ist schwanger!"

„Uff! Nur das. Ich dachte schon, es wäre etwas Schlimmes."

„Findest du das etwa nicht schlimm?", fragte Klaus überrascht.

„Natürlich nicht!", antwortete ich erleichtert.

„Du bist Spitze, Eric", fuhr Klaus fort, „hier war das alles ein riesiges Problem. Wir dachten, es wäre das Beste, es gleich ihren Eltern zu erzählen, dachten, sie würden gut reagieren, aber nein. Sie haben sich ziemlich aufgeregt. Seu Manuel sagte, dass Heirat die einzige Möglichkeit wäre, den Fehler wiedergutzumachen. Wir haben ihm erklärt, dass wir jetzt nicht heiraten wollten. Da hat er gesagt, dass er keine ledige schwangere Tochter unter seinem Dach akzeptieren würde. Er hat unangenehme Dinge über meinen Vater und meine Mutter gesagt, Dinge, die ich nie erwartet hätte. Er sagte, dass er nicht einmal eine traditionelle Hochzeit mit seiner Tochter gutheißen würde, da ich aus einer zerrütteten Familie käme und er seine Tochter nicht mit jemandem wie mir verheiratet sehen wollte."

„Wahnsinn! Ich dachte nicht, dass Manuel so altmodisch wäre."

„Ist er aber. Da wir darauf bestanden, weiterhin zusammenzubleiben, hat er Gisele rausgeworfen, hat gesagt, dass er keine alleinstehende Mutter in seinem Haus duldete und dass ich sie unterhalten sollte. Sie und unser Kind."

„Weiß dein Vater schon Bescheid?"

„Ich habe in Japan angerufen. Er hat nur gesagt „Super!" und mich gefragt, ob ich von jetzt an mehr Geld benötigen würde."

„Wenigstens hat er gut reagiert. Findest du nicht?"

„Ich hatte etwas anderes von ihm erwartet. Seit er weggegangen ist, in derselben Woche, in der auch du abgereist bist, hat er sich nicht mehr bei mir blicken lassen. Er ruft alle zwei Monate an und das war's dann auch. Manchmal rufe ich ihn an, um zu erfahren, wie es ihm geht."

„Wahrscheinlich ist er sehr beschäftigt!", versuchte ich die Wut über den Vater, die in Klaus Worten durchklang, zu beschwichtigen.

„Oder mit der Frau. Schließlich arbeitet er nur drei Tage die Woche. Doch das tut nichts zur Sache. Gisele wohnt jetzt bei mir, und Seu Manuel hat sie nicht nur hinausgeworfen, sondern auch noch in der Churrascaria entlassen. Er hat ihr bezahlt, was ihr zustand und ihr wie einer x-beliebigen Angestellten gekündigt."

„So etwas. Wie kann er das mit der eigenen Tochter tun?"

„Er hat es getan. Wir sind in meiner Wohnung, aber noch weiß ich nicht, wie wir zurechtkommen und für das Baby sorgen sollen. Giseles Mutter hat versucht, sich einzumischen und uns zu helfen, aber Seu Manuel hat das nicht akzeptiert. Ich kann mit dem Taschengeld meines Vaters keine Familie ernähren, das wäre lächerlich."

„Hast du noch keinen Job gefunden?"

„Ehrlich gesagt, habe ich noch gar nicht gesucht, ich wollte zuerst mein Studium abschließen. Und so wie es aussieht, werden die Dinge selbst mit Abschluss nicht ganz einfach sein."

„Warum nimmst du das Angebot deines Vaters, dein Taschengeld zu erhöhen, nicht an? Zumindest bis zum Ende deines Studiums."

„Schon das Geld für das Studium habe ich nur ungern genommen. Stell dir vor, er müsste meine Frau und mein Kind unterstützen! Das ist definitiv nicht das, was ich will."

„Entschuldige Klaus, versteh mich nicht falsch, ich möchte dir wirklich helfen, aber was kann ich tun?"

„Ich weiß nicht. Aber ich dachte, dass es mir bereits helfen würde, mit dir zu sprechen, ich musste einfach alles loswerden. Wer weiß, vielleicht hast du eine Idee."

„Habe ich!"

„Ernsthaft?"

„Ernsthaft! Ich mache dir ein paar Vorschläge: Du lebst vom Geld deines Vaters und suchst dir schnellstens einen Job oder du heiratest Gisele, wie es ihr Vater, der Spaßvogel befiehlt, dann bittest du Manuel um Hilfe, Gisele bekommt ihre Arbeit zurück und wer weiß, vielleicht besorgt er auch dir einen Job in der Churrascaria oder, dritte und letzte Option, ihr kommt nach Brasilien, wohnt hier in meiner Wohnung und ich besorge dir eine Stelle", schlug ich übermütig vor, ohne sicher zu sein, ob ich das, was ich gerade versprochen hatte, würde erfüllen können.

„Du bist wirklich lustig, Eric. Für dich ist alles einfach. Bist du verrückt geworden?"

„Hör mal, ich lebe allein, die Wohnung ist groß und ich verspreche dir einen Job. Darüber hinaus werden wir eine Zeit zusammen verbringen, du, Gisele, das Baby und ich. Ihr sprecht perfekt Portugiesisch, hättet nicht das geringste Problem, euch einzugewöhnen. Ich schicke euch die Tickets. Wann wollt ihr kommen?"

„Du bist echt verrückt!"

„Im wievielten Monat ist sie?"

„Schon fast im dritten. Glaub' ich zumindest!"

„Also dann lass uns Folgendes tun: Ich schicke euch die Tickets, ihr bleibt zwei Monate hier und dann überlegt ihr euch, ob ihr zurückgeht oder nicht. Wer weiß, vielleicht finden wir eine Lösung. Solltet ihr nach den zwei Monaten zurückkehren wollen, habt ihr wenigstens ein bisschen Urlaub gehabt und die erhitzten Gemüter abgekühlt. Sobald ihr hier seid und vorausgesetzt, dass ihr einverstanden seid, rufe ich selbst Manuel an und unterhalte mich ein bisschen mit ihm. Momentan ist er über den Aufenthaltsort seiner Tochter informiert, aber wenn ihr ohne Bescheid zu geben nach Brasilien kommt, macht er sich vielleicht Sorgen. Er wird Gisele vermissen und den Fehler erkennen, den er begangen hat."

„Ich weiß nicht…"

„Zwei Monate gehen schnell vorbei, hier könntet ihr überlegen, wie es weitergehen soll, ohne dass sich jemand einmischt."

„Ich muss mit Gisele sprechen", sagte Klaus zögernd.

„Dann sprich mit ihr und gib mir eine Antwort."

„Ehrlich gesagt, habe ich Angst vor ihrer Antwort, Gisele kommt manchmal auf verrückte Ideen, so wie ich sie kenne, nimmt sie den Vorschlag noch an."

„Du bist derjenige, der sehr ängstlich ist. Du denkst zu viel über alles nach. Es ist überhaupt kein Problem, wäre ein Ausflug, damit ihr in aller Ruhe darüber nachdenken könnt. Wer weiß, ob Manuel, ist seine Tochter erst einmal weit weg, nicht doch seine Meinung ändert."

„Wohl kaum. Aber ich rufe dich morgen an, in Ordnung?"

„Ich werde eure Ankunft sehnsüchtig erwarten."

„Vielen Dank, Eric. Eine Umarmung."

„Dir auch."

Nervös stand ich auf, nach dem Gespräch konnte ich nicht mehr schlafen. Es kam mir vor, als hätte man mir eine Portion Mut verpasst, der meinen Körper und meine Adern durchflutete. Ich fühlte mich wie ein echter Vater, der die Nachricht erhalten hat, dass er Großvater wird. Ich konnte die Freude nicht für mich behalten. Zuerst dachte ich daran, Priscila anzurufen und ihr von der Neuigkeit zu berichten, doch dann fiel mir rechtzeitig ein, dass das keine gute Idee war, egal, wie gut die Nachricht wäre. Jetzt konnte ich nichts tun, als auf Klaus' Anruf zu warten. Die Würfel waren geworfen, wer weiß, vielleicht würden sie meine Einladung annehmen. Dann könnte ich dazu beitragen, ihr Problem zu lösen, das im Vergleich zu meinem klein schien, und sie würden mir dabei helfen, meinem Leben eine neue Richtung zu geben.

Die momentane Freude wurde jedoch bald von Sorgen überschattet. Was würde ich tun, wenn sie kämen? Es ging mir mies. Ich hatte nichts zu Hause, was ich ihnen anbieten konnte. Auch war mein Ansehen so tief gesunken, dass ich ihm nicht wie versprochen eine Stelle besorgen konnte. Dies waren meine neuen Sorgen, sollten Klaus und Gisele die Einladung annehmen. Einen Augenblick wünschte ich mir, dass sie es nicht täten, doch gleich darauf merkte ich, dass ich das nicht wirklich wollte. Ich musste ein paar Vorkehrungen treffen, damit sie nicht bemerkten, was für ein Leben ich führte.

Ich begann damit, mich zu rasieren. Nach einem ausgiebigen Bad suchte ich einen nahegelegenen Herrenfriseur auf und ließ mir von dem letzten Kleingeld, das ich in der Tasche hatte, die Haare schneiden. Jetzt musste ich eine Lösung finden, um meine Gäste empfangen zu können und, was noch viel schlimmer war, das versprochene Geld für die Tickets aufzutreiben.

# 41

Gespannt erwartete ich Klaus' Anruf. Selbst die Hochzeitseinladung auf dem Tisch verdarb mir die Freude nicht ganz. Als das Telefon gegen Abend läutete, war ich sicher, dass er es war. Seit Tagen hatte ich, abgesehen von den Beschwerden meiner Mutter, keinen Anruf erhalten.

„Klaus?", fragte ich sofort, nachdem ich abgehoben hatte.

„Ja. Woher wusstest du das?", fragte er erstaunt.

„Intuition… Das heißt… Ich habe deinen Anruf heute erwartet", fuhr ich etwas geistlos fort. „Aber erzähl mal, hast du mit Gisele gesprochen?"

„Hab ich! Und ich weiß nicht, ob das gut oder schlecht war, aber sie hat sofort zugesagt."

„Wie wundervoll! Und wann kommt ihr?"

„Eric, ich habe nachgedacht… Ich habe noch etwas Taschengeld übrig, von dem ich die Hinflüge kaufe. Vielleicht habe ich nicht genug Geld, um in Brasilien zurechtzukommen und für den Rückflug, aber den Hinflug hat Gisele bereits reserviert. Giseles Ausweis ist noch zwei Jahre gültig, also können wir problemlos reisen. Ich gehe davon aus, dass wir nächste Woche kommen, aber ich rufe dich noch an, um dir Bescheid zu sagen. Und noch einmal vielen Dank!"

„Du brauchst dich nicht zu bedanken. Stell dir einfach vor, ihr macht Ferien. Und denk daran, hab keine Angst vor nichts. Selbst nicht davor, manchmal Angst zu haben. Wir alle haben das. Oder hast du schon vergessen, wie lange ich gebraucht habe, bis ich mich getraut habe, dich anzusprechen?"

„In Ordnung, Eric. Und nochmals vielen Dank. Bis dann."

„Bis dann. Grüße."

„Dir auch", antwortete Klaus und legte auf.

Jetzt überkam mich die Angst. Ich hatte kein Geld, um meinen vermeintlichen Sohn und seine schwangere Freundin zu empfangen. Dass sie kamen war sicher, doch ich musste ihnen einen gewissen Komfort bieten, während sie bei mir waren. Was in diesem Moment nicht möglich gewesen wäre, nicht einmal, wenn ich all meine Bücher verkauft hätte. Auch war ich nicht bereit, mich im Tausch gegen ein paar Münzen, die die Antiquariate boten, aller wichtigen und seltenen Werke zu entledigen. Vielleicht das Auto. Nein! Ich würde es brauchen, um den beiden ein bisschen von meiner Stadt zu zeigen. Es wäre nicht angenehm, mit einer Schwangeren in Bus und Taxi spazieren fahren zu müssen.

Mir blieb nur eine Möglichkeit. Ich musste ein Darlehen aufnehmen. Es gab nur drei Menschen, die ich darum bitten konnte. Meinen Vater. Aber der kam nicht in Betracht, ich würde ihm die ganze Geschichte mit Klaus erklären und darüber hinaus noch Rechenschaft ablegen müssen, wo das Geld geblieben war, das ich mit meinen Büchern verdient hatte. Was am schwierigsten wäre, da selbst ich es nicht wusste. Oder besser gesagt, eigentlich wusste ich es, zog es jedoch vor, so zu tun als ob nicht. Priscila. Es wäre nicht in Ordnung, sie anzurufen und sie darum zu bitten, mir Geld zu leihen, ohne dass sie Fragen stellte. Dadurch würde sie erfahren, was ich durchmachte, außerdem war der Termin für die Hochzeit festgelegt, sie war mit Vorbereitungen beschäftigt, es wäre nicht in Ordnung. Wenn sie mir welches liehe, dann aus reinem Mitleid. Mir blieb nur noch ein Ausweg. Alex. Ich würde den Abend abwarten und ihn zu Hause anrufen, damit ich ihn nicht bei der Arbeit störte.

Um acht Uhr abends, Alex war sicher bereits zu Hause, beschloss ich, anzurufen.

„Hallo!", Alex selbst war am Telefon.

„Alex?", fragte ich, obwohl ich genau wusste, dass er es war.

„Eric? Wie geht's? Schon lange nichts mehr gehört!"

„Alex…", sagte ich und machte eine Pause. „Ich brauche Hilfe!"

„Endlich ist dir das bewusst geworden!", sagte er ironisch.

„Es ist nicht die Art Hilfe, die du denkst. Eigentlich brauche ich Geld!"

„Hm, ich weiß nicht, ob wir zurzeit mit einer neuen Arbeit von dir etwas erreichen können. Wir müssen Gras über die Sache wachsen lassen, dann kann ich vielleicht den Verleger überzeugen, erneut etwas von dir zu veröffentlichen."

„Ich habe keine neue Arbeit fertig. Ich brauche jemanden, der mir Geld leiht."

„Ich weiß... Wie viel benötigst du?"

„Mein Sohn kommt mit seiner schwangeren Freundin hierher, ich bin in einer beschissenen Situation, hab nichts zu Hause, um sie gebührend zu empfangen, es sei denn, ich bekomme von irgendwoher Geld für das Nötigste. Dabei wäre es mir lieb, wenn sie nicht erfahren würden, in welcher Situation ich mich befinde."

„Diese Geschichte steckt ja voller Überraschungen. Hast du schon mal darüber nachgedacht, dass all das ein gutes Buch ergeben würde?"

„Ich meine es ernst, Alex. Sie werden zwei Monate hier Urlaub machen und wenn alles gut läuft, bleiben sie vielleicht für immer."

„Zwei Monate? In Ordnung! Nimm es mir nicht übel, Eric, ich kann dir das Geld für zwei oder drei Monate leihen, ohne, dass sie etwas über deine aktuelle Situation erfahren, aber danach? Sollten sie wirklich für immer bleiben, dann ist das Wahnsinn."

„Ich weiß! Ich bitte dich auch nicht darum, meine Familie zu unterhalten. Ich habe vor, ein neues Buch zu schreiben. Wenn du mir hilfst, es zu veröffentlichen, kann ich dir das Darlehen zurückzahlen."

„Hast du diesen Jungen tatsächlich angenommen? Dann herzlichen Glückwunsch, dass du Großvater wirst."

„Du und deine Ironie. Sie sind jetzt meine Familie."

„Eric, du hast eine Familie. Vater und Mutter. Erinnerst du dich?"

„Ich weiß. Aber mit Klaus ist es anders. Langsam verstehen wir uns und das ist sehr wichtig für mich."

„In Ordnung. Deine Kontonummer habe ich noch, du musst mir nur sagen, wie viel du brauchst, dann überweise ich das Geld."

„Ungefähr fünftausend? Ist das möglich?"

„In Ordnung!"

„Ich wollte dich noch um etwas anderes bitten."

„Schieß los, Eric!"

„Sollten sie sich entscheiden, hierzubleiben, könntest du mir dann behilflich sein, einen Job für Klaus zu finden? Er spricht fließend Portugiesisch und studiert Werbung, will sich auf Grafikdesign spezialisieren."

„Eric. Du weißt, dass das nicht genug ist. Außerdem kenne ich den Jungen nicht einmal, auch wissen wir nicht, ob er tatsächlich bleiben wird. Lass uns später darüber sprechen, ok?"

„In Ordnung. Danke, Alex. Und keine Sorge. Du bekommst dein Geld zurück."

„Mach dir darüber keine Gedanken, Eric. Ich verdanke dir viel, was meine Karriere betrifft, und außerdem sind wir Freunde. Erinnerst du dich? Doch denk über ein neues Buch nach. Du kannst das. Da bin ich sicher. Lass dich nicht unterkriegen und sieh zu, dass du mit dem Trinken langsam machst."

„Warum? Woher weißt du…?"

„Eric. Wir sind Freunde. Vergiss das nicht. Ich weiß, was zurzeit in dir vorgeht. Lass dich nicht unterkriegen."

„Noch einmal, danke, Alex."

„Mach dir keine Sorgen. Und stell mir den Jungen vor, wenn er hier ist."

„Natürlich. Bis dann."

## 42

Die Tage vergingen langsam. Aufgeregt wartete ich auf einen Anruf von Klaus, der nicht erfolgte. Die ganze Zeit über saß ich in der Wohnung, allerdings trank ich auch nicht, als Ausgleich dafür zündete ich mir eine Zigarette nach der nächsten an. Das Haus verließ ich nur, um mit dem von Alex geliehenen Geld ein paar Einkäufe zu tätigen.

Nach zwei Wochen meldete sich Klaus erneut.

„Eric?", fragte er, sobald ich den Hörer abnahm.

„Ja! Klaus?"

„Wir fliegen morgen Abend und kommen Samstagmorgen in São Paulo an. Könntest du uns am Flughafen abholen?"

„Na klar! Um wie viel Uhr?"

„Wir werden voraussichtlich um neun Uhr morgens in Guarulhos landen."

„Ich werde um acht da sein", sagte ich voller Vorfreude.

„Wir sehen uns Samstag. Bis dann", erwiderte Klaus, ohne das geringste Anzeichen von Aufregung oder Begeisterung, und legte auf.

Sobald am Samstagmorgen um halb fünf das Telefon klingelte, sprang ich aus dem Bett. Erschrocken nahm ich ab. Es war der automatische Weckdienst, den ich selbst am Vorabend programmiert hatte. Ich duschte und zog sportliche Kleidung an. Als ich ins Auto stieg, verglich ich die Uhrzeit, sechs Uhr – ich hatte genug Zeit, um den Flughafen zu erreichen. Doch als ich versuchte, den Wagen zu starten, sprang er nicht an, was mich nicht wunderte, schließlich hatte ich ihn sechs Monate nicht aus der Garage geholt. Ich versuchte es noch ein paar Mal, nichts tat sich. Beinahe hätte ich ein Taxi gerufen, doch Seu Antônio erklärte sich sofort dazu bereit, mir zu helfen, nachdem er die vergeblichen Anlassversuche gehört hatte. Er klemmte irgendwelche Kabel an die Batterie seines 1981er Opel Chevette, dann lud er die Batterie meines Autos fast eine halbe Stunde lang auf. Es fühlte sich ungewohnt an, seit Monaten war ich nicht mehr gefahren, trotzdem war ich um sieben Uhr vierzig am Flughafen.

Da der Flug Verspätung hatte, wartete ich beinahe drei Stunden. Klaus und Gisele waren die letzten, die durch die Tür der Ankunftshalle für internationale Flüge kamen. Sobald Gisele mich entdeckt hatte, beschleunigte sie ihren Schritt und umarmte mich lange, gleich danach kam Klaus, der mich mit einem Händedruck begrüßte.

„Hattet ihr eine gute Reise?", erkundigte ich mich.

„Ja. Alles prima", antwortete Gisele.

„Was haltet ihr davon, einen Kaffee zu trinken?"

„Super Idee", sagte Gisele.

„Freut ihr euch auf die Ankunft des Erben?", fragte ich und lächelte.

„Erbe von was?", gab Klaus ernst zurück.

„Das ist nur so eine Redensart…"

„Wie du siehst, ist er wie immer", sagte Gisele, „er hat sich nicht verändert."

„Geht es dir gut? Verläuft die Schwangerschaft problemlos?", fragte ich Gisele, um das Thema zu wechseln.

Gisele sprach begeistert von der Schwangerschaft und den Plänen für das Kind, während wir in einer Snackbar in der Eingangshalle des Flughafens einen Kaffee tranken. Ich hörte ihr aufmerksam zu und stellte Fragen, die sie breitwillig beantwortete, während Klaus schweigsam das Treiben um uns herum beobachtete.

Ich bezahlte die Rechnung, dann verließen wir die Halle Richtung Parkplatz. Auf dem Weg nach Hause versuchte ich, ihnen so viele Dinge und Orte wie möglich zu zeigen und erzählte ihnen ein bisschen über die Geschichte und den Alltag São Paulos. Gisele kannte bereits einige Sehenswürdigkeiten, auch die Mehrheit der Churrascarias am Ufer des Tietê. Und ab und zu, wenn wir an einem dieser Restaurants vorbeifuhren, machte sie eine Bemerkung über die Vorlieben ihres Vaters.

Als wir schließlich in meiner Wohnung ankamen, bewunderte Gisele die Räume und ihre Einrichtung, ungezwungen begutachtete sie alle Zimmer und machte Komplimente, während Klaus noch immer stocksteif an der Tür zum Wohnzimmer stand.

Ich zeigte ihnen ihr Zimmer, half ihnen mit den Koffern, danach saßen wir im Wohnzimmer und unterhielten uns eine Weile, bis wir beschlossen, Mittagessen zu gehen.

Ich spazierte mit ihnen in eine nahe gelegene Churrascaria in der Avenida Rebouças, um ihnen ein bisschen von der Gegend, in der ich wohnte, zu zeigen. Gisele gefiel alles, die Straßen, die Leute, die Bedienung, vor allem das Restaurant. Ich erklärte, dass wir uns in einem der Nobelviertel São Paulos befanden und nicht alles in Brasilien so wäre, wie sie es hier sah. Mit ihrer Digitalkamera hielt Gisele alles fest, was ihr anders vorkam. Während des Mittagessens unterhielten wir uns angeregt, ich sprach über die sozialen Unterschiede und die Probleme, mit denen man in unserem Land konfrontiert war. Nach einer Weile beteiligte sich auch Klaus freier an der Unterhaltung. Als ich die Rechnung bezahlte, war es bereits nach achtzehn Uhr. Gleich vor dem Restaurant nahmen wir ein Taxi und ließen uns zum Ibirapuera Park bringen. Wir setzten uns auf eine der Rasenflächen am Ufer des Sees und unterhielten uns, bis es dunkel wurde. Ich erzählte Klaus, dass ich hier, genau an diesem Ort, vor zweiundzwanzig Jahren seine Mutter kennengelernt hatte. Ich berichtete von der Show, die wir uns angesehen hatten und fuhr mit der Geschichte fort. Kein Detail ließ ich aus, vom Tag, an dem wir uns kennenlernten, bis zu ihrer Abreise nach Italien. Ich merkte, dass er ergriffen war. Schweigend beobachtete Gisele die Szene, sie schien von allem, was ich sagte, berauscht zu sein. Dann umarmte ich Klaus väterlich, wie ich es nie zuvor getan hatte, drückte seinen Kopf an meine Brust und ohne ihn anzuschauen, spürte ich, dass er das Weinen verbergen wollte, wie ein schutzloses Kind, das eine Zuflucht findet. Gisele beobachtete uns und streichelte liebevoll über den Kopf ihres Freundes. Sie verstand diesen Moment und schien genauso glücklich zu sein wie ich. Zum zweiten Mal fühlte ich, dass Geovanna anwesend war, als würde auch sie uns glücklich aus der Ferne beobachten. Wir umarmten uns einige Minuten, bis Klaus sich wieder gefasst hatte. Diese Augenblicke versetzten mich in eine geistige Retrospektive über mein Leben. Die Gedanken an den Tag, an dem ich Geovanna in genau diesem Park kennengelernt hatte, an Priscila, meinen Aufenthalt in Deutschland und sogar an den Misserfolg meines letzten Buches traten in diesem Moment ans Licht.

„Du hast Geovanna wirklich geliebt", stellte Gisele fest und brach den Zauber dieses Augenblicks, was Klaus dazu nutzte, sich langsam von mir zu lösen.

„Ja! Ich liebe sie. Und irgendwie, auch wenn ich weiß, dass Klaus nicht mein Sohn ist, empfinde ich allein deshalb eine besondere Zuneigung für ihn, weil er ihr Sohn ist."

„Vergiss nicht, dass wir nicht sicher wissen, ob er tatsächlich nicht dein Sohn ist", gab Gisele zurück, woraufhin Klaus blass wurde.

„Lasst uns gehen", sagte Klaus und erhob sich so unnahbar wie immer.

Wir aßen einen Snack in der Nähe des Parks, dann fuhren wir mit einem Taxi nach Hause. Da wir alle erschöpft waren, sprachen wir kaum während der Fahrt, doch Gisele nutzte jeden Halt des Taxis, um irgendetwas zu fotografieren.

In den darauffolgenden zehn Tagen fühlte ich mich so glücklich wie seit langem nicht mehr. Klaus wurde jeden

Tag lockerer. Wir wachten auf, Gisele bereitete das Frühstück vor, wir unterhielten uns ausgiebig, hörten Musik, aßen in Restaurants zu Mittag und unternahmen viele Ausflüge in die Stadt. Ein paar Mal kochten wir abends zusammen und amüsierten uns von den Vorbereitungen bis zum Essen köstlich dabei. Jedes Mal, wenn ich versuchte, in der Küche das Kommando zu übernehmen, fiel das Ergebnis nicht wie gewünscht aus, wie wir dank der Kochserien im Vorabendprogramm unschwer erkennen konnten. Trotzdem gab es immer einen Anlass, in Gelächter auszubrechen. Kümmerte sich Gisele um das Kochen, gelang alles perfekt. Klaus war jetzt viel spontaner und teilte die glücklichen Augenblicke mit uns. Während eines dieser Abendessen fragte mich Gisele etwas, von dem ich seit Tagen ahnte, dass es sie interessierte:

„Eric! Wie geht es Priscila? Ich dachte, wir würden uns mit ihr treffen. Aber du hast in all diesen Tagen nicht einmal ihren Namen erwähnt."

„Stimmt", ich holte Atem. „Ehrlich gesagt, sind wir nicht mehr zusammen. Seit unserer Rückreise. Und wenn wir schon dabei sind, sie wird morgen heiraten. Sieh mal", fügte ich hinzu und schob Gisele die Einladung über den Tisch. „Sie würde sich freuen, wenn ihr zu ihrer Hochzeit kämt."

„Wirklich?", fragte Gisele interessiert. „Gut, das ist ein Zeichen, dass ihr weiterhin Freunde seid."

„Das stimmt. Wir sind gute Freunde geworden", log ich.

„Wenn es dir keine Umstände bereitet, würde ich sehr gerne hingehen. Was meinst du, Klaus?", fragte Gisele.

„Ich weiß nicht! Wir sind nicht eingeladen."

„Also dann abgemacht. Morgen gehen wir zu Priscilas Hochzeit. Sie wird begeistert sein, euch zu sehen", sagte ich und versuchte, meine Enttäuschung über das bevorstehende Ereignis zu verbergen.

# 43

Die Kirche war voll. Auf Giseles Drängen hin waren wir früh gekommen und ergatterten einen guten Platz in der vierten Bank, nahe dem Altar. Gleichgültig begrüßte ich ein paar Bekannte von der Zeitung und mehrfach versuchte ich, den Blicken des Brautvaters auszuweichen. Seu Rodolfo war definitiv nicht glücklich, mich zu sehen.

Der Bräutigam wartete bereits vor dem Altar und alle Plätze waren besetzt, als der etwas vom traditionellen Rhythmus abweichende Hochzeitsmarsch begann, der von einem echten Orchester, das unauffällig im Seitenschiff positioniert war, gespielt wurde.

Priscila war wunderschön. Ich fühlte einen Anflug von Neid, als ich sah, wie sie der Bräutigam, genau wie ich, mit offenem Mund anstarrte.

Gelassen schritt die Braut durch den Mittelgang und jedes Mal, wenn sie eine Bankreihe passierte, blickte sie zu den Gästen auf beiden Seiten. Als sie an uns vorbeikam, bemerkte ich, wie überrascht sie war, Klaus und Gisele zu sehen, die ihren Einzug bewundernd verfolgten. Auch mir warf sie einen kurzen Blick zu, eine Sekunde, als wäre die Zeit stehen geblieben, dann drehte sie sich schnell zur Bank auf der anderen Seite und begrüßte die Gäste, erneut mit einem Lächeln im Gesicht.

Der Gottesdienst war kurz – zumindest für mich, der ich Priscila gerne noch länger bewundert hätte. Nach dem Kuss ging das Hochzeitspaar langsam durch den Mittelgang auf das Hauptportal zu, gefolgt von Trauzeugen und Eltern. Noch einmal spürte ich den Blick des alten Rodolfo auf mir. Als wollte er mich fragen, was ich hier zu tun hätte. Vielleicht wusste er nicht, dass ich eingeladen war.

Zusammen mit der Gästeschar verließen wir die Kirche. Nach und nach stiegen die Leute in ihre Autos, die von einer ganzen Mannschaft von Chauffeuren, die für das Ereignis engagiert worden waren, vorgefahren wurden. Wir saßen bereits im Wagen, als Priscila aus einem Rolls Royce Baujahr 1937 Gisele herbeiwinkte, die sofort zu ihr lief.

„Was war los?", fragte ich, sobald Gisele zurückgekehrt war.

„Priscila ist wirklich sehr nett. Sie wollte mir sagen, dass sie großen Wert auf unsere Anwesenheit beim Empfang legt."

„Empfang?", fragte ich.

„Genau! Die Hochzeitsfeier", sagte Gisele lebhaft, „hast du nicht gesehen, was der Einladung beilag?"

„Um ehrlich zu sein, nein!", antwortete ich.

„Hier!", sagte Gisele und zog ein Stück Papier aus der Handtasche. „Der Hochzeitsempfang findet im Festsaal eines Hotels statt, das, wie es aussieht, ganz in der Nähe liegt. Fahren wir?"

Wir fuhren zum Hotel, nur wenige Minuten von der Avenida Brasil entfernt. Wie schon vor der Kirche wartete ein großes Team des Parkservice an dem für die Gäste reservierten Eingang. Obwohl mehrere Fahrzeuge gleichzeitig eintrafen, musste niemand auch nur eine Sekunde warten, bis die Türen vornehm aufgehalten wurden.

Am Eingang des Saals wurden wir von einem höflichen Herrn empfangen, der uns sofort einen Tisch für vier Personen zuwies. Mit einem schnellen Blick durch den Saal stellte ich fest, dass wesentlich mehr Gäste anwesend waren als in der Kirche. Bekannte Persönlichkeiten aus der Musikwelt, Künstler, Politiker, Journalisten, Großunternehmer und sogar der Gouverneur des Bundesstaates waren zugegen, außerdem ein paar Angestellte der Zeitung und junge Praktikanten.

Eine Stunde, nachdem das Fest begonnen hatte, wurden die Lichter gedimmt und das Hochzeitspaar trat durch die sich jetzt öffnende Haupttür. Eine Band, die auf einer kleinen Bühne am Ende des Saals hinter der Tanzfläche platziert war, begann leise, eine sanfte Melodie zu spielen. Die Brautleute wendeten sich den Tischen zu und begrüßten nach und nach jeden einzelnen Gast. Da wir an einem entfernten Tisch saßen, rechnete ich aus, dass wir in ungefähr zwei Stunden von dem Hochzeitspaar begrüßt werden würden.

Doch bereits eine Stunde später kamen Priscila und der Bräutigam an unseren Tisch.

„Gisele, Klaus! Was für eine angenehme Überraschung!"

„Wir verbringen ein paar Tage in Brasilien", sagte Gisele und stand auf, um die Braut zu küssen. „Für uns ist es auch eine angenehme Überraschung. Herzlichen Glückwunsch."

„Danke. Das ist Marcos. Von heute an mein Ehemann", sagte Priscila lächelnd und schaute unauffällig in meine Richtung. „Wann seid ihr angekommen?"

„Vor zwei Wochen. Und ich habe noch eine Überraschung für dich", antwortete Gisele.

„Tatsächlich? Und welche?"

„Ich bin schwanger!"

„Schwanger? Wie wunderbar!"

„Es ist wundervoll. Doch es wäre noch schöner, wenn mein Vater mich nicht hinausgeworfen hätte!"

„Kaum zu glauben, dass dein Vater es gewagt hat, so etwas zu tun!", rief Priscila erschrocken.

„Hat er. Er akzeptiert es nicht, dass ich mit Klaus zusammenlebe, ohne zu heiraten."

„Und warum heiratet ihr nicht?"

„Klaus meint, es ist noch zu früh. Zuerst möchte er das Studium abschließen."

„Dazu kann man schwer etwas sagen. Das müsst ihr beide gemeinsam entscheiden. Doch auf alle Fälle wünsche ich euch viel Glück. Hallo Eric", sagte sie und drehte sich zu mir, um mich zu begrüßen. „Wie ist es dir ergangen?"

„Sch… ich meine, gut! Und dir?"

„Mit geht es bestens. Heute ist der glücklichste Tag meines Lebens."

„Herzlichen Glückwunsch."

„Das ist Marcos. Mein Mann."

„Hallo Marcos. Du kannst dich sehr glücklich schätzen", sagte ich und streckte die Hand aus, um ihn zu begrüßen. Er drückte sie kurz und lächelte wortlos.

„Wie lange habt ihr vor, hierzubleiben?", fragte Priscila und wandte sich wieder Gisele zu.

„Das wissen wir noch nicht. Vielleicht ein oder zwei Wochen. Eric hat sogar vorgeschlagen, dass wir für immer bleiben sollten, doch das ist keine gute Idee, denn ich glaube nicht, dass Klaus das will."

„Priscila! Kann ich dich kurz unter vier Augen sprechen?", unterbrach ich die beiden.

„Ich denke, das wäre geschmacklos. Heute ist mein Hochzeitstag, ich bin die Braut. Ich möchte mich auch bei den anderen Gästen für ihr Kommen bedanken."

Der Bräutigam warf mir einen mürrischen Blick zu. In diesem Augenblick bildete ich mir ein, dass er über Priscila und mich Bescheid wusste.

„Es wird nicht lange dauern. Marcos kann gerne bei uns bleiben. Ich möchte dich nur eine Minute sprechen und zwar nicht über das, was du denkst."

„Jetzt rede mit deinem Freund, Priscila", sagte der Bräutigam und versuchte freundlich zu sein, obwohl seine Verärgerung nicht zu übersehen war.

„Ich würde dich gerne um einen Gefallen bitten!", sagte ich, sobald wir uns vom Tisch entfernt hatten.

„Schieß los, Eric. Wenn ich etwas für dich tun kann."

„Klaus und Gisele machen eine schwierige Phase durch. Giseles Eltern können es nicht akzeptieren, dass die beiden unverheiratet zusammenwohnen. Der Vater von Klaus, du weißt wer, ist mit seiner Freundin irgendwo in der Welt verschwunden. Also habe ich sie nach Brasilien eingeladen und versuche, sie nach Kräften zu unterstützen. Ich habe ihnen sogar vorgeschlagen, hierzubleiben. Aber der Junge ist voller Zweifel und macht sich Sorgen um die Zukunft. Deshalb wollte ich dich fragen, ob du ihm einen Job bei der Zeitung besorgen könntest."

„Hm… Ich weiß nicht, Eric. Deine Bitte kommt etwas überraschend", sagte Priscila und schien erleichtert. „Doch zuerst müssen wir wissen, ob es tatsächlich das ist, was Klaus möchte. Ob er wirklich in Brasilien bleiben wird. Dann sehen wir weiter. Vielleicht kann ich ein Praktikum oder etwas Ähnliches organisieren. Ich weiß es nicht."

„Wenn du helfen könntest, wäre ich dir dankbar."

„Morgen fliegen wir nach Australien. In zwei Wochen bin ich wieder zurück. Sollte er dann immer noch hier sein und wirklich eine Arbeit suchen, reden wir darüber. Ist das für dich in Ordnung?"

„Das ist super. Noch einmal vielen Dank."

Priscila nickte kurz und ging zurück zu den anderen. Sie verabschiedete sich von Gisele und Klaus, dann setzten Marcos und sie ihren Weg von Tisch zu Tisch fort.

„Über was hast du mit ihr gesprochen?", erkundigte sich Gisele.

„Da es ein privates Gespräch war, geht es dich nichts an", warf Klaus ein.

„Ich habe mit Priscila über die Möglichkeit einer Stelle für Klaus gesprochen", antwortete ich.

„Was?" fragte Klaus erstaunt. „Und wer sagt, dass ich einen Job suche? Wer sagt, dass wir in Brasilien bleiben werden? Du solltest keine Entscheidungen für mich treffen, Eric."

„Du hast Recht... Ich habe sie gebeten, eine Stelle zu finden, solltest du dich entscheiden, hierzubleiben. Sie geht auf Hochzeitsreise und wird in zwei Wochen zurück sein. Damit hast du genug Zeit, eine Entscheidung zu treffen."

„Schickst du uns weg?", fragte Klaus und erhob sich.

„Nein! Im Gegenteil. Ich lade euch ein, zu bleiben."

„Heben wir uns das Thema für später auf. Jetzt sollten wir die Party genießen", wandte Gisele ein und schob Klaus bestimmt in Richtung Tanzfläche.

Während Klaus und Gisele sich vergnügten, saß ich allein am Tisch und trank fünf oder sechs Whiskys. Dabei wurde ich von Seu Rodolfo beobachtet, der sich mit den Eltern des Bräutigams einen Tisch teilte.

# 44

Am nächsten Tag wachte ich mit starken Kopfschmerzen auf. Gisele und Klaus waren bereits seit Stunden wach, jetzt saßen sie vor dem Fernseher und sprachen über das Fest.

„Gestern hast du echt nichts ausgelassen, Eric!", sagte Gisele mit einem scherzhaften Lächeln.

„So viele waren es auch wieder nicht!"

„Nein? Du erinnerst dich nicht einmal daran, dass du damit einverstanden warst, dass ich das Auto hole! Wenn es nicht die Wirkung des Alkohols war, was dann? Eifersucht auf Priscilas Hochzeit?", fragte Klaus ironisch.

„Etwas mehr Respekt, wenn ich bitten darf. Vergiss nicht, dass ich alt genug bin, um dein Vater zu sein." Ich wusste, dass diese Antwort ihn von weiteren Scherzen abhalten würde.

„Das war gut!", alberte Gisele, was Klaus noch ärgerlicher machte.

„Gisele, was hältst du davon, wenn wir deinen Vater anrufen und ihm erzählen, dass ihr hier seid?", fragte ich.

„Das hab ich bereits heute Morgen getan, Eric. Er sagte nur „Lass es dir gut gehen", dann hat er aufgelegt. Ich habe gleich darauf wieder angerufen, wollte mit meiner Mutter sprechen, aber er hat sie mir nicht gegeben, mir blieb gerade genug Zeit, um ihn zu bitten, deine Telefonnummer aufzuschreiben, falls etwas wäre oder er meine Mutter anrufen lassen würde."

„Warum heiratet ihr nicht einfach? Es ändert doch nichts!"

„Ich habe schon mit Klaus darüber gesprochen", gab Gisele zurück. „Aber er will nicht. Wahrscheinlich hat er Angst, zu heiraten und es dann zu bereuen. Ich liebe Brasilien, wir könnten in Deutschland heiraten, wo all unsere Verwandten und Freunde sind, und danach in Brasilien leben. Klaus nimmt die Stelle bei der Zeitung von Priscilas Vater an, eine Zeit lang wohnen wir bei dir, natürlich nur, wenn du es erlaubst, bis wir unser Leben eingerichtet haben. Wenn das Kind erst auf der Welt ist, kann ich mir auch einen Job suchen."

„Das halte ich für eine exzellente Idee", sagte ich. „Ich muss zugeben, dass ich es toll fände, wenn ihr bei mir wohnen würdet. Ihr müsst es mit eurer Abreise nicht eilig haben. Die Wohnung ist groß und ich bin allein. Ich liebe es, Menschen um mich zu haben. Und vor allem ein Baby, das wird dieses Haus ein bisschen fröhlicher machen."

„Ihr seid beide verrückt. Bist du dir sicher, dass du früher nichts mit ihrer Mutter hattest?", spöttelte Klaus. „Ihr seid euch sehr ähnlich…"

„Lass meine Mutter aus dem Spiel, du…"

„Nur keinen Streit, Kinder!", unterbrach ich.

„Sieh einer an!", fuhr Klaus fort. „Würden wir hier wohnen, müssten wir es die ganze Zeit ertragen, dass er sich in unser Leben einmischt."

„Nein", erwiderte ich ungeschickt. „Ich wollte lediglich

eine grundlose Diskussion verhindern. Das würde ich bei jedem befreundeten Paar so tun."

„Es hat keinen Sinn, mit ihm darüber zu sprechen, Eric", sagte Gisele.

„Klaus", sagte ich und setzte mich neben ihn. „Du stehst am Anfang deiner beruflichen Karriere und auch deines Lebens. Heirate Gisele und plant eure Zukunft gemeinsam. Egal, ob in Deutschland oder Brasilien. Ihr habt nichts zu verlieren. Auf diese Weise könnte sie mit der Familie Frieden schließen und ihr würdet glücklich zusammenleben. Worin unterscheidet sich das Zusammenleben von der Heirat?"

„Ich habe Angst, dass es schiefgehen könnte. Sollte es schiefgehen und wir leben nur zusammen, kann jeder seinen eigenen Weg gehen. Sind wir verheiratet, ist es viel schwieriger, sich zu trennen."

„Wenn du so denkst, dann liebst du sie nicht. Es macht keinen Unterschied. Auch wenn ihr verheiratet seid, könnt ihr euch trennen. Doch dass jeder seines Weges geht, wird sowieso nicht der Fall sein. Ihr werdet ein gemeinsames Kind haben. Außerdem sollte jemand, der mit jemandem zusammenlebt oder verheiratet ist, nicht darüber nachdenken, ob er sich eines Tages trennen wird oder nicht. Sei ein Mann, Junge, übernimm' Verantwortung für deine Familie. Liebst du dieses Mädchen nicht?"

„Das geht dich nichts an! Du bist nicht gerade die am besten geeignete Person, irgendjemandem Ratschläge zu erteilen."

„Natürlich können meine Enttäuschungen und Erfahrungen, so schlecht sie auch sein mögen, als Beispiel dienen. Aber du musst sie ja nicht beachten und kannst so handeln, wie du es für richtig hältst. Du bist ein Mann und musst entscheiden, was du tun willst. Doch verbring nicht den Rest deines Lebens mit diesem ständigen Zweifeln, das könnte dir schaden und zwar sehr. Wenn du meinen Worten kein Gehör schenken willst, wenn du denkst, dass ich Unrecht habe, mach einfach genau das Gegenteil von dem, was ich gesagt habe. Aber bitte, mach etwas. Warte nicht darauf, dass sich die Dinge auf natürliche Weise entwickeln, denn das wird nicht passieren. Wenn du keine Entscheidung triffst und dein Leben änderst, wirst du sehr frustriert sein, wenn du in mein Alter kommst."

„So wie du?", hakte Klaus erneut ironisch nach.

„Vielleicht. Oder sogar noch schlimmer."

Ich setzte mich an den Tisch, um meinen Kaffee zu trinken. Das Gespräch war beendet, jedoch machte es mich froh zu bemerken, dass Klaus nachdenklich geworden war. Gisele sagte nichts. Mit einem Blick, der Überlegenheit ausdrückte, beobachtete sie die Situation. Der Tag verging ohne größere Diskussionen. Am Nachmittag versuchte ich, ein bisschen zu schreiben und die beiden sahen sich einen Film an. Abends bestellten wir Pizza.

Am nächsten Morgen wirkte Klaus besorgt, nachdenklich. Die Vorstellung, dass unser Gespräch eine Wirkung auf ihn gehabt hatte, machte mich glücklich. Trotzdem beunruhigte mich meine Lage. Das von Alex geliehene Geld neigte sich bereits seinem Ende zu, doch das konnte ich meinen Gästen nicht beichten.

Ich setzte mich neben Klaus, der einen Zeichentrickfilm anschaute, ohne ihm besondere Aufmerksamkeit zu widmen. Freundschaftlich legte ich meine Hand auf seine Schulter und fragte:

„Bist du heute etwas ruhiger, Junge?"

„Ich mache mir Sorgen."

„Worüber?"

„Wir müssen nach Deutschland zurückkehren und ich weiß noch nicht, was tun."

„Ok! Dann fahr zurück und lass Gisele hier. Ich kümmere mich um sie."

„Bist du irre?"

Auch jetzt beobachtete Gisele lediglich die Situation.

„Nein. Wenn du fahren willst, dann fahr. Aber hast du eigentlich schon mal deine Freundin gefragt, was sie denkt? Was sie gerne tun würde? Du kannst nicht alle Entscheidungen für sie treffen, ohne dich darum zu kümmern, was sie denkt. Du verhältst dich wie ihr Vater. Dabei wäre es sogar besser, ihr die Entscheidungen zu überlassen, denn du bist ängstlich, unentschlossen und weißt nie, was du tun sollst. Wer weiß, vielleicht geht es besser für euch aus, wenn du ihr die Lösung des Problems überlässt."

„Wir müssen nach Deutschland zurück, Gisele. Ich werde versuchen, meinen Vater zu erreichen und ihn um etwas Geld für unsere Reise bitten", sagte Klaus verärgert.

„Du musst nicht Papa anrufen. Erinnerst du dich daran, dass ich versprochen habe, eure Rückflugtickets zu kaufen? Morgen werden wir uns darum kümmern. Doch zuvor möchte ich, dass ihr jemanden kennenlernt."

„Wen?", fragte Gisele.

„Einen sehr guten Freund. Der einzige Mensch außer Priscila, der über Klaus und diese ganze Geschichte Bescheid weiß. Er brennt darauf, euch kennenzulernen. Ich werde ihn anrufen und zum Abendessen einladen. Wir könnten eine Lasagne machen, was meinst du, Gisele?"

„Super. Du musst nur die Zutaten besorgen. Den Rest übernehme ich."

Gisele hatte das Essen bereits fast fertig, als die Gegensprechanlage klingelte und Alex ankündigte. Obwohl sie noch sehr jung war, war Gisele eine großartige Köchin. Wahrscheinlich hatte sie ihre Erfahrungen im Restaurant der Familie gesammelt.

„Eric, mein Freund, wie geht es dir?", fragte Alex, sobald ich die Tür öffnete.

„Es geht mir bestens. Ich möchte dir Klaus und Gisele vorstellen, meine deutschen Freunde. Besser gesagt, halb deutsch, halb brasilianisch."

„Hallo Klaus, hallo Gisele, ich freue mich, euch kennenzulernen. Eric hat nur Gutes von euch berichtet", sagte Alex, während er Klaus die Hand drückte und Gisele küsste.

„Hallo. Eric hat ebenfalls sehr gut über Sie gesprochen", sagte Gisele. Klaus beobachtete die Szene schweigsam.

Wir unterhielten uns bis lange nach dem Abendessen. Alex versuchte, mit Klaus über Arbeit und die Möglichkeit, in Brasilien zu bleiben, zu sprechen. Doch dieser antwortete, ganz wie es seine Art war, nur knapp. Unterdessen stellte Gisele Alex Fragen über Brasilien, Bücher, Musik und seine Arbeit als Literaturagent und Verleger.

„Ich glaube, es wird Zeit für mich", sagte Alex und schaute auf die Uhr.

„Warten Sie! Lassen Sie mich diesen Moment festhalten. Stellt euch in die Ecke, ich möchte ein Foto machen", warf Gisele ein, die mit der Kamera in der Hand aus dem Zimmer kam.

Alex zog Klaus mit sich und stellte sich für das Foto zwischen uns.

Es war bereits nach zwei Uhr morgens, als ich Alex zu seinem Auto begleitete und die einzige Möglichkeit, unter vier Augen mit ihm zu reden.

„Alex! Ich brauche noch einmal deine Hilfe."

„Ich hoffe, dass du mehr Geld brauchst", antwortete er und lächelte.

„Woher weißt du das?"

„Ich wusste es nicht. Bin aber froh, dass es wirklich nur das ist. Einen Augenblick dachte ich, du hättest wieder eine deiner verrückten Ideen und würdest mich bitten, dich dabei irgendwie zu unterstützen."

„Nein. Aber ich habe versprochen, ihnen die Rückflüge zu bezahlen. Und leider habe ich bereits kein Geld mehr."

„In Ordnung! Wie viel brauchst du?"

„Genug, um zwei Tickets zu kaufen."

„Keine Ahnung, was ein Flugticket kostet. Ich werde mich erkundigen und dann überweise ich dir etwas mehr Geld auf dein Konto, damit du noch einen oder zwei Monate durchhältst."

„Vielen Dank. Ich weiß nicht, wie ich dir danken soll. Aber du kannst sicher sein, sobald ich in der Lage bin, zahle ich dir alles inklusive Zinsen zurück."

„Mach dir darüber keine Sorgen. Ich habe mehr an deinen Büchern verdient als jeder andere. Was mich ein bisschen ärgert, ist, dass du noch viel mehr verdient hast, mit dem Unterschied, dass ich mit meinem Geld haushalten konnte. Eric, es wäre gut, wenn du darüber nachdenken würdest, wieder zu schreiben. Ich sage das zu deinem eigenen Besten!"

„Vielen Dank, mein Freund."

## 45

Klaus und Gisele schliefen noch, als ich aufwachte. Ich nahm Giseles Digitalkamera, die auf dem Tisch lag, setzte mich an den Computer und wählte das Bild aus, das wir am Vortag gemacht hatten sowie ein weiteres, das ich von Gisele und Klaus im Ibirapuera Park geknipst hatte. Ich druckte die Bilder aus, schnitt sie vorsichtig zu und steckte sie in meine Hemdtasche. Dann legte ich einen Zettel auf den Küchentisch, auf dem stand, dass ich ein paar Probleme lösen müsste und zum Mittagessen wieder zurück wäre.

Während ich durch die Avenida Brás Leme fuhr, dachte ich darüber nach, ob ich das Richtige tat. Ich hielt an einem Bankautomaten, druckte einen Kontoauszug aus und vergewisserte mich, dass Alex die Überweisung bereits getätigt hatte. Es war genug Geld, um wenigstens sechs Flüge nach Deutschland zu kaufen. Dann machte ich mich auf den Weg zu meinen Eltern.

„Hallo Mama, hallo Papa."

„Wo hast du nur gesteckt, mein Junge? Dein Vater und ich haben uns schon Sorgen gemacht, du bist lange nicht vorbeigekommen, hast dich nicht gemeldet, nicht auf meine Anrufe geantwortet", meine Mutter redete, ohne Luft zu holen und umarmte mich dabei.

„Deine Mutter war besorgt. Ich nicht", fuhr mein Vater fort. „Ich habe ihr gesagt, dass du dich nicht blicken lässt, weil du uns nicht brauchst oder uns nicht sehen willst. Aber sie hat sich noch nicht an deine Art gewöhnt. Ich sage ihr immer, dass du ein hoffnungsloser Fall bist und dass du, wenn du bis jetzt keine Vernunft angenommen hast, auch mit vierzig keine mehr annehmen wirst. Doch sie gibt die Hoffnung nicht auf."

„So sind Mütter… Mach dir um mich keine Sorgen, mir geht es gut. Eigentlich wollte ich euch etwas erzählen. Etwas sehr Wichtiges."

„Was für eine Scheiße ist es dieses Mal?", fragte mein Vater mit mürrischem Gesichtsausdruck.

„Wahrscheinlich wird das, was ich zu sagen habe, nur meine Mutter interessieren. Solltest du es hören wollen, in Ordnung, wenn nicht, musst du dich jetzt nur zurückziehen. Solltest du jedoch beschließen zu bleiben und zuzuhören, dann heb dir deine Kommentare und Meinungen bitte auf, bis ich gegangen bin, ok?"

„Das hier ist mein Haus. Und ich werde mich nicht zurückziehen. Wenn du reden willst, rede. Wenn nicht, hau einfach ab."

„Lass ihn einmal im Leben in Ruhe, Mann", sagte meine Mutter ernst. „Rede, mein Sohn."

„Gut, Mama, ehrlich gesagt, ist es eine lange Geschichte. Setz dich hin, dann erzähle ich alles", sagte ich und zog die Fotos aus der Hemdtasche.

Drei Stunden später saßen meine Mutter und ich da und umarmten uns, während wir das Foto von Klaus und Gisele bewunderten. Mein Vater beobachtete uns von der anderen Seite des Wohnzimmers aus und schüttelte den Kopf, als hätte er gerade irgendeinen Unsinn gehört.

„Also heißt das, dass ich bereits Großmutter bin und bald Urgroßmutter sein werde. Warum hast du solange damit gewartet, mir das zu erzählen?"

„Eigentlich habe ich nicht so lange damit gewartet, sondern selbst achtzehn Jahre verbracht, ohne zu wissen, dass ich einen Sohn hatte!"

„Das stimmt! Mein armer Sohn", sagte meine Mutter und betrachtete erneut das Foto auf dem Tisch.

„Du selbst hast gesagt, dass dieses Bürschchen auch nicht dein Sohn sein könnte. Wenn ich ehrlich bin, glaube ich, dass er wirklich nicht dein Sohn ist. Dazu wärst du gar nicht in der Lage. Das einfachste wäre, dass er der Sohn von diesem Deutschen ist. Schau dir nur das Foto an. Er hat blonde Haare", hielt mein Vater entgegen.

„Geovanna hatte auch helle Haare, vielleicht kommt er nach der Mutter", gab meine Mutter verärgert zurück.

„Das stimmt, vielleicht ist er wirklich nicht mein Sohn. Trotzdem versuche ich, mich mit ihm zu verstehen. Allein die Tatsache, dass er Geovannas Sohn ist, reicht aus, ihn zu lieben."

„Du bist ein größerer Idiot als ich dachte", entgegnete mein Vater.

„Eric! Ich würde meinen Enkel sehr gerne kennenlernen, warum bringst du die beiden nicht her?"

„Ich weiß nicht, ob das eine gute Idee ist, Mama. Wie ich bereits sagte, akzeptiert der Junge die ganze Geschichte noch nicht. Und außerdem hat Papa Recht, wir wissen nicht sicher, ob er tatsächlich mein Sohn ist. Außerdem stellt es ein Risiko dar, ihn mit Papa zu konfrontieren. Das könnte die Lage verschlechtern."

„Dein Vater hat keine Ahnung von nichts. Im Grunde bewundert er dich, doch seine Macho-Erziehung verbietet ihm, es zu zeigen. Und selbst wenn der Junge nicht wirklich dein Sohn ist, ist es doch, als wäre er es. Und wenn schon. Mir ist das egal. Um ehrlich zu sein, wäre ich glücklich, einen Enkel zu haben und wenn er mich als Großmutter akzeptieren würde, kann er dein rechtmäßiges Kind sein oder nicht, ich wäre Großmutter und basta."

„Das kannst nur du schaffen, Mama. Er ist ein sehr schwieriger Junge. Ich weiß nicht, wie er darauf reagieren würde, wenn du ihn Enkel nennen würdest."

„Das werden wir nur erfahren, wenn du ihn herbringst. Wer weiß, vielleicht verhält er sich bei mir anders. Vielleicht vermisst er eine Großmutter, die ihn verwöhnt. Du weißt doch, dass die Deutschen etwas unterkühlt sind. Vielleicht braucht er nur ein bisschen Zuneigung."

„Kann sein, Mama! Wir werden sehen. Doch jetzt muss ich gehen. Aber vielleicht bringe ich sie vor ihrer Abreise noch vorbei, damit du sie kennenlernst."

„Geh mit Gott. Und gib meinem Enkel einen Kuss."

Meine Mutter war wirklich wunderbar und nahm mir etwas von der Last, die auf mir lag. Dass ich mir bei ihr Luft machen konnte, tat mir gut, ich fühlte mich leichter. Entspannt fuhr ich zurück nach Hause und dachte an nichts weiter als ihren freudigen Gesichtsausdruck, nachdem sie erfahren hatte, dass sie einen Enkel haben könnte.

Zu Hause angekommen, öffnete ich die Tür und stellte überrascht fest, dass Klaus und Gisele im Wohnzimmer diskutierten.

„Was ist hier los?"

„Otto hat angerufen!", sagte Gisele und trocknete sich die Tränen.

„Ist alles in Ordnung? Was wollte er? Und wie hat er die Telefonnummer herausgefunden?", fragte ich.

„Er ist in Deutschland. Nachdem er uns nicht zu Hause angetroffen hat, ist er in die Churrascaria gegangen und hat nach uns gefragt, meine Mutter hat ihm deine Nummer gegeben. Er sagte, dass er Klaus sehen wollte. Und er war nicht erfreut, zu erfahren, dass wir hier sind. Er sagte, er würde zwei Flugtickets kaufen und morgen anrufen, um uns zu sagen, wann wir abfliegen."

„Und warum hast du geweint?"

„Ich habe nicht geweint!"

„Hast du doch! Ich habe es gesehen."

„Klaus sagte ihm, dass ich darauf bestanden hätte, hierher zu kommen, und dass er gar nicht hier sein wollte. Was nicht stimmt, Eric! Er hat zuerst dich angerufen und um Hilfe gebeten, bevor er mir von deiner Einladung erzählt hat. Erinnerst du dich?"

„Natürlich. Doch vielleicht kann er das vor seinem Papa nicht zugeben. Ein Schlappschwanz wie er kann wirklich nicht mein Sohn sein!"

Sofort zeigte sich ein schüchternes Lächeln auf Giseles verweintem Gesicht.

„Und ich bin wirklich nicht dein Sohn. Und würde es auch gar nicht sein wollen", erwiderte Klaus. „Du bist ein Idiot."

„Vielleicht hast du Recht, Klaus. Wusstest du, dass auch mein Vater mich für einen Idioten hält? Aber diese Frage, ob man ein Idiot ist oder nicht, ist relativ. Sieh mal, für meinen Vater und dich bin ich ein Idiot. Meine Mutter hingegen hält mich nicht für einen Idioten. Und auch deine Mutter hat mich nicht für einen Idioten gehalten", gab ich voller Ironie zurück.

„Ich dich auch nicht", berichtigte Gisele.

„Wenn sie dich verlassen hat..." hielt Klaus entgegen.

„Dafür halte ich dich für einen Idioten", fuhr ich fort, „und auch deinen Vater halte ich für einen. Er lässt dich einfach sitzen, geht mit einer viel jüngeren Frau nach Japan, die sich lediglich für sein Geld interessiert, dann kommt er unangemeldet nach Deutschland und ist wütend, weil er dich dort nicht antrifft. Wenn er dich wirklich nur sehen wollte, hätte er vorher angerufen und sein Kommen angekündigt. Hätte er angerufen, hätte er sich nicht über die Tatsache gewundert, dass ihr nicht zu Hause seid. Aber das hat er nicht, er hat euch in der Churrascaria von Manuel gesucht, folglich macht er sich weder wegen dir Sorgen noch wegen seines Enkels. Trotzdem hattest du nicht den Mut zu sagen, dass du frei und spontan entschieden hast, hier zu sein. Deshalb halte ich dich und deinen Vater für zwei Idioten. Genau wie mein Vater mich für einen Idioten hält. Im Grunde sind wir alle Idioten!"

Gisele lachte. „Ich muss dir zustimmen, Eric, ihr seid wirklich große Idioten."

„Siehst du!", sagte ich, „sogar Gisele hält uns für Idioten." Klaus wand sich verlegen.

„Es ist in Ordnung, wenn dein Vater die Tickets kauft und ich Geld spare, das ich verwahren werde, bis ihr euch entschließt, zurückzukommen. Schau nur, was für ein Idiot ich bin, du behandelst mich schlecht und ich möchte noch, dass du wiederkommst. Aber nicht wegen dir, sondern wegen Gisele."

Erneut lächelte Gisele.

„Wenn du wieder in Deutschland bist, bei deinem Papa", fuhr ich fort, „dann denk gut nach, Junge. Wenn er nach Japan gegangen ist und dich in Deutschland zurückgelassen hat, ohne sich Gedanken zu machen, dann nur, weil er dich als Mann ansieht. Also handle auch wie einer. Erinnerst du dich daran, dass du bald selber Vater sein wirst, dass du deinem Sohn ein Vorbild sein solltest? Oder willst du, dass er heranwächst und selbst herausfindet, dass du ein Idiot bist?"

„Das reicht, Eric!", schrie Klaus.

„Einen Scheiß reicht es", brüllte ich noch lauter. „Also gut. Lasst uns was essen gehen. Der Idiot hier hat Hunger."

„Sei nicht so, Eric", alberte Gisele. „Er wäre glücklich, einen Vater wie dich zu haben."

„Und ich hätte liebend gerne eine Tochter wie dich, Gisele. Doch würde es mich bereits sehr glücklich machen, dich als Schwiegertochter zu haben."

Klaus Gesicht verdüsterte sich. Gisele lächelte.

## 46

Als ich am nächsten Morgen aufstand, saßen Gisele und Klaus eng umschlungen auf dem Sofa und unterhielten sich.

„Endlich habt ihr Frieden geschlossen", sagte ich.

„Heute Morgen hat Klaus Vater angerufen. Er hat Flüge gebucht, wir fliegen am Samstag um zwanzig Uhr."

„Super, dann haben wir noch zwei Tage. Packt die Koffer. Aber noch nicht, um nach Deutschland zurückzukehren. Ihr werdet einen brasilianischen Strand kennenlernen. Anders als in dem Land, in dem ihr wohnt, haben wir hier siebentausend Kilometer Küste. Besser gesagt Strände. Der nächste liegt nur hundert Kilometer von São Paulo entfernt, ungefähr eine Stunde. Also macht euch bereit, diese durchsichtigen Körper zu bräunen."

„Was bringt es, ein so großes Land und Strände zu haben, wenn die Mehrheit der Bevölkerung in Armut lebt und all das nicht genießen kann?", erwiderte Klaus.

„Viele Dinge bringen nichts. Doch zumindest sind wir glücklich. Und selbst dieser großen Zahl sozial Benachteiligter gelingt es, sich zu vergnügen. Willkommen in der dritten Welt."

Gisele schien von der Idee begeistert zu sein. Schnell packte sie alles ein. Es dauerte keine Stunde, bis wir im Auto saßen und Richtung Küste fuhren. Da ich die Flugtickets nicht mehr kaufen musste, würde das Geld, das Alex mir geliehen hatte, leicht für zwei Übernachtungen in einer gemütlichen Pension in Guarujá ausreichen und wir könnten zwei Tage am Strand verbringen.

Schon gegen Ende des ersten Tages war Gisele sehr von dem Ausflug angetan und auch Klaus war nicht mehr so abweisend, trank sogar eine Caipirinha mit mir und gemeinsam verspeisten wir ein paar Krabbenspieße. Gisele zog die Açaí-Frucht vor, die sie für sich entdeckt hatte. Ich hatte ins Schwarze getroffen, der Ausflug tat meinen Gästen gut, sie ließen mich am Abend in der Pension zurück und gingen aus, um auf einer Bank auf der Strandpromenade zu turteln.

Am nächsten Morgen setzten wir mit der Fähre nach Santos über. Ich zeigte den beiden ein bisschen von der Stadt, dann aßen wir zu Mittag und fuhren zurück nach Guarujá. Am Nachmittag spazierten wir die Strandpromenade entlang, danach suchten wir uns ein Restaurant zum Abendessen. Zurück in der Pension sagte Klaus zu mir, dass ich schon aufs Zimmer gehen könnte, sie würden sich noch auf die Bank setzen und aufs Meer schauen.

„In Ordnung, Kinder. Aber bleibt nicht zu lange. Morgen werden wir sehr früh zurück in die Berge fahren. Ihr habt einen zwölfstündigen Flug vor euch, müsst euch vorher noch ausruhen und die Koffer packen. Außerdem gibt es noch einen Ort in São Paulo, an den ich euch bringen möchte, bevor ihr abreist."

„Wohin?", fragte Gisele.

„Das wirst du morgen früh erfahren. Gute Nacht."

Es war noch nicht neun Uhr, als wir Guarujá verließen und bereits zwei Stunden später waren wir zu Hause.

„Packt die Koffer. Beeilt euch. Wir gehen jetzt Mittagessen und dann bringe ich euch an den geheimnisvollen Ort. Von dort aus fahren wir direkt zum Flughafen.

Gemeinsam mit Klaus und Gisele machte ich mich auf den Weg zum Restaurant von Dona Maria.

„Dort werdet ihr das weltbeste Filet alla Parmigiana kosten!"

Gleich nachdem wir das Restaurant betreten hatten, kam Dona Maria auf mich zu.

„Eric, mein Sohn! Wie schön, dich wiederzusehen. Du bist gekommen, um dein Filet alla Parmigiana zu essen, stimmt's?"

„Na klar. Ich und meine Gäste."

„Was für ein hübsches Mädchen. Und dieser Deutsche, wer ist er?"

„Du hast ins Schwarze getroffen. Er ist tatsächlich Deutscher. Die beiden sind meine Freunde und verbringen ein paar Tage hier in Brasilien."

„Ach wirklich? Setzt euch. Ich komme sofort zu euch."

„Ist das deine Mutter? Und woher wusste sie, dass ich Deutscher bin?", fragte Klaus misstrauisch.

„Nein, sie ist nicht meine Mutter", antwortete ich und lächelte.

„Und wieso hat sie dich dann Sohn genannt?"

„Das ist eine liebevolle Redewendung, die die älteren Leute hier benutzen, wenn sie mit jüngeren sprechen, die sie von klein auf kennen. Dona Maria kennt mich, seit ich zehn Jahre alt bin."

„Und woher wusste sie, dass ich Deutscher bin?"

„Sie wusste es nicht. Das ist eine andere idiomatische Wendung, die wir in Brasilien benutzen. Alle Menschen mit weißer Haut und blonden Haaren werden hier Deutsche genannt. Ein Spitzname."

„Warum?"

„Das kann ich dir nicht erklären. Aber fast alle Menschen mit diesen Merkmalen, sei es, dass sie aus Deutschland sind oder nicht, bekommen hier den Spitznamen alemão verpasst."

„Ich verstehe zwar nicht warum, aber ok!"

„Mach dir darüber keine Gedanken."

Während wir aßen, machten wir Wortspiele und lachten über Redewendungen in Brasilien und Deutschland. Klaus wirkte lebhaft, machte Scherze, nichts erinnerte an die schlechte Laune der ersten Tage.

Wir wollten gerade das Restaurant verlassen, als Dona Maria mit einem Buch in der Hand auf mich zukam. Ich erkannte, dass es sich um ein Exemplar von ‚Zwei unvergängliche Ns' handelte.

„Eric, könntest du mir ein Autogramm geben?"

„Natürlich, Dona Maria." In dem Moment, in dem ich die Widmung auf die Buchinnenseite schrieb, erinnerte ich mich sehnsüchtig an die Zeiten, in denen man mich überall erkannte und daran, wie oft mich Leute um Autogramme gebeten hatten.

„Ich habe es sofort gekauft, nachdem es erschienen ist", sagte Dona Maria. „Es ist ganz anders als die anderen, die du geschrieben hast."

„Das stimmt! Und wie findest du es?"

„Es ist gut. Aber um ehrlich zu sein, gefiel mir dieses andere besser… Das letzte vor diesem… Doch dies hier ist auch sehr gut", fuhr Dona Maria, nett wie immer, fort.

„Ich weiß. Mach' dir keine Sorgen, ich glaube, darin sind sich alle einig. Offen gestanden hat das Buch den meisten, die es gelesen haben, nicht besonders gefallen. Wenn ich ehrlich bin, war es ein Misserfolg und du gehörst zu den wenigen Menschen, die ihr Geld dafür ausgegeben haben."

„Sag das nicht, Junge. Das Buch ist gut."

„In Ordnung. Ich verspreche, dass das nächste besser wird. Und kaufe es dir nicht, wenn es herauskommt. Ich bestehe darauf, dir persönlich eines mit Widmung zu übergeben. Sozusagen eine Wiedergutmachung für den Schaden, der dir durch dieses Buch entstanden ist.

„Red keinen Blödsinn. Geht mit Gott."


Wir stiegen ins Auto und in weniger als zehn Minuten erreichten wir das Haus meiner Eltern.

„Dies ist der geheimnisvolle Ort, an den ich euch bringen wollte. Steigt aus, ich möchte, dass ihr einen ganz besonderen Menschen kennenlernt."

„Wer ist es? Wirst du es uns jetzt verraten?", fragte Gisele.

„Meine Mutter."

„Wie schön", sagte das Mädchen begeistert.

Ich klingelte und schon erschien Dona Lucilia. Sie lächelte, als hätte sie mich in genau diesem Augenblick erwartet und bereits erraten, wer bei mir war, ohne auch nur zum Auto zu schauen.

„Hallo Mama. Das sind Klaus und Gisele, die deutschen Freunde, von denen ich dir erzählt habe. Klaus, Gisele, das ist Dona Lucilia, meine Mutter."

„Kommt herein! Was für ein hübsches Mädchen. Lass mich deinen Bauch sehen. Er ist noch klein, aber der Form nach dürfte es ein Mädchen werden", sagte sie, während sie Giseles Bauch berührte, die überrascht lächelte.

„Dann ist das also mein Enkel? Was für ein hübscher Junge!", fuhr Mama fort, küsste ihn ins Gesicht und strich ihm über die Wangen, als wollte sie ihm zwei liebevolle Klapse versetzen.

„Mama!", tadelte ich sie.

Klaus sah mich mit einem gezwungenen Lächeln an.

„Also, auch wenn er nicht dein Sohn wäre, könnte er mein Enkel sein. Und du kannst mich auch Oma nennen, wenn du möchtest, in Ordnung, Kleines?"

„Danke, Oma", sagte Gisele und zeigte damit, dass ihr der Empfang meiner Mutter sehr gefiel.

„Setzt euch! Das ist Luiz. Erics Vater!", sagte meine Mutter, als mein Vater ins Wohnzimmer trat.

„Guten Tag", war das einzige, was der Alte auf dem Weg

in die Küche sagte. Als er mit einem Glas Wasser in der Hand zurückkam, schaute er aufmerksam zu Klaus, dann drehte er sich zu mir um und schüttelte den Kopf, als wollte er mir etwas sagen. Ich dachte darüber nach, was es wohl sein könnte, wahrscheinlich so etwas wie ‚du Idiot!'

„Kümmert euch nicht darum, Kinder. Er ist zwar mürrisch und schlecht gelaunt, aber er hat ein goldenes Herz."

Das sagte Mama immer zu allen Leuten, um den ersten Eindruck, den diese von meinem Vater gewannen, zu korrigieren.

„Aber sagt mir, hat euch Brasilien gefallen?"

„Ich habe schon eine Zeit lang hier gewohnt. Mein Vater ist Portugiese und war Besitzer einer Churrascaria in São Paulo. Ich muss zugeben, dass wir kaum ausgegangen sind, es sei denn, um andere Churrascarias, die Konkurrenz, zu testen. Erst jetzt mit Eric habe ich die Stadt besser kennengelernt."

„Und du, Junge? Gefällt dir Brasilien?"

„Ja, es gefällt mir. Ich bin schon zum dritten Mal hier. Doch erst dieses Mal habe ich ein bisschen was gesehen. Die beiden anderen Male war ich mit meiner Mutter hier, wir blieben zwei oder drei Tage in einem Hotel und wenn wir ausgingen, dann nur, um meine Großmutter zu besuchen. Und beim ersten Mal war ich noch so klein, dass ich mich nicht mehr daran erinnern kann. Vom zweiten Mal erinnere ich mich nur an die Dinge, die wir auf dem Weg vom Hotel zum Haus meiner Großmutter gesehen haben."

„Heilige Jungfrau! Du hast deine Großmutter nur zweimal gesehen?", fragte Mama erstaunt.

„Nein! Eigentlich waren es vier Male. Die anderen beiden Male hat Mama sie mit nach Deutschland genommen, das erste Mal hat sie eine Woche bei uns verbracht und beim zweiten Mal vier Tage. Doch ich habe sie bereits ziemlich lange nicht mehr gesehen."

„Also, ich bestehe darauf, dass ihr mich jedes Mal, wenn ihr nach Brasilien kommt, besucht."

„Sie haben unser Wort", sagte Gisele.

„Sie spricht beinahe akzentfrei. Aber du betonst das R wie die Deutschen. Das ist ein hübscher Akzent", sagte meine Mutter und sah Klaus an.

Nachdem wir uns zwei Stunden unterhalten und Dona Lucilias leckere Krapfen genossen hatten, mussten wir gehen.

„Kommt bald wieder! Gib deiner Großmutter einen Kuss, Klaus. Hat man sowas schon gesehen, einfach so verschwinden wollen! Und du auch Gisele. Wenn das Baby geboren ist, möchte ich es sehen. Selbst wenn ich dafür bis nach Deutschland reisen muss."

Klaus und Gisele umarmten meine Mutter, die sie küsste und drückte, bis sie ins Auto eingestiegen waren. Als wir nach über hundert Metern um die Ecke bogen, lachte Gisele vor Freude, weil meine Mutter weiterhin dem Auto nachwinkte.

„Fahren wir direkt zum Flughafen?", fragte Klaus. „Es ist erst fünf Uhr nachmittags! Wir werden fast drei Stunden dort warten müssen."

„Nein. Wir fahren noch woanders vorbei. Aber es muss schnell gehen. Ihr müsst zwei Stunden vor Abflug am Flughafen sein, erinnerst du dich?"

„Wohin fahren wir jetzt?", erkundigte sich Gisele.

„Das erfährst du, wenn wir dort sind!", antwortete ich.

„Noch eine angenehme Überraschung?", fragte Gisele aufgekratzt.

Es dauerte keine zehn Minuten, bis wir in Vila Medeiros angekommen waren.

„Ich erkenne diesen Ort wieder!", sagte Klaus.

„Genau. Hier wohnt deine Großmutter", gab ich zurück, sobald ich um die Ecke gefahren war und vor Dona Ermelindas Haus hielt.

„Eric! Wir waren so lange hier und erst in der letzten Minute entscheidest du, die Verwandten zu besuchen. Ich hätte deine Mutter gerne früher kennengelernt", sagte Gisele und lächelte.

„Das ist wahr!", antwortete ich. „Aber ich habe nicht daran gedacht, außerdem sind dies meine letzten Geschütze, um euch dazu zu bringen, wiederzukommen. Die Leute wiederzusehen, die ihr kennengelernt habt, am Strand spazieren gehen…"

„Ich weiß nicht, ob das eine gute Idee ist, Eric", brummelte Klaus.

„Natürlich ist es das. Sie ist deine Großmutter."

„Aber ich habe sie seit Jahren nicht gesehen."

„Wie meinst du das? Und als deine Mutter gestorben ist, hast du sie nicht gesehen? War sie nicht dort?"

„Nein!"

„Wie, nein? Sie war nicht bei der Totenwache, nicht beim Begräbnis?"

„Nein!"

„Wie, nein? Weiß sie wenigstens, dass ihre Tochter gestorben ist?"

„Ich weiß nicht genau, was geschehen ist, Eric. Lass uns nicht darüber sprechen."

„In Ordnung, steigen wir aus!"

Als die Tür geöffnet wurde, erkannte ich, dass, anders als bei meiner Mutter, die Zeit Dona Ermelinda nicht wohlgesonnen war. Sie konnte kaum noch gehen, wurde von einer jungen Frau gestützt, die Falten in ihrem leidgeprüften Gesicht traten deutlich hervor.

„Erkennen Sie mich nicht, Dona Ermelinda? Ich bin's, Eric. Erinnern Sie sich?"

„Mein Sohn. Wie du dich verändert hast", sagte sie und das Sprechen fiel ihr schwer. „Wie lange habe ich dich nicht gesehen!"

„Ich habe auch Ihren Enkel Klaus mitgebracht, erinnern Sie sich an ihn? Und das hier ist seine Freundin, Gisele."

Ein paar Tränen rollten über Dona Ermelindas Gesicht. Es fiel ihr schwer, Klaus zu umarmen, auch hierbei musste die Frau sie stützen.

„Kommt herein!", sagte die junge Frau.

Wir setzten uns auf ein Sofa, das von kleinen Holzkeilen gestützt wurde. Ich schaute mich um und stellte fest, dass die meisten Möbel noch dieselben waren wie vor achtzehn Jahren. Auch sie waren von der Zeit gezeichnet, genau wie die Wände und die Dame des Hauses selbst.

„Klaus und Gisele haben ein paar Tage hier bei mir verbracht, leider nicht lange genug, als dass wir vorher hätten vorbeikommen können. In ein paar Stunden reisen sie ab. Deshalb wollten wir Ihnen wenigstens einen kurzen Besuch abstatten, bevor wir zum Flughafen fahren. Wie geht es Ihnen?"

„Sehr schlecht, Eric", antwortete sie mühsam.

„Nach dem Tod von Dona Geovanna hat sich ihr Zustand rapide verschlechtert", fuhr die junge Frau fort. „Ich wohne nebenan. Als Dona Geovanna noch lebte, bezahlte sie mich dafür, dass ich mich um ihre Mutter kümmere. Der Tod ihrer Tochter hat Dona Ermelinda sehr mitgenommen, jeden Tag ging es ihr schlechter. Ich konnte sie nicht sich selbst überlassen. Seit fast zwei Jahren kümmere ich mich um sie. Ich kann sie jetzt nicht allein lassen. Das Problem ist, dass ihre Rente kaum ausreicht, um die Medikamente zu kaufen, die sie benötigt. Die beiden anderen Kinder helfen, so gut sie können. Bevor Dona Geovanna krank wurde, rief sie jede Woche an, um zu erfahren wie es ihr geht und ob wir irgendetwas benötigen."

„Sie hat ihre Tochter nicht im Krankenhaus besucht?", fragte ich und wartete schon darauf, dass Klaus die Antwort vorwegnahm.

„Nein. Sie war nicht einmal bei der Beerdigung. Können Sie sich vorstellen, dass wir nur einen Brief mit Dona Geovannas Todesanzeige erhalten haben? Es stand nicht viel drauf, nur dass sie gestorben sei und in Deutschland begraben wurde. Als der Brief eintraf, waren schon zwei Wochen seit ihrem Tod vergangen."

„Wer hat den Brief geschickt?", fragte ich.

„Der Ehemann von Dona Geovanna."

„Dein Vater ist wirklich ein Idiot", stammelte Gisele

und blickte zu Klaus, der, seit wir angekommen waren, schwieg.

„Es tut mir sehr leid!", sagte ich und trat zu Dona Ermelinda. „Auch ich habe erst nach Geovannas Tod davon erfahren."

Ich ging neben dem Stuhl, auf dem Dona Ermelinda saß, in die Hocke und umarmte sie vorsichtig. Gisele gesellte sich zu uns und liebkoste Dona Ermelinda, dabei kämpfte sie mit den Tränen. Ich bat Gisele um einen Zettel und Kugelschreiber, notierte meinen Namen und meine Telefonnummer und gab ihn der jungen Frau.

„Wenn Sie irgendetwas benötigen und ich behilflich sein kann, rufen Sie mich bitte an. Zögern Sie nicht, anzurufen, egal, aus welchem Grund."

„Vielen Dank, mein Herr."

„Gut, wir müssen los, sonst verpassen die beiden noch den Flug."

Klaus näherte sich Dona Ermelinda und küsste sie verschämt auf die Wangen.

„Eric!", rief Dona Ermelinda, das Sprechen bereitete ihr Mühe.

„Ja?"

„Dieser Junge sieht dir sehr ähnlich!"

„Sie sind die erste, die das sagt. Nicht einmal ich finde,

dass er mir ähnlich sieht", antwortete ich und lächelte.

„Ich meine nicht körperlich. Aber die Art, wie er da steht, sein Blick. Er erinnert mich sehr an dich, wie du zu uns nach Hause kamst, um Geovanna abzuholen. Du bist auch stehen geblieben, hast dich umgeschaut, wenig gesprochen. Er ist genau wie du."

Mit gesenktem Kopf verließ Klaus das Haus seiner Großmutter. Im Auto schaute er zu Gisele auf der Rückbank und dann zu mir.

„Ich habe den Brief geschrieben. Auf Wunsch meines Vaters."

„Das dachte ich mir schon", sagte ich und schaltete das Autoradio an.

Während wir zum Flughafen fuhren, nahm ich mir vor, Dona Ermelinda zu helfen, sobald es mir gelungen wäre, zu meinem normalen Leben zurückzufinden. Klaus schwieg weiterhin. Doch Gisele stellte noch eine Frage.

„War sie nie verheiratet?"

„Wer, sie? Dona Ermelinda?", antwortete ich mit einer Frage.

„Ja. War sie nie verheiratet?"

„Um ehrlich zu sein, nein. Der Ehemann war Italiener. Die Kinder waren noch klein, als er die Familie verließ, um nach Italien zu gehen und sich dort Arbeit zu suchen. Er versprach zurückzukommen, sobald er etwas gefunden hätte, einen Job, der es ihm erlauben würde, seine Familie zu unterhalten. Er hat sich nie wieder gemeldet."

„Wahnsinn! Was es auf dieser Welt für Idioten gibt", sagte Gisele.

„Das stimmt. Ich hoffe, dass Klaus, nachdem er all das erfahren hat, nicht auch zu einem wird."

Klaus schwieg, bis wir die Abflughalle des Flughafens erreicht hatten.

„Vielen Dank für alles, Eric!", sagte Klaus und umarmte mich spontan.

„Du musst dich für nichts bedanken. Ich hoffe nur, dass es dir gelingt, auch über die Erfahrungen der Reise hinaus etwas Positives aus unseren Gesprächen mitzunehmen. Selbst wenn es nur zehn Prozent von allem wäre, was ich versucht habe, dir zu zeigen."

„Mach dir keine Gedanken, ehrlich gesagt war es viel mehr als das!"

„Ciao, Eric!", sagte Gisele, küsste mich und flüsterte mir etwas ins Ohr, während Klaus auf den Check-in-Schalter zusteuerte. „Ich muss dir ein Geheimnis verraten."

„Sag schon!"

„Als wir die Tickets abgeholt haben, hat Klaus eine Runde durch das Flughafengebäude gedreht, erinnerst du dich?"

„Natürlich!"

„Er war in der Buchhandlung und hat ein Exemplar von ‚Zwei unvergängliche Ns' gekauft. Der Titel hat ihn neugierig gemacht, als er das Buch bei der Frau im Restaurant gesehen hat. Er hat mich gebeten, es dir nicht zu verraten. Er will es auf der Reise lesen."

„Ich hoffe, es gefällt ihm. Trotz der Kritiken, ist das Buch sehr wichtig für mich. Vielleicht ist er der einzige Leser, der die Geschichte vollständig verstehen wird. Wenn das so wäre, würde es mich schon glücklich machen."

„Haben der Titel und das Buch etwas mit Geovanna zu tun?", fragte Gisele und lächelte.

„Ja."

„Das dachten wir uns. Vielen Dank für alles, was du für uns getan hast, Eric. Pass auf dich auf."

„Ihr auch. Und meldet euch. Lasst mich nicht ohne eine Nachricht hängen. Und sollte es irgendein Problem geben, ruf mich an. Und gebt mir sofort Bescheid, wenn das Baby geboren wird, ich möchte es noch auf der Säuglingsstation kennenlernen", fuhr ich mit meinen Ratschlägen fort, noch nachdem sie bereits die Sicherheitskontrolle passiert hatten.

# 47

Die Tage nach Klaus und Giseles Abreise vergingen langsam. Ihre Gesellschaft fehlte mir, Klaus verdrießliche Miene und Giseles spontane Fragen. Erneut war die Wohnung leer. Trotzdem verfiel ich nicht in denselben Lebensstil wie vorher, versuchte weiterhin, mich vom Alkohol fernzuhalten und die Nächte zu Hause zu verbringen.

Ich hatte vor, ein neues Buch zu schreiben, kam jedoch nicht über die erste Seite hinaus. Es war nicht das erste Mal, dass ich eine Schreibblockade hatte. Ich wusste, dass es lange dauern konnte, einen Satz zu Papier zu bringen, doch normalerweise kam mir nach einer Weile immer eine zündende Idee. Man brauchte einen Anfang und einen guten Einfall für das Ende, dann schrieb sich der Mittelteil des Buches meist von allein. Die Romanfiguren gingen ihren Weg und dadurch entwickelte sich die Geschichte selbstständig, so war es immer. Doch dieses Mal kam nichts.

Ich beschloss, ein paar Bücher, die mich nicht mehr interessierten, zum Antiquariat zu bringen. Dieses Mal nicht wegen des Geldes, schließlich hatte ich kaum etwas von Alex zweitem Darlehen ausgegeben, sondern um einen Spaziergang zu machen und zu sehen, was auf der Straße los war.

Als ich zurückkam, ich befand mich im Hausflur vor

meiner Wohnung, hörte ich das Läuten des Telefons. Ich rannte, um den Anruf noch zu erwischen.

„Hallo!"

„Hallo, mein Sohn! Ich rufe dich an, um zu erfahren, wie die Reise der Kinder verlaufen ist. Sind sie gut angekommen?"

„Es sind keine Kinder mehr, Mutter. Und was die Reise betrifft, weiß ich offen gestanden nichts. Ich habe noch nicht mit ihnen gesprochen. Aber es wird schon alles gut gegangen sein. Wäre etwas schief gelaufen, wüssten wir es schon. Hast du nicht selbst gesagt, dass einen schlechte Nachrichten schnell erreichen?"

„Stimmt. Aber du hättest anrufen sollen, um es zu erfahren."

„Sie hätten mich ebenfalls anrufen können, findest du nicht?"

„Du weißt doch, wie Kinder sind. Sie rufen einen nicht an. Wir müssen anrufen. Sie werden das erst zu schätzen wissen, wenn sie selber Kinder haben. Bei dir liegt der Fall anders. Selbst nachdem du Vater eines erwachsenen Sohns bist, hast du dich nicht verändert."

„Ich bin nicht sein Vater, Mama, nur ein Freund."

„Lass den Blödsinn, der Junge ist dir wie aus dem Gesicht geschnitten."

„Übertreib nicht, Mama."

„Egal. Was zählt ist, dass du dich um ihn kümmerst. Ich weiß, dass du gerne wissen würdest, ob du wirklich der Vater dieses Jungen bist, das habe ich in deinen Augen gesehen, als du mit ihm hier warst. Aber um ehrlich zu sein, ist es mir egal, ob du der biologische Vater des Jungen bist oder nicht. Was zählt ist, dass ich ihn, seit ich ihn kennengelernt habe, als meinen Enkel ansehe und basta. Dein Vater ist sich sicher, dass er nicht dein Sohn ist. Aber du kennst ja deinen Vater. Im Grunde glaube ich, dass auch er seine Zweifel hat. Auf jeden Fall denke ich, du solltest den Jungen anrufen, nur um zu erfahren, ob alles in Ordnung ist. Und danach gibst du mir Bescheid."

„Ok, Mutter. Sobald ich mit ihnen gesprochen habe, gebe ich dir Bescheid."

„Ich werde warten. Küsse. Und vergiss nicht, mich anzurufen."

„Ok, Mutter. Küsse."

Ich ging in die Küche, um Wasser zu holen, und schaute auf den Kalender, es waren bereits zwanzig Tage seit Klaus Abreise vergangen. Ich beschloss, auf den Rat meiner Mutter zu hören und rief an. Zuerst versuchte ich es bei Klaus zu Hause, nichts. Dann wählte ich die Nummer der Churrascaria. Sofort erkannte ich Giseles Stimme am anderen Ende der Leitung.

„Gisele, wie geht es dir?"

„Eric?"

„Hallo! Wie geht es dir? Hattet ihr eine gute Reise? Geht es Klaus gut?"

„Langsam, Eric! Es ist alles in Ordnung. So viele Fragen auf einmal. Der Flug war ok."

„Und Klaus, wie geht es ihm?"

„Es geht ihm super. Die Reise nach Brasilien hat ihm sehr gut getan. Er ist wie verwandelt. Es ist sogar ein Wunder geschehen", vor Freude und Begeisterung sprudelten die Worte nur so aus ihr heraus.

„Was ist los? Ich bin neugierig!"

„Klaus hat entschieden, dass wir heiraten sollten! Er ist sogar zu meinen Eltern gegangen, hat mit meinem Vater gesprochen, alles! Zurzeit bin ich die glücklichste Frau auf der Welt, Eric!"

„Was für eine Freude! Das ist die beste Nachricht, die ich in den letzten Jahren erhalten habe. Das heißt, dass der Bursche beschlossen hat, ein Mann zu sein, er hat allen Mut zusammengenommen."

„Unglaublich, nicht? Aber es ist wahr, auch wenn es wie ein Traum ist."

„Das bedeutet, dass zwischen dir und deiner Familie alles in Ordnung ist, stimmt's?"

„Mein Leben ist eine einzige Freude, seit wir aus Brasilien zurück sind. Nachdem Klaus mit meinem Vater gesprochen hat, hat dieser mich zu sich gerufen, damit wir uns unterhalten. Er hat sich entschuldigt, dass er mich hinausgeworfen hat, sagte, dass er getan hat, was getan werden musste und dass Klaus und ich deshalb erwachsen geworden wären. Jetzt trifft mein Vater alle Vorkehrungen für das Fest, mein Brautkleid, alles. Kannst du dir das vorstellen, Eric? Manchmal glaube ich, ich träume nur."

„Ich kann es mir vorstellen und es macht mich glücklich."

„Du hattest großen Einfluss auf Klaus Entscheidung, auch das kannst du mir glauben!"

„Danke, Gisele. Ich freue mich sehr für euch. Und was sagt Klaus Vater zu all dem?"

„Am Tag nachdem wir in Deutschland angekommen waren, flog er wieder nach Japan, sie hatten kaum Zeit, um miteinander zu reden. Klaus hat ihm die Nachricht am Telefon mitgeteilt und ihn gebeten, zur Hochzeit zu kommen. Er will unbedingt mit Otto vor den Altar treten. Und Otto hat sicher zugesagt, dass er kommt."

„Und wann findet der große Tag statt? Ich wäre gerne dabei."

„Ende des Monats. Am achtundzwanzigsten um siebzehn Uhr in der Kirche hier im Viertel, am Ende der Straße, in der Klaus wohnt, du kannst sie gar nicht verfehlen. Der Kirchturm mit der Glocke ist dir sicher schon aufgefallen. Ich wollte dich heute noch anrufen, was für ein Zufall. Wir legen großen Wert auf deine Anwesenheit."

„Ich komme sehr gerne. Am besten reise ich einen Tag vorher, dann komme ich morgens an. Ich freue mich schon auf die Zeremonie."

„Klaus ist gerade nicht da, er ist mit meinem Vater unterwegs, um noch ein paar Dinge zu regeln."

„Umarm ihn fest von mir. Und einen dicken Kuss für dich, Mädchen. Herzlichen Glückwunsch!"

„Danke, Eric. Wir erwarten dich!"

Irgendwie hatte die Nachricht meinen Tag verändert. Ich wollte gerade duschen gehen, als das Telefon erneut klingelte.

„Hallo!"

„Eric? Wie geht es dir?" Die Stimme am anderen Ende war unverwechselbar.

„Priscila? Was verschafft mir die Ehre deines Anrufs?"

„Ich wollte fragen, wie es Klaus und Gisele geht. Und um herauszufinden, ob er tatsächlich eine Stelle sucht."

„Hm… Eigentlich sind sie wieder nach Deutschland zurückgekehrt, aber ich weiß nicht, ob das endgültig ist. Wenn du ihm die Stelle noch etwas freihalten könntest, wäre ich dir dankbar."

„In Ordnung! Ich kann für nichts garantieren, aber…"

„Warte!", unterbrach ich sie. „Ich habe eine weitaus bessere Nachricht: Sie werden in zwanzig Tagen heiraten. Gerade habe ich mit Gisele telefoniert. Sie haben mich zur Hochzeitsfeier eingeladen. Möchtest du mitkommen?"

„Eric! Ich bin jetzt verheiratet, hast du das vergessen?"

„Ehrlich gesagt, ja. Aber das macht nichts, ich lade dich ja nur ein, mich auf eine Hochzeit zu begleiten."

„Das ist kein Problem für dich. Aber erklär das mal meinem Ehemann."

„Ich erklär es ihm. Es sei denn, er weiß über uns Bescheid. Weiß er Bescheid?"

„Ich verheimliche meinem Mann nichts. Nicht einmal meine enttäuschten Lieben."

„Gut… Wenn du möchtest, nimm ihn doch mit."

„Nein, Eric, danke für die Einladung. Richte Gisele und Klaus meine Glückwünsche aus. Sag ihnen, ich wünsche ihnen alles Glück der Welt, so wie ich es durch meine Heirat mit Marcos gefunden habe."

„Ich richte es aus."

„Ciao, Eric! Pass auf dich auf!"

„Du auch", gab ich zurück. Doch da hatte Priscila bereits

aufgelegt.

Den restlichen Tag verbrachte ich damit, die Erinnerungen an Priscila zu vertreiben, indem ich an die Hochzeit von Gisele und Klaus und meine Reise nach Deutschland dachte. Da ich noch immer das von Alex geliehene Geld in der Tasche hatte, beschloss ich, etwas Verrücktes zu tun. Ich rief meine Mutter an, berichtete ihr die Neuigkeiten und lud sie ein, mit mir nach Deutschland zu fliegen. Es überraschte mich nicht, dass sie meine Einladung begeistert annahm. Nicht nur, dass sie gerne reise und neue Orte kennenlernte, Mama war von der Möglichkeit, gleichzeitig Großmutter und Urgroßmutter zu werden, begeistert.

# 48

Nachdem zwanzig endlose Tage vergangen waren, landeten meine Mutter und ich auf dem internationalen Flughafen in Frankfurt. Dona Lucilia war von der Reise entzückt. In den sechsundsechzig Jahren ihres Lebens hatte sie Brasilien nur einmal verlassen, als sie meinen Vater auf einer fünftägigen Geschäftsreise in die USA begleitete. Auf der Fahrt nach Köln war sie von der Landschaft begeistert, den Autos, den Straßen, dem Zug und vor allem von der Sprache. Alles war ein Grund zur Freude. Europa war in den Augen meiner Mutter so weit weg, so anders, viel interessanter. Sie bewunderte die Reize des alten Kontinents auf derart ansteckende Weise, dass auch ich alles anders sah als bei meinen vorherigen Besuchen.

Nachdem wir am Kölner Hauptbahnhof angekommen waren, versetzte die Kathedrale meine Mutter in Staunen. Ich erinnerte mich genau daran, wie ich zum ersten Mal in Begleitung von Priscila an diesem Ort angekommen war. Ich fühlte einen Anflug von Sehnsucht, die dank der Begeisterung meiner Mutter bald vergessen war. Sie hörte nicht auf, auf alles, was sie sah, zu zeigen und darüber zu sprechen. Ich machte mich lustig und zog sie zu einem Taxistand.

„Lass uns gehen, Mutter. Auf uns wartet eine Hochzeit."

Nachdem wir im Hotel angekommen waren – dasselbe, in dem ich mit Priscila gewesen war, dieses Mal allerdings in einem bescheideneren Zimmer, auch wenn es meiner Mutter wie das beste Zimmer in Deutschland vorkam – rief ich bei Klaus zu Hause an, er nahm selbst ab.

„Wie geht es dir, Klaus?"

„Eric! Welch angenehme Überraschung, du bist bereits in Köln, oder?"

„Natürlich! Und wie steht es mit den Vorbereitungen?"

„Alles in Ordnung! Mir geht es gut, ich bin nur etwas nervös."

„Das ist normal."

„Eigentlich hat es nichts mit der Hochzeit zu tun, sondern mit meinem Vater. Er hat versprochen, rechtzeitig hier zu sein und bisher gibt's keine Spur von ihm. Dabei habe ich ihn gestern Abend noch in Japan angerufen, aber niemand ist dran gegangen. Ich dachte, er würde heute Vormittag hier eintreffen, doch bis jetzt nichts! Hoffentlich ist nichts passiert!"

„Nein! Das glaube ich nicht. Er wird bald kommen. Wer weiß, vielleicht ist er bereits angekommen und will dich überraschen. Vielleicht kommt er direkt zur Kirche", versuchte ich ihn aufzumuntern.

„Dann erwarte ich dich dort, Eric!"

„Wir freuen uns schon darauf."

„Wir? Hast du noch jemanden mitgebracht?"

„Meine Mutter. Ich habe sie eingeladen, mich zu begleiten und sie musste nicht zweimal überlegen. Ist das ein Problem?"

„Natürlich nicht. Im Gegenteil, ich bin sehr glücklich, dass sie gekommen ist und ich bin mir sicher, dass auch Gisele sich sehr freuen wird. Seid nur ihr gekommen oder noch jemand?"

Als hätte ich Klaus Frage vorausgeahnt, antwortete ich:

„Nur wir zwei. Ich habe darüber nachgedacht, auch Dona Ermelinda mitzubringen, aber sie ist gesundheitlich sehr angegriffen und ich habe befürchtet, dass ihr die lange Reise schaden würde. Doch ich habe ihr Bescheid gesagt und sie wünscht euch viel Glück und Zufriedenheit." Auf keinen Fall durfte ich vergessen, Dona Ermelinda zu informieren, sobald ich wieder in Brasilien war, dachte ich bei mir.

„Das stimmt. Die Reise hätte ihr nicht gutgetan, aber bitte richte ihr meinen Dank aus, wenn du zurück bist."

„Keine Sorge. Priscila sendet auch Glückwünsche. Und sie lässt ausrichten, dass die Stelle garantiert ist, solltest du dich entschließen, endgültig nach Brasilien zu kommen."

„Es ist gut, das zu wissen, doch momentan weiß ich noch nicht genau, was ich tun werde."

„Alles klar. Bis zur Trauung. Und viel Glück."

„Danke, Eric. Bis dann."


Meine Mutter und ich verließen das Hotel bereits vor sechzehn Uhr und machten uns auf den Weg zur Kirche. Es blieben uns noch über dreißig Minuten, als wir dort ankamen. Nach und nach trafen die Gäste ein und machten es sich auf einer der vielen Bänke bequem. Zwanzig Minuten später waren alle Plätze bereits besetzt. Klaus stand vor der Kirche. Offensichtlich war er nervös, denn von Otto fehlte jede Spur. Kurz darauf hielt das Auto mit der Braut vor dem Portal, doch Klaus stand nur da und sah sich um. Kurz entschlossen ging ich hinaus und fragte, was los sei.

„Gibt es ein Problem, Klaus? Willst du die Hochzeit abblasen?", scherzte ich.

„Nein, Eric. Alles ist bereit, sogar die Braut, die normalerweise zu spät kommt, ist schon da, nur von meinem Vater ist nichts zu sehen."

„Das tut mir sehr leid, Klaus. Aber ich glaube, er wird nicht kommen."

„Warum sagst du das? Er hat versprochen, mit mir vor den Altar zu treten."

„Ich möchte nicht, dass du dir noch mehr Sorgen machst, doch wenn er tatsächlich kommen würde, hätte er einen Flug genommen, mit dem er rechtzeitig hier eingetroffen wäre."

„Er hätte nicht den Mut, mir das anzutun. Ich werde noch zehn Minuten warten."

„Das musst du wissen", sagte ich und ging auf den Wagen zu, in dem Gisele besorgt auf der Rückbank wartete.

„Hallo Gisele. Du bist wunderschön!"

„Danke. Was ist los, Eric?"

„Es scheint, als würde Otto nicht kommen. Und Klaus wartet auf ihn, um mit ihm vor den Altar zu treten.

Ich habe ihm bereits gesagt, dass Otto schon hier wäre, wenn er wirklich käme."

„Das glaube ich auch. Sag ihm, er soll einfach allein reingehen."

Vor dem Kirchenportal unterhielt sich der Pfarrer mit Klaus. Seiner Stimme nach zu urteilen, waren es keine guten Nachrichten. Ich wartete, dass der Pfarrer zum Altar zurückging und näherte mich Klaus erneut.

„Und, was hat er gesagt?"

„Er sagte, dass er nicht länger warten kann, wir sind bereits verspätet. Ich werde allein reingehen müssen."

Klaus sagte etwas zu den beiden jungen Männern, die bei ihm standen, woraufhin sie die Tür öffneten und die Musik einsetzte. Als Klaus den ersten Schritt Richtung Mittelgang machte, nahm ich seinen Arm und zog ihn hinein.

„Du bist wirklich verrückt, Eric!", sagte er beunruhigt und versuchte, sich von meinem Griff zu befreien.

„Nein. Aber da du mit deinem Vater vor den Altar treten wolltest und dieser nicht gekommen ist, sehe ich kein Problem darin, ihn zu vertreten, im Gegenteil, es ist mir eine Ehre."

Mein Angebot schien Klaus etwas zu trösten. Aufmerksam blickte er zu den Leuten ringsumher und schritt hocherhobenen Hauptes durch den Mittelgang. Vor dem Altar begrüßte uns Dona Ofélia, die Frau von Manuel. Ich wollte bereits zu meinem Platz zurückkehren, als der Pfarrer mir ein Zeichen gab, mich auf die gegenüberliegende Seite von Dona Ofélia vor den Altar zu setzen. Wahrscheinlich hielt er mich für den Vater des Bräutigams. Ich hatte keine Wahl und setzte mich auf die linke Seite des Pfarrers. Die Hochzeitsgäste hatten auf den Kirchenbänken Platz genommen. Ich warf meiner Mutter, die sich vor lauter Freude und Stolz kaum zurückhalten konnte, einen Blick zu, dann entdeckte ich Margot auf einer der letzten Bänke, die ebenfalls zu mir hersah. Als sie bemerkte, dass ich sie registriert hatte, zwinkerte sie lächelnd und warf mir eine Kusshand zu. Während ich noch Margot anstarrte, setzte eine andere Melodie ein und riss mich aus meinen Gedanken. Gisele erschien im Mittelgang, Hand in Hand mit ihrem Vater. Langsam schritt sie auf den Altar zu, gefolgt von einem Mädchen, das ebenfalls wie eine Braut gekleidet war. Stolz präsentierte Manuel seine Tochter, die sich kirchlich trauen ließ, wie er es sich so sehr gewünscht hatte. Mit einem festen Händedruck begrüßte Manuel den Bräutigam und machte eine Geste, als wollte er die Tochter seiner Obhut anvertrauen. Dass ich neben den Trauzeugen des Bräutigams saß, veranlasste nicht nur Gisele zu einem überraschten Lächeln, auch Manuel schaute mich erstaunt an.

Während der Trauung blickte ich abwechselnd zu den Brautleuten und den glücklichen Gesichtern von Seu

Manuel und Dona Ofélia, meiner Mutter und Margot, die sich mehr für mich als für die Hochzeit zu interessieren schien.

Nachdem die Zeremonie vorüber war, zog sich das Hochzeitspaar, gefolgt von den Eltern der Braut, vom Altar zurück. Eine kurze Pause entstand, dann hatte ich begriffen, dass der Pfarrer mir andeutete den Altar zu verlassen. Ich ging auf den Mittelgang zu und bemerkte, dass nun auch die Trauzeugen folgten.

Am Kirchenportal wurde ich von Klaus und Gisele empfangen, die mich umarmten und nicht aufhörten, mir zu danken. Gleich darauf erschien meine Mutter.

„Herzlichen Glückwunsch, Kinder", sagte sie zu Klaus und Gisele und nachdem sie mich fest umarmt hatte, fuhr sie fort: „Du warst super, mein Sohn. Was für eine wunderbare Überraschung. Und du hast mich nicht einmal eingeweiht!"

„Stimmt, Mutter. Was für eine Überraschung! Gut, dass alle zufrieden waren! Und jetzt? Was habt ihr vor?", fragte ich Klaus.

„Wir machen unsere Hochzeitsreise nach Portugal, ein Geschenk meines Vaters", antwortete Gisele. „Danach sehen wir weiter. Mein Vater hätte gerne, dass Klaus und ich in der Churrascaria arbeiten, damit er ein bisschen kürzer treten kann. Doch wir wissen es noch nicht. Wir werden während der Reise über alle Möglichkeiten nachdenken."

„Dann eine gute Reise. Und vergesst nicht, mich anzurufen, sobald ihr zurück seid", sagte ich, küsste Gisele und umarmte Klaus.

„Noch einmal Danke, Eric!", fügte Klaus hinzu. „Was du heute für mich getan hast, war unglaublich. Ich werde es nie vergessen."

„Ich auch nicht, Klaus. Ich auch nicht. Habt eine gute Reise", schrie ich, während sie bereits in den Wagen einstiegen, mit dem Gisele zur Kirche gekommen war. Manuel kam auf mich zu, legte die Hand auf meine Schulter und sagte:

„Eric, du warst wundervoll! Du hast getan, was ein echter Vater tun sollte."

„Danke. Auch ich fand es wundervoll. Und ich kann immer noch nicht glauben, dass ich es tatsächlich getan habe."

„Es war super. Wir feiern jetzt eine Party in der Churrascaria. Ihr kommt doch, oder?"

„Ja klar. Das ist meine Mutter, Dona Lucilia."

Nachdem sich alle begrüßt hatten, machten wir uns auf den Weg in das Restaurant.

Die Party war lebhaft, die Tische mit den weißen Tischdecken und Blumengestecken waren an die Seite geschoben worden, sodass in der Mitte ein großer freier Raum entstanden war, wo ein paar Leute tanzten. Zunächst wunderte ich mich über das Fest ohne die Anwesenheit des Hochzeitspaars, doch alle anderen schienen es normal zu finden. Meine Mutter unterhielt sich mit Dona Ofélia, als würden sie sich bereits seit Jahren kennen. Alle Anwesenden beglückwünschten mich, weshalb ich mich tatsächlich wie der Vater des Bräutigams fühlte. Bis zu dem Augenblick, in dem Margot sich von hinten näherte und mir die Augen zuhielt, als würde sie wie bei einem Kinderspiel erwarten, dass ich sagte, wer sie sei. Ich berührte ihre Hände auf meinen Augen und roch ihr Parfüm, es gab keinen Zweifel.

„Margot?", fragte ich.

„Du hast mich nicht vergessen, stimmt's Eric?"

„Wie könnte ich?"

„Was hältst du davon, wenn wir die Gelegenheit für eine kleine Privatparty nutzen. Nur du und ich."

„Ich bin mit meiner Mutter hier."

„Na und? Lässt Mama das Söhnchen nicht ein bisschen flirten? Glaubst du nicht, dass du bereits etwas zu alt bist, um dir darüber Gedanken zu machen, was Mama denken könnte?"

„Das ist es nicht. Aber meine Mutter kennt niemanden hier. Ich muss sie ins Hotel zurückbringen. Und morgen früh reisen wir wieder nach Brasilien ab."

„Wahnsinn, für einen Tag nach Deutschland und zurück. Wie schick. Heißt das, dass du die Nacht nicht mit mir verbringen kannst?"

„Leider nein. Aber wenn dir ein paar Stunden genügen, verspreche ich dir, dass ich alles tun werde, um sie unvergesslich zu machen."

„Da bin ich sicher. Hier, nimm", sagte Margot und gab mir ein kleines, zusammengefaltetes Stück Serviette. Hier ist meine neue Adresse. Ich wohne jetzt allein, niemand wird uns stören. Ich erwarte dich. Bis nachher."

Ich ging zu meiner Mutter und schlug ihr vor, ins Hotel zurückzukehren, da wir am nächsten morgen früh aufstehen müssten, dann verließen wir das Fest.

„Mutter, mach es dir gemütlich und erhol dich, damit wir morgen rechtzeitig loskommen. Ich gehe an die Rezeption und lasse die Rechnung vorbereiten, dann mache ich noch einen kleinen Spaziergang."

„Aber pass auf dich auf, du hast selbst gesagt, dass wir morgen fit für die Reise sein müssen."

„Mach dir keine Sorgen. Ich bin diese Reisen gewohnt. Du solltest dich jedoch ausruhen."

Ich bat die Rezeptionistin, ein Taxi zu rufen und fuhr zu Margot.

Das Gebäude war wesentlich kleiner als das, in dem sie vorher gewohnt hatte, nur drei Stockwerke und es gab keinen Aufzug. Margot wohnte in einer der beiden Erdgeschosswohnungen. Ich klingelte. Sie öffnete die Tür, nur mit einem kurzen Nachthemd bekleidet, das ihren Körper mehr zur Geltung brachte als verbarg.

„Ich habe dich erwartet. Warum hat es so lange gedauert? War es wegen Mama?"

„Wenn du so willst, ja…"

Margot gab mir keine Chance, den Satz zu beenden. Sie nahm meine Hände, zog mich in die Wohnung und schloss die Tür. Dann führte sie mich ins Schlafzimmer, schubste mich auf das Bett, zog das einzige Kleidungsstück aus, das sie trug, und legte ihren braunen Körper auf meinen. Erneut ergriff Ludus von uns Besitz.

Es war bereits nach sechs Uhr morgens, als ich ins Hotel kam. Ich bat den Taxifahrer zu warten, bezahlte die Hotelrechnung und ging hinauf, um meine Mutter zu holen. Zu meiner Überraschung war sie bereits fertig.

„Hallo, mein Junge. Ich habe mir Sorgen gemacht. Wie war die Nacht mit der braunen Schönheit?"

„Wovon redest du?"

„Ich habe gesehen, wie du dich gestern mit ihr unterhalten hast. Auch habe ich bemerkt, wie oft ihr während der Hochzeit Blicke gewechselt habt. Das hat mich misstrauisch gemacht und Dona Ofélia bestätigte mir, dass ihr bei deinem letzten Aufenthalt hier eine Affäre hattet."

„Was für ein Tratschweib."

„Sag so etwas nicht, mein Sohn. Wir sind Mütter. Wir sorgen uns um unsere Kinder. Etwas, das nur eine andere Mutter verstehen kann, deshalb hat sie es mir erzählt."

„Und was hat sie über Margot gesagt?"

„Nichts weiter. Und ich mache dir deswegen keine Vorwürfe. Solange du Single bist und keine feste Beziehung hast, habe ich keinen Grund zu verhindern, dass du dich vergnügst."

„Margot ist nicht nur ein Zeitvertreib, Mama!"

„Ach, nein? Also dann ist es besser, wir machen uns gleich auf den Weg, bevor die Sache noch ernster wird."

# 49

Kaum waren wir in Cumbica gelandet, beschwerte sich meine Mutter, dass wir nicht ein paar Tage länger in Deutschland geblieben waren und die Stadt besichtigt hatten. Leider konnte ich ihr nicht den wahren Grund nennen, nämlich dass wir kein Geld gehabt hätten, um das Hotel zu bezahlen oder die Stadt zu erkunden. Ich erfand wichtige Termine in Brasilien.

Wir nahmen ein Taxi und ich setzte meine Mutter mit der Entschuldigung, dasselbe Taxi nutzen zu wollen, zu Hause ab. Meinem Vater, der bereits an der Tür stand, um meine Mutter zu empfangen, winkte ich lediglich zu. Ich ließ mich nach Hause bringen und überlegte, was ich von nun an tun könnte, um ein bisschen Geld zu verdienen und mein Überleben zu sichern. Es musste mir etwas einfallen, damit ich wieder schreiben konnte. Außerdem brauchte ich Unterstützung, um ein neues Buch herauszubringen. Doch mir fielen nur zwei Menschen ein, die mir irgendwie helfen konnten, Priscila und Alex, wobei Alex natürlich die bessere Lösung war.

Zwei Wochen nach der Reise beschloss ich, Klaus anzurufen.

„Hallo?", nahm Klaus das Gespräch entgegen.

„Hallo Klaus, ich bin's Eric."

„Eric! Wie geht es dir? Bist du gut nach Hause gekommen?"

„Bei mir ist alles prima gelaufen. Und wie war die Hochzeitsreise?"

„So etwas fragt man nicht, Eric", scherzte Klaus so entspannt, als wäre er ein anderer.

„Ich rede von der Reise."

„Wir waren in einem tollen Hotel, haben ein paar von Giseles Verwandten besucht und viele Sehenswürdigkeiten Portugals kennengelernt. All das in einer Woche. Kannst du dir das vorstellen?"

„Das ist ausgezeichnet. Und wie geht es Gisele?"

„Gut. Sie hatte zwar während der Reise hin und wieder Schmerzen, aber ich glaube es war nichts weiter. Übrigens sieht man schon, wie der Bauch wächst. Bei der Hochzeit hat dank des weiten Hochzeitskleids niemand etwas bemerkt. Nachdem wir aus Portugal zurück waren, hat sie einen Ultraschall machen lassen, aber man kann noch nicht erkennen, ob es ein Mädchen oder ein Junge wird."

„Das ist nicht wichtig. Wichtig ist, dass es gesund auf die Welt kommt. Außerdem wird sie bis zum Ende der Schwangerschaft noch weitere Untersuchungen haben. Und dein Vater, gibt's etwas Neues?"

„Eigentlich wollte ich nicht darüber sprechen, aber wie ich dich kenne, wirst du nicht locker lassen. Ich muss mir auch wirklich bei jemandem Luft machen, und mittlerweile bin ich sicher, dass du der richtige dafür bist. Als wir gleich nach der Trauung nach Hause kamen, um die Koffer zu holen, war eine Nachricht von ihm auf dem Anrufbeantworter, die er am Abend vor der Hochzeit hinterlassen hatte. Er sagte, dass er nicht kommen konnte, da es seiner Freundin nicht gut ging und er sie nicht allein lassen konnte. Er hat sich auch entschuldigt, aber die Art seiner Entschuldigung zeigt mir, dass er keine Ahnung hatte, wie wichtig es für mich gewesen wäre. Da ihm meine Hochzeit nicht so wichtig war, wie ich es mir erhofft hatte, ist er von jetzt an nicht mehr Teil meines Lebens."

„Sag das nicht. Ich weiß, dass du verletzt bist, aber du musst ihm verzeihen. Schließlich ist er dein Vater."

„Das wissen wir nicht wirklich, oder, Eric?"

„Warum sagst du das jetzt?"

„Ich muss zugeben, dass das Desinteresse, das er an den Tag gelegt hat, während du etwas getan hast, womit ich nicht gerechnet hätte, mich ziemlich durcheinander gebracht hat. Ich weiß, dass das eine nichts mit dem anderen zu tun hat. Aber ich wollte nicht allein vor den Altar treten, all meine Freunde wussten, dass mein Vater mich begleiten würde und trotzdem ist er nicht gekommen. Und was war dann? Ich musste dich um nichts bitten, ohne überhaupt zu wissen, wie ich reagieren würde, hast du einfach beschlossen, mich vor den Altar zu begleiten und die ganze Zeit dort zu bleiben. Du hast genau das getan, was ich von ihm erwartet habe. Ich weiß, dass dich das nicht zu meinem Vater macht, aber du hast dich an einem der wichtigsten Tage meines Lebens als solcher verhalten. Meine Meinung in Bezug auf euch beide hat sich seitdem sehr verändert. Ich weiß nicht, ob es nur daran liegt oder an einer Reihe von Dingen, die nach dem Tod meiner Mutter passiert sind. Ich habe seine Nachricht abgehört, ihn danach jedoch nicht zurückgerufen. Dennoch macht er sich keine Mühe, es erneut zu versuchen. Offensichtlich legt er keinen Wert darauf, mit mir zu sprechen und sei es nur am Telefon. Seit meine Mutter gestorben und diese ganze Geschichte ans Licht gekommen ist, scheinst du dich viel mehr für mich zu interessieren als er. Dabei hat er mich heranwachsen sehen und war für mich während all dieser Zeit mein Vater. Ich weiß nicht, ob ihn diese Geschichte genauso durcheinander gebracht hat, aber ich habe schon überlegt, ob er vielleicht irgendetwas weiß, das wir nicht wissen, sonst hätte er sich nicht zurückgezogen und würde versuchen, den Kontakt aufrechtzuerhalten. Vielleicht weiß er, dass er tatsächlich nicht mein Vater ist und nachdem du hier aufgetaucht bist, könnte er denken, dass er mir gegenüber keine Rechte oder Pflichten mehr hat. Was meinst du?"

Schweigend hörte ich ihm zu und es dauerte eine Weile, bis ich antwortete.

„Ich weiß nicht, Klaus. Aber wenn er wirklich so denken würde, hätte er bereits aufgehört, dich jeden Monat mit Geld zu unterstützen. Außerdem ist er mit seiner Freundin beschäftigt."

„Vielleicht fühlt er sich irgendwie verpflichtet, mich zu unterstützen, eine moralische Verpflichtung meiner Mutter gegenüber. Was die monatlichen Überweisungen betrifft, habe ich bereits eine Entscheidung getroffen, noch diese Woche rufe ich ihn an und sage ihm, dass ich das Geld nicht mehr benötige. Ich werde weiter studieren und das Angebot von Seu Manuel annehmen, nebenher in der Churrascaria zu arbeiten. Er ist bereit, mich zu unterstützen. Wenn ich das Studium abgeschlossen habe, entscheide ich, ob ich weiterhin dort arbeiten oder mir einen Job in meinem Bereich suchen werde, schließlich will Gisele auch arbeiten und da sie die Abläufe in der Churrascaria bereits kennt, könnte sie problemlos die Arbeit ihres Vaters übernehmen, während ich mich meinem Beruf widme."

„Das ist eine weise Entscheidung. Du überraschst mich, Klaus, du scheinst nicht mehr der ängstliche Junge zu sein. Die Heirat hat dir sehr gut getan. und was deinen Vater betrifft, warum sprichst du nicht mit ihm darüber?"

„Das werde ich jetzt nicht tun! Ich habe eine andere wichtige Entscheidung getroffen und mit Gisele und ihren Eltern darüber geredet, sie denken, ich habe Recht und haben versprochen, mir zu helfen, wo es nötig ist. Und bevor ich mit Otto spreche, muss ich diese Entscheidung durchziehen."

„Darf ich erfahren, um was für eine wichtige Entscheidung es sich handelt?"

„Du wirst es erfahren, Eric. Ganz bestimmt. Wenn die Zeit gekommen ist. Ich habe von dir und Margot gehört." Klaus hatte das Thema gewechselt, in seinen Worten lag jetzt eine gewisse Ironie, doch sicherlich war es ihm wichtiger, meine Aufmerksamkeit auf etwas anderes zu lenken, als darüber zu spekulieren, was zwischen mir und Margot passiert war. „Und, wie war das Wiedersehen?", fuhr er fort.

„Woher weißt du das?"

„Neuigkeiten verbreiten sich schnell, Eric. Du weißt, wie diese Feste sind. Sie sind überall auf der Welt gleich."

„Es war nichts weiter. Wir haben uns nur unterhalten."

„Ich weiß, die Unterhaltung war gut und schnell, sie ist früh gegangen und du gleich darauf verschwunden."

„Das geht dich nichts an. Ich musste schon die ironischen Bemerkungen meiner Mutter über mich ergehen lassen und werde deine nicht tolerieren."

„Ernsthaft?"

„Es ist die Wahrheit", antwortete ich.

„Aber zurück zum Thema, Eric, mit all der Hilfe, die Seu Manuel angeboten hat und mit dem bisschen Gesparten von meinem Vater, könnte ich dir nächsten Monat einen Besuch abstatten, auch wenn es nur ein kurzer wäre. Es gibt etwas, das ich in Brasilien regeln muss. Wir müssen all das klären, damit ich in Zukunft irgendeine Entscheidung treffen kann. Kann ich wieder bei dir wohnen? Höchstens eine Woche! Das wird reichen."

„Du weißt, dass du darum nicht bitten musst."

„Also dann, bis bald! Ich rufe dich an, bevor ich abreise."

„Bis dann! Ich erwarte dich. Und gib Gisele einen dicken Kuss von mir."

Die folgenden Tage grübelte ich über drei Fragen nach:

Was hatte Klaus vor? Würde es mir gelingen, etwas Neues zu schreiben? Und wie konnte ich meine finanziellen Bedürfnisse befriedigen? Das von Alex geliehene Geld neigte sich dem Ende zu, die Schränke waren leer, die Rechnungen für die Wohnanlage und die Nebenkosten waren nicht bezahlt und ich hatte nicht die geringste Idee, was ich tun könnte.

## 50

Seit Tagen hatte ich den Fernseher nicht angeschaltet, keine Zeitung gelesen, die sowieso nicht mehr kamen, da die Rechnungen nicht bezahlt wurden, auch im Internet war ich nicht gewesen, was ich mithilfe eines kostenfreien Providers sehr wohl hätte tun können. Aber ich hatte nicht die geringste Lust, irgendetwas über die Welt da draußen zu erfahren, ich fühlte mich überflüssig und es war mir bewusst, dass ich zurzeit nichts zu ihrer Entwicklung beitrug.

Vergeblich versuchte ich, zu schreiben, aber es gelang mir nicht. Ich hatte jegliche Lust verloren und die wenigen Male, in denen ich versuchte, etwas anzufangen, schämte ich mich über mich selbst. Ich konnte rein gar nichts schaffen und mir kamen Oscar Wildes Worte in den Sinn: ‚Die einzigen persönlich begeisternden Künstler, die ich jemals kennengelernt habe, sind schlechte Künstler. Gute Künstler existieren lediglich in ihren Werken, ihr Leben ist daher völlig uninteressant. Ein großer Dichter, ein wirklich großer Dichter ist das Unpoetischste aller Geschöpfe. Aber schlechte Dichter sind absolut faszinierend. Je schlechter ihre Reime sind, desto pittoresker sehen sie aus. Allein die Tatsache, eine zweitklassige Sonettsammlung herausgegeben zu haben, macht einen Mann bereits unwiderstehlich. Er lebt die Poesie, die er nicht schreiben kann. Die anderen schreiben die Poesie, die sie sich nicht zu leben trauen.'

Für einen Moment beruhigten mich die Schönheit und scheinbare Wahrheit dieser Worte, doch gleich darauf verstärkten sie meine Verzweiflung, denn ich konnte nicht schreiben und war mir ebenso wenig sicher, ob ich das Leben in all seinen Möglichkeiten ausschöpfte. Es waren wirklich wunderbare Worte, aber nur, um einen in einer Geschichte zu ergreifen, das wirkliche Leben war anders und für einen echten Schriftsteller war beides direkt miteinander verbunden. Es war nötig, gute und schlechte Erfahrungen zu machen, um eine Inspiration zu haben und sie aufs Papier zu bringen. Ein Schriftsteller tut nichts anderes, als seine Erfahrungen, Ängste, Manien und Komplexe mithilfe seiner Figuren an die Öffentlichkeit zu bringen. Noch besser ist es, wenn es sich um die geheimsten Erfahrungen und Ängste handelte. Der Stoff eines Schriftstellers ist das Leben, das eigene, das der Menschen um ihn herum, durch die normalerweise die wunderschönsten oder perversesten Figuren inspiriert werden. Doch genau in diesem Augenblick war ich allein auf der Welt, ohne Stoff, ohne Zulieferer, ohne Ideen, ich war kein guter Schriftsteller mehr, nicht einmal ein schlechter, ich war einfach nur ein Nichts im Universum. Meine Gedanken schweiften ab, traurig erinnerte ich mich daran, Priscila für immer verloren zu haben und gleichzeitig war ich glücklich, sie davor bewahrt zu haben, an meiner Seite ihre Jugend zu verlieren. Wie sie zu sagen pflegte, war ich ein reifer Mann, doch nach der Reife blieb mir nichts anderes übrig, als zu verfaulen. Und definitiv verdiente sie es nicht, neben einer fauligen Frucht zur Reife zu gelangen, denn so fühlte ich mich in diesem Augenblick, total verfault.

An diesem Abend beschloss ich, meinen Zerfall zu beschleunigen und als hätte ich eine Art Rückfall, verließ ich die Wohnung und steuerte auf die nächste Kneipe zu. Da ich kein Geld hatte, um eine Prostituierte zu bezahlen, trank ich den billigsten Cachaça und der Abend endete damit, dass ich, gestützt von anderen unbekannten Betrunkenen, nach Hause kam.

Am nächsten Morgen weckte mich das Klingeln des Telefons, es war bereits Nachmittag.

„Hallo", meldete ich mich schlaftrunken.

„Eric? Ich bin's, Klaus. Geht es dir gut? Deine Stimme hört sich miserabel an!"

„Ich habe einen Kater", antwortete ich, vor Kopfschmerzen war ich wie betäubt.

„Bist du Trinken gegangen?"

„Nein! Ich habe im Sitzen getrunken, bis zum Umfallen und danach hat man mich getragen."

„Lass die Scherze. Ich fliege heute Abend und dürfte morgen früh ankommen."

„Super! Ich werde dich am Flughafen erwarten."

„Musst du nicht. Die Maschine landet vor sechs Uhr morgens und ich möchte dir keine Umstände machen. Warte zu Hause auf mich."

„Wenn es dir lieber ist."

„Es wird besser sein. Bis morgen. Gisele schickt dir einen Kuss."

„Ihr auch einen und...", bevor ich den Satz beenden konnte, hatte Klaus aufgelegt.

# 51

Es war noch dunkel, als die Gegensprechanlage klingelte und der Portier Klaus ankündigte. Ich bat ihn, ihn hinaufzulassen und wusch mir schnell das Gesicht, um die Müdigkeit zu vertreiben. Neben der Tür wartete ich darauf, dass es klingelte.

„Klaus, wie schön, dich wiederzusehen." Anders als bei unseren anderen Zusammentreffen umarmte der Junge mich lange.

„Entschuldige, dass ich dich so früh geweckt habe."

„Du hast mich nicht geweckt, ich habe dich erwartet."

„In Ordnung, aber wenn du wirklich wolltest, dass ich dir das glaube, hättest du dir etwas anderes anziehen müssen", sagte Klaus und lächelte. „Aber macht ja nichts, Eric, es ist noch sehr früh und wenn du dich noch mal hinlegen willst, gerne. Denn später müssen wir uns über einiges unterhalten."

„Ich kann jetzt nicht mehr schlafen, die Neugier würde es nicht zulassen."

„Also warum ziehst du dich dann nicht an und wir gehen in die Bäckerei und trinken einen Kaffee?"

„Ausgezeichnete Idee. Ich bin in einer Minute fertig. Auch ich möchte dir ein paar Dinge erzählen."


Beim Kaffee unterhielten wir uns lediglich über Belanglosigkeiten, obwohl Klaus Reise nach Brasilien einen wichtigen Grund haben musste. Wir sprachen über die Hochzeit, die Feier, Klaus neues Leben als Ehemann und auch über Gisele, das Baby, das bald kommen würde, sogar über Margot.

Auf dem Nachhauseweg machten wir Bemerkungen über den Verkehr in São Paulo, die Menschen, die eilig durch die Straßen hasteten, wahrscheinlich auf dem

Weg zur Arbeit, wir diskutierten die Möglichkeit, dass es regnen würde, der Himmel sah ganz danach aus, und einige andere Dinge, die für dieses Treffen nicht die geringste Bedeutung hatten. Doch wir beide wussten, dass uns in den nächsten Stunden eine ernste Unterhaltung bevorstand, sodass wir diese banalen Themen brauchten, um uns einander anzunähern und ein vertrauteres Klima zu schaffen.

Ich öffnete die Wohnungstür und Klaus setzte sich ins Wohnzimmer. Dann gab er mir ein Zeichen, mich ebenfalls hinzusetzen und fing an zu sprechen.

„Eric", er machte eine lange Pause. „Ich habe diese Reise gemacht, weil es etwas gibt, das mir nicht aus dem Kopf geht. Bevor ich mich entschlossen habe, nach Brasilien zu kommen, habe ich viel darüber nachgedacht und entschieden, dir gegenüber absolut ehrlich zu sein, ohne mir Sorgen zu machen oder Angst zu haben und ungeachtet meiner Schüchternheit, sondern aus ganzem Herzen gesprochen.

„Schon gut, Klaus", unterbrach ich ihn in scherzhaftem Ton. „Auf diese Weise wirst du nur verlegen und kannst dann nicht weiterreden, komm einfach direkt zur Sache."

„Was ich dir zu sagen habe, ist sehr ernst und ich habe mich intensiv darauf vorbereitet, also lass bitte die Späße."

Klaus Gesichtsausdruck machte mir klar, dass er es ernst meinte, deshalb ließ ich ihn ungehindert weitersprechen.

„Ich glaube, dass diese Entscheidung die einzige Möglichkeit ist, alles, was ich nach dem Brief meiner Mutter durchgemacht habe, zu verstehen. Es ist besser für mich, für dich und sogar für Otto. Auch wenn ich mir zunächst Sorgen gemacht habe, dass ich das Vertrauen meiner Mutter missbrauche, der einzige Grund, warum ich die Entscheidung hinausgezögert habe. In ihrem Brief versichert sie, dass ich dein Sohn bin und das nicht zu glauben, gab mir das Gefühl, an ihren Worten zu zweifeln oder noch schlimmer, sie zu verleumden."

„Das stimmt nicht", sagte ich, um ihn zu beruhigen.

„Wenn sie sagt, dass ich dein Sohn bin, warum sollte ich daran zweifeln? Aber leider sind in der Vergangenheit Dinge passiert, die dazu geführt haben, dass ich nicht alles glauben kann und was mich noch mehr verletzt hat, ist, dass meine Mutter vielleicht selbst nicht genau weiß, wer mein wirklicher Vater ist."

„Ich bin mir sicher, dass sie das von Anfang an wusste", versuchte ich ihn erneut zu beschwichtigen.

„Du willst mich beruhigen, Eric. Dabei weiß ich, dass auch du diese Gewissheit nicht hast, Eric, und bitte, ich habe dir von Anfang an gesagt, dass wir offen sprechen würden."

„Entschuldige Klaus, du hast Recht. Ich hätte diese Gewissheit sehr gerne, aber leider habe ich sie nicht."

„Seit dem Tag, an dem meine Mutter mir von dir erzählte, bin ich nicht mehr derselbe. Meine Zweifel und Ängste wurden jeden Tag größer."

„Ich weiß", unterbrach ich ihn erneut. „Bei mir war es genau das Gegenteil. Nachdem ich dich kennengelernt hatte, wurden die Angst und die Sorgen stetig kleiner, bis nur Neugier übrig war. Das ist, das kann ich dir garantieren, die Wahrheit."

„Ich glaube, das habe ich gemerkt. Aber du musst mir zustimmen, dass wir beide unsere Zweifel haben, ganz anders als Dona Lucilia beispielsweise, der es, wie mir schien, keinen Moment etwas ausgemacht hat, sondern die einfach beschlossen hat, dass ich ihr Enkel sein würde. Ohne darüber nachzudenken, ob ich dein leiblicher Sohn bin oder nicht, hat sie mich als Enkel in die Arme geschlossen. Leider haben wir beide zu viele Vorurteile, sind unsicher. Was uns noch fehlt ist diese Liebe und geistige Unschuld, die deine Mutter bewiesen hat, Eric."

„Willst du damit sagen, dass wir etwas gemein haben? Denkst du nicht, dass das etwas bedeuten könnte?"

„Du machst wieder Spaß, Eric", entrüstete sich Klaus.

Auf meinem Gesicht breitete sich ein angespanntes Lächeln aus, das Klaus nicht verstand, wie ich feststellte. Ich beschloss, es ihm zu erklären.

„Meine Mutter sagt immer, dass ich, obwohl ich ganz anders bin als mein Vater, ein paar Eigenschaften von ihm habe. Wenn ich nervös werde, beispielsweise, und das passiert mir nur selten, wohingegen er dauernd nervös ist. Oder anders gesagt, selbst wenn Väter und Söhne unterschiedlich sind, haben sie irgendeine genetische Gemeinsamkeit."

„Damit wir diese Ungewissheit ein für alle Mal beseitigen, habe ich beschlossen, hierher zu kommen, damit wir einen DNA-Test machen können."

„Bist du sicher, dass du das tun willst?", fragte ich.

„Jetzt sag mir nicht, dass du nicht willst. Ich weiß, dass du genauso wie ich immer daran gedacht hast, dich jedoch nie getraut hast, offen über die einzige Möglichkeit zu sprechen, wie wir diese Geschichte ein für alle Mal klären können."

„Du hast Recht. Es war das einzige, an das ich gedacht habe, bevor ich dich kennenlernte. Heute beschäftigt mich die Frage nicht mehr." In diesem Moment war ich sicher, dass wir beide ehrlich zueinander waren.

„Wir können diese Ungewissheit nicht bis ans Ende unseres Lebens mit uns herumtragen, Eric. Es ist noch früh, wir können gleich heute ins Labor gehen, ich habe bereits über das Thema recherchiert, wir bekommen das Ergebnis in fünf Tagen. Ich bleibe hier, bis wir das Ergebnis abholen können, dann fliege ich nach Deutschland zurück und jeder geht seines Wegs, ohne Ungewissheiten."

Bei Klaus Worten zog sich mein Herz zusammen, doch er schien meine Sorge zu spüren.

„Ich will damit sagen, dass sich, unabhängig vom Ergebnis, nichts ändern wird. Du bist mehr als ein Freund, Eric. Daran ändert auch das Untersuchungsergebnis nichts."

„Mehr als ein Freund zu sein, heißt weniger als ein Vater zu sein, ist es das?", ängstlich wartete ich auf seine Antwort.

„Ich weiß nicht, was ich sagen soll."

„Du hast gesagt, dass wir ehrlich sein sollen. Du hast auch darüber gesprochen, wie schwer es uns fällt, zu zeigen, was wir füreinander empfinden."

„Ich weiß, Eric. Und du kannst sicher sein, dass ich ehrlich bin. Ich habe aus voller Überzeugung gesagt, dass du mehr bist als ein Freund. Ich wäre nicht absolut ehrlich, wenn ich sagen würde, dass du wie mein Vater bist."

„Ich verstehe."

„Ich habe im Internet recherchiert, es gibt ein Labor hier in der Nähe. Gehen wir?", fragte Klaus und stand auf.

Knapp drei Stunden später waren wir wieder zu Hause, jetzt mussten wir nur auf das Ergebnis warten. Klaus schien genauso ungeduldig und nervös wie ich. Wir mussten versuchen, die angespannte Atmosphäre zu lockern, die seit der Blutentnahme im Labor zwischen uns herrschte. Die winzigen Röhrchen, die lediglich ein paar Tropfen Blut enthielten, schienen über unsere Zukunft zu entscheiden. Ihr Inhalt war bereit, die Geschichte zu enthüllen und unsere Leben für immer zu verändern.

Den restlichen Tag über sprachen wir kaum, jedes Gespräch, das wir anfingen, kam ins Stocken und brachte uns sofort wieder zum Schweigen, dabei konnten wir unsere Ungeduld kaum verbergen.

Am Abend, nachdem ich geduscht hatte, fand ich Klaus vor dem Fernseher.

„Klaus", sagte ich und schaltete den Fernseher aus. „Als du gestern Vormittag ankamst, hast du gesagt, wir sollten ehrlich zueinander sein. Ich würde dir jetzt gerne absolut ehrlich den Grund für meine größte momentane Sorge erklären. Ich muss mir bei irgendjemandem, dem ich vertraue, Luft machen."

„Wirst du mir etwas erzählen, was ich noch nicht weiß?", fragte er interessiert.

„Nein, Klaus. Ich habe nichts mehr zu erzählen, was du nicht schon wüsstest. Aber da wir Freunde sind, würde ich mir gerne bei dir Luft machen. Ich weiß, dass es nicht der richtige Zeitpunkt ist, und vielleicht hast du keinen Kopf dafür, deshalb kannst du mich auch jederzeit unterbrechen."

Meine Worte schienen ihn zu überraschen, doch mit einer Geste gab er mir zu verstehen, dass ich fortfahren sollte.

„Zu erfahren, ob ich dein leiblicher Vater bin oder nicht, ist für mich bereits seit langem kein Problem mehr. Ich muss zugeben, dass ich auf die Wahrheit gespannt bin und sehr glücklich und stolz wäre, wenn es so wäre, doch sollte es nicht der Fall sein, werde ich mich damit zufrieden geben, mehr als ein Freund zu sein, was mir ebenfalls viel Vergnügen und Freude bereiten wird. Was mich jetzt beunruhigt, sind die persönlichen Probleme, die ich zurzeit habe."

„Ich weiß schon. Hast du eine andere Frau gefunden?", fragte Klaus, als ob er die Antwort bereits kannte.

„Nein. Es ist etwas viel ernsteres als eine Romanze."

„Ist Margot schwanger?", war seine nächste ironische Frage.

„Entschuldige Klaus, es ist sehr viel ernster, als du es dir vorstellen kannst, deshalb ist es besser, du vergisst, was ich gesagt habe."

„Nein, Eric. Entschuldige bitte. Bitte sprich weiter", sagte er und fuhr sich mit der Hand übers Gesicht, als wollte er zeigen, dass ihm seine Fragen leid taten.

„Ich stecke in Schwierigkeiten, Klaus", sagte ich verlegen.

„Was für Schwierigkeiten? Finanzielle?", fragte er interessiert und besorgt.

„Auch finanzielle. Doch das Problem ist sehr viel größer und beginnt lange vor den finanziellen Schwierigkeiten."

„Was meinst du?"

„Mein letztes Buch war ein Misserfolg. Seit Jahren hatte ich kein neues Buch geschrieben. Und als ich dann eins geschrieben habe, war es schrecklich. Es hat sich praktisch nicht verkauft. Folglich habe ich meine Glaubwürdigkeit verloren, meine Stellung als Schriftsteller. Priscilas Vater hat meine Kolumne in der Zeitung gestrichen, mein Verleger glaubt nicht mehr an eine neue Arbeit. Seit Monaten will niemand etwas von mir, ich stecke in finanziellen Schwierigkeiten. Alex, mein Agent, ist der einzige, der noch an mich glaubt, so sehr, dass ich sogar mit dem von ihm geliehenen Geld zu deiner Hochzeit gekommen bin. Er ist der einzige Freund, der mir geblieben ist, aber momentan kann er nichts für mich tun. Ich muss etwas Neues schaffen und dann kann er sich beim Verlag für mich einsetzen."

„Mir hat dein letztes Buch gefallen. Die Geschichte hat mit meiner Mutter zu tun."

„Ja. Alles hat mit deiner Mutter zu tun. Das Problem ist lediglich, dass nur wir zwei das wissen. Vielleicht verstehen es die Leser deshalb nicht."

„Warum sprichst du nicht mit Priscila, damit du wieder für die Zeitung ihres Vaters schreiben kannst?"

„Daran habe ich bereits gedacht. Aber wir haben schon lange nicht mehr miteinander kommuniziert. Und auch ich habe meinen Stolz, der mich daran hindert, Priscila um diese Art Hilfe zu bitten."

„Stolz in deiner Situation, Eric?"

„Das verstehst du noch nicht. Aber eines Tages wirst du es verstehen. Wenn wir jung sind und eine Karriere vor uns haben, egal was für eine, sind wir stolz darauf, für unsere Ideale zu kämpfen. Wir schämen uns nicht auf der Suche nach Arbeit von Tür zu Tür zu gehen, im Gegenteil, es ist glorreich, aus eigener Kraft und eigenem Willen nach einer Gelegenheit zu suchen, die eine Tür öffnet. So war es bei mir, ich habe einiges durchgemacht. Um ein Praktikum bei einer großen Zeitung zu ergattern, musste ich einem ganzen Stockwerk Kaffee servieren, Scherze ertragen, auf die Bank rennen, um die Privatrechnungen der Sekretärin des Chefs zu begleichen und immer wieder musste ich Überstunden machen, um noch etwas zu lernen, was ein anderer bereit war, mir beizubringen. Alles, nur um eine Gelegenheit zu bekommen. Danach arbeitete ich bei einer kleinen Stadtviertelzeitung, wurde zum Verleger dieser Zeitung, dann wechselte ich erneut die Stelle, dank des Einflusses bei der Zeitung konnte ich einen Verlag finden, um meinen Traum zu verwirklichen und mein erstes Buch zu veröffentlichen, danach kamen weitere Bücher und ich wurde zu einem bekannten Schriftsteller. Wenn man diese Stufe erreicht hat, kommen die anderen auf dich zu, du erhältst so viele Einladungen. Angebote, den Verlag zu wechseln und Kolumnen in Zeitungen oder Zeitschriften zu verfassen, wann immer du willst, all das, weil du in der Öffentlichkeit stehst und alle wissen, dass deine Arbeit den erwarteten Gewinn bringen wird. Es gibt einen Zeitpunkt, an dem dein Name wichtiger wird als deine eigentliche Arbeit. Bis dein Name aus dem einen oder anderen Grund plötzlich nicht mehr das erwartete Ergebnis bringt. Vielleicht, weil du dich daran gewöhnt hast, von deinem Namen zu leben und dabei vergessen hast, zu arbeiten oder vielleicht sogar, weil irgendjemand, den du nie kennengelernt hast, sagt, dass deine Arbeit nicht mehr so ist wie früher. Noch schlimmer wird es, wenn dieselben Leute, die sich vor dir verbeugt und dich auf ein Podest gestellt haben, damit anfangen, das Gegenteil zu tun. Gesellt sich irgendeiner dieser Gründe zu einem persönlichen Problem, noch schlimmer. Was mich betrifft, hatte ich immer ein Problem mit meiner Vergangenheit. Du wirst es vielleicht nicht glauben, aber es ist mir nie gelungen, deine Mutter zu vergessen. Von dem Tag an, an dem sie fortging, haben sich meine Wertvorstellungen geändert, ich habe davon abgesehen, eine Familie zu gründen, habe die unmöglichsten Orte aufgesucht, mit den unterschiedlichsten Leuten verkehrt, ich habe oft für Sex bezahlt und bis heute übertreibe ich es mit dem Alkohol. Als wäre ich eine gespaltene Persönlichkeit, einerseits der berühmte Schriftsteller, daran gewöhnt, Preise zu gewinnen, die vornehmsten Restaurants zu besuchen und andererseits der Alkoholiker, der auf der Straße rumhängt, mit irgendeinem Mädchen ausgeht, das sich ein bisschen Geld verdienen möchte, in dem es einem verbitterten, an die Vergangenheit gefesselten Betrunkenen Gesellschaft leistet. In jeder dieser Frauen habe ich etwas von Geovanna gesucht, aber sie natürlich nie in einer gefunden, und das heißt nicht, dass alle Frauen, mit denen ich ausgegangen bin, abscheulich gewesen wären, nein, ich habe interessante, hübsche und sympathische Frauen kennengelernt und sogar welche, die tatsächlich an einer intensiveren Beziehung interessiert waren."

Klaus hatte die ganze Zeit über schweigsam zugehört. Jetzt konnte er seine Neugier nicht unterdrücken.

„War Priscila eine von ihnen?"

„Vielleicht war Margot eine von ihnen. Mit Priscila war es etwas viel größeres."

„Und warum bist du nicht bei ihr geblieben? Wegen meiner Mutter?"

„Nein. Auch wenn ich deine Mutter immer geliebt habe, wusste ich, dass ich sie nach so langer Zeit nicht mehr zurückgewinnen würde. Selbst wenn sie noch leben würde. Ich war bereit, mit Priscila zu leben, sie hat mich glücklich gemacht und ich glaube, ich habe sie geliebt, aber ich konnte sie nicht glücklich machen. Dass ich mich mit Margot eingelassen habe, ist ein Beispiel dafür."

„Hältst du es für möglich, zwei Menschen gleichzeitig zu lieben, Eric? Ich kann mir das nicht vorstellen. Ich liebe Gisele. Ich denke, dass ich mich nicht für eine andere Frau interessieren würde."

„Ich glaube, man kann sogar mehr als zwei lieben. Drei oder vier. Doch ich drücke dir die Daumen, dass du nur einmal lieben wirst und dass diese Liebe für immer halten wird, dann musst du die Enttäuschung einer verlorenen Liebe nicht erleben und auch keine neue Liebe suchen. Das wird dir Leid ersparen", fuhr ich fort und, um meine Erklärung zu begründen, fuhr ich fort: „Priscila hat mich nach Jahren wieder zum Lachen gebracht und obwohl sie viel jünger ist, hat sie mir viele Dinge beigebracht, an ihrer Seite war ich glücklich."

„Und warum bist du nicht mit ihr zusammengeblieben? Warum hast du dir keine Mühe gegeben?", fragte Klaus und wartete gespannt auf meine Antwort.

„Weil ich mir diese Chance nicht gegeben habe."

„Wie meinst du das?"

„Ich habe sie kurz nachdem ich den Brief von Geovanna erhalten hatte kennengelernt. In meinem Innersten hätte ich sie immer verglichen. Erst nachdem ich mir bewusst gemacht hatte, dass Priscila und Geovanna sehr unterschiedliche Menschen sind, konnte ich mich besser auf Priscila einlassen. Wäre ich bei ihr geblieben, hätte sie mich sicher nicht verlassen, wie einst Geovanna. Doch irgendwann hätte sie mich aus anderen Gründen verlassen können."

„Und genau das ist passiert! Warum hat sie dich verlassen?"

„Sie hat mich nicht verlassen. Ich habe zugelassen, dass sie mich verlässt."

„Was soll das heißen?", fragte Klaus verwirrt.

„Sobald die Beziehung mit Priscila vertrauter wurde, sprach ich nur noch von dem Brief, von Geovanna und von dir. Ich bat Priscila sogar, mich nach Deutschland zu begleiten. Ich lud meine neue Freundin ein, mit mir gemeinsam mein sehr persönliches Problem zu lösen. Ständig wiederholte ich, wie sehr ich Geovanna geliebt habe. Dies sollte ein Mann niemals tun."

„Willst du damit sagen, dass auch ich daran schuld bin?", fragte Klaus schüchtern.

„Nein. Natürlich nicht. Alle Schuld liegt bei mir. Ich hätte ein bisschen abwarten, sie mit all dem verschonen sollen. Es war mein Problem. Ich hätte vielleicht mit ihr über das Thema sprechen können, hätte sie jedoch niemals in die Sache hineinziehen sollen. Darüber hinaus war da noch das Problem mit dem Alkohol und dass ich keine Termine einhielt. Nachdem ich berühmt geworden war, habe ich so manche Verabredung versäumt und andere vergessen. Der Ruhm gibt uns das falsche Gefühl, dass wir uns alles erlauben können und dass sich alles um uns dreht. Und als wäre all das noch nicht genug, hatte ich noch die Affäre mit Margot, diesen Teil der Geschichte kennst du bereits. Das heißt, von Anfang an habe ich alles falsch gemacht und mit der Zeit wurde ich genau zu dem Typ Mann, den Priscila nicht an ihrer Seite haben wollte."

„Eric, wenn du Priscila wirklich geliebt hast, warum hast du dann etwas mit Margot angefangen? Das entspricht nicht dem Verhalten von jemandem, der wirklich liebt."

„Deine Frage zeigt mir, dass du tatsächlich weißt, was Liebe bedeutet. Das macht mich glücklich", gab ich zurück.

„Wie meinst du das?"

„Das, was mit Margot passiert ist, war Ludus-Liebe."

„Was für eine Liebe?", fragte Klaus, als wartete er auf eine Art Scherz.

„Eine rein sexuelle Liebe. Etwas, das du nicht kontrollieren kannst. Du liebst diesen Menschen nicht wirklich, machst keine Pläne, dein restliches Leben mit ihm zu verbringen oder besser gesagt, jeden Tag an seiner Seite zu sein, aber wenn sich Menschen treffen, die nur Ludus suchen, überkommt sie ein wahnsinniger Wunsch, den anderen zu berühren, Liebe im übertragenen Sinne des Wortes zu machen, jede erdenkliche Art von Sex, intensiv. Die sinnliche Leidenschaft lässt einen in dem Anderen versinken. Mehr ist es nicht, nach dem Höhepunkt verspürst du nicht mehr das geringste Bedürfnis, neben dem Anderen zu liegen, im Gegenteil, du willst verschwinden, es geht sogar so weit, dass du es bereust, doch wenn du diese Person erneut triffst, steht Ludus schon bereit. Tatsache ist, dass ich Priscila geliebt habe, jedoch nicht wusste, was Liebe ist. Wenn wir wissen, was Liebe bedeutet, geben wir Ludus keine Gelegenheit, diese andere Person in uns wachzurufen. Wahre Liebe ist tief und drückt sich nicht nur durch Zärtlichkeit, Lust, Sex oder den Wunsch aus, den Rest des Lebens mit diesem Menschen verbringen zu wollen. Zu all diesen Zutaten, die ich gerade aufgezählt habe, kommen noch andere, ebenso wichtige, wie Respekt, Bewunderung, Kameradschaftlichkeit und selbst Treue. Gelingt es einem, all diese Dinge zu verbinden, wird Ludus sich nicht in anderen Körpern zeigen, so bildschön sie auch sein mögen. Und selbst wenn du sie bewunderst, wirst du sie nicht unkontrolliert begehren. So sollte es sein, wenn man einen Menschen wirklich liebt. Genau das, was ich nicht wusste. Deshalb habe ich Priscila verloren, doch ich wünsche ihr von tiefstem Herzen, dass sie all das in ihrem Ehemann gefunden hat und glücklich sein wird."

„Ich hoffe, dass du, wenn du dich in Zukunft verliebst,

weißt, was Liebe bedeutet", sagte Klaus.

„Ich ziehe diese Möglichkeit in Betracht. Doch das Interessante ist, dass ich all das erst jetzt herausgefunden habe. Interessant und seltsam, denn darüber habe ich immer in meinen Büchern geschrieben – mit Ausnahme des letzten – all das habe ich immer gewusst, aber nie daran geglaubt."

„Vielleicht hast du es vergessen, weil meine Mutter dich verlassen hat! Du hast sie geliebt, aber sie konnte diese Liebe nicht erwidern."

„Das kann sein. Doch darüber werde ich jetzt nicht nachdenken. Wichtig ist, dass ich darüber glücklich bin, mich neu zu entdecken. Ich liebe Priscila noch immer, aber auf eine andere Art. Es ist nicht mehr die Liebe eines Mannes für eine Frau, sondern eine Art Geistesverwandtschaft."

„Das habe ich nicht ganz verstanden, aber ich bin glücklich, dass du glücklich bist", sagte Klaus vergnügt.

„Du weißt gar nicht, wie wichtig dieses Gespräch für mich war, Klaus. Es ist, als stünden mir die Dinge jetzt klar vor Augen."

„Du redest immer wirrer! Willst du versuchen, es mir auf Englisch zu erklären? Vielleicht hast du ein paar Wörter benutzt, die mich durcheinanderbringen."

„Vergiss es, Klaus. Das meiste hast du verstanden. Wichtig ist, dass ich die Liebe als solche wiederentdeckt habe, die Liebe für das Leben, die wahre Liebe. Und all das, weil wir diese Unterhaltung geführt haben. Wenn wir das Leben nicht lieben, wie können wir dann einen anderen Menschen lieben? Das gilt auch für meine Arbeit. Und genau das fehlt mir zurzeit, deshalb gelingt es mir nicht, etwas zustande zu bringen. Liebe! Schreiben war das einzige, was ich noch mit Liebe getan habe, und sogar damit habe ich aufgehört. Als ich mein letztes Buch schrieb, war ich voller Trauer, weil deine Mutter gestorben war, das Ergebnis war ein sehr trauriges Buch."

„Eric… Deine Erklärungen haben mir gefallen, auch wenn ich nicht mit allem einverstanden bin, was du gesagt hast. Und du kannst sicher sein, dass ich einige deiner Worte für mein Leben beherzigen werde. Doch du hast vorhin von finanziellen Schwierigkeiten gesprochen, in denen du steckst…"

„Vergiss es. Ich habe gerade herausgefunden, wie ich sie überwinden kann."

„Du bist und bleibst ein Spinner!", sagte Klaus und lächelte.

„Das stimmt. Doch mittlerweile bin ich ein bewusster Spinner."

„Was?", hakte Klaus neugierig nach.

„Vergiss es, lass uns schlafen gehen, es ist schon sehr spät."

Ich war gerade dabei einzuschlafen, als das Telefon klingelte.

„Wer ist da?", fragte ich, dieses Mal ohne das übliche ‚Hallo', mit dem ich Anrufe sonst entgegennahm.

„Hallo, könnte ich bitte Klaus sprechen?", antwortete die Stimme einer Frau am anderen Ende der Leitung mit starkem Akzent.

„Gisele?", fragte ich, da ich ihre Stimme nicht erkannt hatte.

„Ja, es geht um Gisele! Sie ist im Krankenhaus."

„Mit wem spreche ich?", erkundigte ich mich.

„Hier ist Roberta, Giseles Schwester. Ich muss mit Klaus sprechen, Gisele ist im Krankenhaus."

„Bitte warte eine Minute!", sagte ich und nahm den Hörer vom Ohr, um Klaus zu rufen.

„Klaus, ein Anruf für dich, es ist Roberta, Giseles Schwester."

Klaus warf das Buch, in dem er gelesen hatte, auf das Bett und kümmerte sich nicht darum, wo es gelandet war, sondern rannte sofort zum Telefon. Er sprach Deutsch und seinem Gesichtsausdruck nach zu urteilen, war er sehr besorgt. Er sprach schnell und ich verstand nur, dass er dem Mädchen ununterbrochen Fragen stellte, ohne ihr Zeit zum Antworten zu geben.

„Ich muss zurück!", sagte er und rannte in sein Zimmer, um den Koffer zu packen.

„Ganz ruhig. Flüge nach Deutschland gibt es nicht unbedingt dann, wenn du es möchtest."

„Und wenn ich auf dem Flughafen übernachten muss. Ich muss den ersten Flug nach Hause bekommen, Gisele ist im Krankenhaus und es besteht die Gefahr, dass sie das Baby verliert."

„Wie das denn? War nicht alles in Ordnung?"

„Als ich abgeflogen bin, war alles in Ordnung! Aber heute hatte sie eine Blutung und musste sofort ins Krankenhaus gebracht werden. Man weiß noch nicht genau, was geschehen ist, aber es sieht so aus, als müsste sie ein paar Tage zur Beobachtung dort bleiben, ich muss bei ihr sein."

„In Ordnung. Lass uns ein Taxi nehmen, ich begleite dich zum Flughafen."

„Ich fliege nach Frankreich oder in irgendein anderes Land in der Nähe, von dort aus fliege ich dann weiter, je nachdem, was am schnellsten geht", sagte Klaus verstört.

## 52

Nach fast fünfzehn Stunden auf dem Flughafen war ich endlich wieder zu Hause. Ich nahm ein ausgiebiges Bad, legte mich ins Bett und fiel in einen tiefen Schlaf.

Dieses Mal musste ich nicht daran denken anzurufen. Klaus meldete sich sofort, nachdem er das Krankenhaus verlassen hatte. Er schien sehr besorgt.

„Eric, ich komme gerade aus dem Krankenhaus, leider kann ich nicht bei ihr bleiben."

„Und wie geht es ihr?", erkundigte ich mich.

„Der Arzt sagte, es bestünde das Risiko einer vorzeitigen Plazentalösung, außerdem hat sie eine Harnwegsinfektion."

„Besteht irgendeine Gefahr?"

„Ja. Sie könnte eine Fehlgeburt haben. Sie muss absolute Bettruhe einhalten und ständig überwacht werden. Die Ärzte nennen das Risikoschwangerschaft und es ist so gut wie sicher, dass es eine Frühgeburt werden wird, normalerweise dauert eine Risikoschwangerschaft keine neun Monate. Und Gisele kommt erst in den sechsten Monat."

„Das tut mir sehr leid, Klaus. Aber ich bin sicher, dass Gisele und das Baby es durchstehen werden. Hilf ihr, erlaube ihr nicht, sich anzustrengen, kümmere dich darum, dass sie absolute Bettruhe hält."

„Dessen kannst du sicher sein, Eric."

„Sollte es irgendetwas Neues geben, ruf mich an. Und sag einfach, wenn du etwas benötigst. Gib ihr einen Kuss von mir und viel Glück."

„Eric! Es gibt da etwas, um was ich dich gerne bitten würde."

„Sag schon!"

„Könntest du das Untersuchungsergebnis abholen?"

„Na klar. Schließlich hast du es bezahlt. Ich weiß nur nicht, ob ich den Mut haben werde, es zu öffnen."

„Eben darum wollte ich dich bitten. Bitte öffne es nicht. Ich würde es gerne gemeinsam mit dir tun, einverstanden?"

„In Ordnung. Doch jetzt gibt es nichts Wichtigeres, als das Leben deiner Frau und deines Sohnes."

„Trotz allem habe ich noch eine gute Nachricht für dich."

„Tatsächlich? Und welche?"

„Es ist kein Sohn. Es ist eine Tochter. Ein Mädchen, Eric, die Ärzte haben eine Untersuchung gemacht und dabei das Geschlecht des Kindes festgestellt."

„Und habt ihr euch schon einen Namen überlegt?"

„Das haben wir bereits zu Beginn der Schwangerschaft getan. Wenn es ein Junge gewesen wäre, hätten wir ihn Ricardo genannt, aber da es ein Mädchen ist, wird sie Luciana heißen."

„Das ist ein wunderschöner Name. Pass gut auf Gisele und Luciana auf."

„Darauf kannst du dich verlassen."

Gleich nachdem Klaus aufgelegt hatte, verspürte ich den starken Wunsch, bei ihnen zu sein, als wüsste ich, dass er mich brauchte, auch wenn Giseles Familie ihm stets zur Seite stand. Gleichzeitig freute ich mich riesig über seinen Wandel, der mit der Heirat und der bevorstehenden Geburt des Kindes zusammenzuhängen schien. Er war sicherer, war kein Junge mehr, sondern ein Mann geworden.

In den darauffolgenden Tagen bemühte ich mich weiterhin, etwas Neues zu schreiben, aber wie schon bei den letzten Versuchen fehlte mir jede Inspiration.

Am vereinbarten Tag ging ich ins Labor und holte das Untersuchungsergebnis ab. Wieder zu Hause dachte ich darüber nach, den Umschlag zu öffnen. Vielleicht wäre es besser, vor Klaus Bescheid zu wissen, damit ich darauf vorbereitet war, wenn er die Wahrheit erfahren würde. Unabhängig vom Ergebnis könnte ich ihn dabei unterstützen, es zu akzeptieren. Doch gleichzeitig war mir bewusst, dass ich damit sein Vertrauen missbrauchen würde. Ich versteckte den Umschlag unter einem Stapel anderer Papiere in einer Schublade und schwor mir, ihn erst zu öffnen, wenn Klaus und ich uns wiedersähen.

# 53

Es waren zwei Monate vergangen, seit ich das Untersuchungsergebnis abgeholt hatte, mein Leben hatte sich kaum verändert, abgesehen vom Geld, das mittlerweile verbraucht war, passierte nichts Neues. Keine neue Idee für ein Buch, kein Anruf, um mir einen Job anzubieten oder mich zu einer Veranstaltung oder wenigstens einer Party einzuladen, nicht einmal Alex, der mich immer anrief, um zu erfahren, wie die Dinge liefen, meldete sich bei mir. Darüber hinaus erhielt ich jeden Tag weniger Post und alles, was noch ankam, waren Rechnungen, die bezahlt werden mussten sowie Werbeanzeigen für Belanglosigkeiten.

Einmal in der Woche sprach ich mit meiner Mutter. Sie rief mich regelmäßig an, um herauszufinden, wie es Gisele ging und wenn ich zugab, dass ich Klaus, seitdem er mich wegen des DNA-Tests in Brasilien besucht hatte, erst einmal gesprochen hatte, nannte sie mich einen grausamen Vater. Doch was mich bei unseren Gesprächen am meisten quälte, war, dass sie mich nie fragte, ob ich den Umschlag geöffnet hatte oder nicht.

Ich überlegte, Priscila aufzusuchen und sie um Hilfe zu bitten, sie hatte mittlerweile einen wichtigen Posten im Direktorium der Zeitung und könnte mir sicherlich mit irgendeiner Beschäftigung aushelfen, so gering sie auch wäre. Über eine Stunde saß ich neben dem Telefon, doch als ich mich gerade entschieden hatte, anzurufen, klingelte der Apparat.

„Hallo!", gutgelaunt nahm ich den Anruf entgegen.

„Eric! Ich bin's, Klaus."

„Klaus? Was für eine Überraschung! Wie geht es dir?"

„Besser könnte es gar nicht sein", sagte Klaus überglücklich. „Gerade ist Luciana geboren worden."

„Schon?", fragte ich erstaunt.

„Gisele war bereits im siebten Monat, und auch wenn Luciana noch im Inkubator liegt, der Arzt sagt, alles in Ordnung, sie muss nur noch dort bleiben, um zuzunehmen und damit die Gelbsucht weggeht, die man an der Farbe ihrer Haut erkennt. Aber es ist völlig harmlos. Sie ist wunderschön, siebenundvierzig Zentimeter groß und zwei Kilo schwer. Sie ist so klein, dass man sich kaum traut, sie anzufassen. Leider schläft sie noch nicht bei Gisele im Zimmer, der Arzt sagte, erst in acht Tagen, wenn sie von der Intensivstation entlassen wird."

„Herzlichen Glückwunsch, Klaus. Ich bin bereits auf dem Weg nach Deutschland", sagte ich, ohne nachzudenken.

„Wie wirst du das anstellen?"

„Ich finde einen Weg. Ich muss sie kennenlernen."

„Tu, was du für richtig hältst! Aber du könntest noch ein bisschen warten, vielleicht kann ich dir helfen."

„Mach dir keine Gedanken. Bis bald. Und gib Gisele und Luciana einen Kuss von mir."

„Eric!", schrie Klaus ins Telefon.

„Was gibt's?", erkundigte ich mich erschrocken.

„Solltest du tatsächlich kommen, bring bitte das Untersuchungsergebnis mit."

„Keine Sorge."

„Hast du den Umschlag geöffnet?", fragte Klaus.

„Hatten wir nicht ausgemacht, dass wir das gemeinsam tun werden?"

„Danke, Eric. Ich wusste, dass ich mich auf dich verlassen kann!"

„Bis bald", gab ich zurück und legte auf.

Sofort rief ich Alex an und bat ihn, nach der Arbeit bei mir zu Hause vorbeizukommen. Er führte eine Reihe Termine an, doch es gelang mir, ihn davon zu überzeugen, dass es sehr dringend war. Ich weiß nicht genau, ob er an die Dringlichkeit glaubte oder vielleicht hoffte, es würde sich um eine neue Arbeit handeln oder ob er aus reinem Mitleid kam, Tatsache ist, dass Alex um Punkt acht bei mir war.

„Was gibt es so Dringendes zu besprechen, mein Freund?", fragte Alex, ohne großes Interesse zu zeigen.

„Ich habe ein neues Projekt!", log ich überzeugend.

„Tatsächlich? Und um was handelt es sich?"

„Diese Frage hast du mir nie zuvor gestellt", gab ich zurück, „glaubst du mir nicht mehr?"

„Das ist es nicht, Eric! Aber du weißt selbst, dass du lange nichts geschrieben hast, außerdem war das letzte Buch…"

„Ich weiß, dass das letzte Buch ein Misserfolg war", unterbrach ich ihn.

„Das wollte ich damit nicht sagen."

„Vielleicht hättest du ein anderes Wort benutzt, doch das ist nun einmal die Wahrheit. Ein Misserfolg. Du kannst dir sicher sein, dass dieses ein Erfolg wird. Oder vertraust du deinem Freund nicht mehr?"

„Ich vertraue dir. Aber du weißt, dass es nicht allein von mir abhängt."

„Glaub mir, Alex, das Buch wird ein Erfolg. Du musst mir nur vertrauen. Spätestens in drei Monaten hältst du das Manuskript in Händen."

„Ich möchte dir nichts vormachen, Eric", er machte eine lange Pause. „Wenn dieses Buch nichts wird, riskiere ich meinen guten Namen im Verlag. Außerdem wissen wir beide, dass man in drei Monaten kein gutes Buch schreibt."

„Früher hast du mir mehr Glauben geschenkt. Du hast sogar Sachen veröffentlicht, die ich selbst nicht veröffentlicht hätte. Erinnerst du dich?"

„Und alle brachten das von mir und dem Verlag erwartete Ergebnis."

„Ich bin mir sicher, dass dir dein Gefühl, wenn du dieses Buch lesen wirst, bestätigen wird, dass es eine gute Arbeit ist."

„Das hoffe ich, Eric. Es ist unsere letzte Chance."

„Da ist noch etwas."

„Was?"

„Ich brauche ein neues Darlehen."

„Ich wusste nicht, dass du Geld brauchst, um ein neues Buch zu schreiben. Und eigentlich befindest du dich nicht in der Position, um einen Vorschuss zu bitten, Eric."

„Du weißt, dass es nicht zum Schreiben ist. Ich bitte auch nicht um einen Vorschuss. Bevor ich damit anfange, diese neue Idee zu Papier zu bringen, muss ich nach Deutschland fliegen und meine Enkelin sehen. Bevor ich diese Neugier nicht befriedigt habe, kann ich nicht in Ruhe arbeiten."

„Entschuldige, Eric. Aber wenn du vor ein paar Tagen noch nicht einmal ein Kind hattest, wie kannst du jetzt eine Enkelin haben?"

„Es ist Klaus Tochter!"

„Dein vermeintlicher Sohn ist bereits Vater?"

„Ja. Erinnerst du dich noch an seine Freundin? Du hast sie hier bei mir kennengelernt. Sie war schwanger!"

„Also bist Du mittlerweile wirklich davon überzeugt, der Vater des Jungen zu sein."

„Bin ich", log ich erneut, damit sich das Gespräch nicht in die Länge zog.

„Woher hast du die Gewissheit?"

„Ich habe die gleiche Gewissheit wie meine Mutter, nachdem sie den Jungen gesehen hatte.

„Schau mal, Eric. Dona Lucilia ist eine Heilige. Sie ist sich sogar sicher, dass auch ich ihr Sohn bin. Du kennst deine Mutter doch. Du könntest irgendeinen Jungen nehmen, der an der Ampel Kunststücke vorführt und sagen, dass er dein Sohn ist, sie würde ihn als solchen anerkennen."

Ich ließ Alex weiterreden und ging zur Schublade, in der das Untersuchungsergebnis lag.

„Wir haben einen DNA-Test gemacht!", sprach ich und zeigte den Umschlag vom Labor.

„Gut, in diesem Fall liegen die Dinge anders. Also ist er tatsächlich dein Sohn, erwiesenermaßen?"

„Erwiesenermaßen nicht, denn ich habe den Umschlag noch nicht geöffnet."

„Wie? Du hast ihn noch nicht geöffnet?"

„Nein! Ich habe Klaus versprochen, dass wir ihn gemeinsam öffnen würden. Und das ist ein weiterer Grund, warum ich fliegen muss."

„Du warst schon immer verrückt, doch jetzt scheint es schlimmer zu werden. Wann habt ihr die Untersuchung gemacht?"

„Vor ungefähr zwei Monaten."

„Du hast diesen versiegelten Umschlag seit zwei Monaten? Und warum hast du ihn noch nicht geöffnet?"

„Das sagte ich bereits. Ich habe Klaus versprochen, dass wir das gemeinsam tun. Er wollte eigentlich hier bleiben, bis wir das Ergebnis hätten abholen können, doch da seine Frau schwanger war und es Probleme gab, musste er früher zurückfliegen."

„Haben sie geheiratet?"

„Ganz richtig, Alex. Ich habe vor dem Altar sogar die Rolle des Vaters übernommen. Doch das erzähle ich dir ein anderes Mal. Jetzt würde ich nur gerne wissen, ob du mir das Geld leihst oder nicht."

„Mach den Umschlag auf und ich leihe dir das Geld, egal, wie das Ergebnis ausfällt."

„Das kann ich nicht tun! Und auch du hast nicht das Recht, mich darum zu bitten."

„Ich bin dein Freund, Eric, ich möchte dir helfen."

„Auf diese Weise hilfst du mir nicht. Danke, Alex. Auf jeden Fall hältst du in drei Monaten das Manuskript in Händen. Ich verspreche es. Könntest du jetzt bitte gehen?"

„Das ist es nicht, Eric. Ich versuche, dir zu helfen. Wenn du herausfindest, dass der Junge doch nicht dein Sohn ist, siehst du vielleicht von dieser verrückten Reise ab und fängst gleich an zu schreiben."

„Ich werde nicht auf die Reise verzichten. Ich bitte Priscila darum, mir das Geld zu leihen."

„Dazu hättest du nicht den Mut."

„Ich habe schon andere Dinge getan, für die ich mich gegenüber Priscila sehr viel mehr geschämt habe. Ein Darlehen wird das nicht schlimmer machen. Und schon gar nicht aus diesem Grund, sie wird es verstehen."

„Also gut! Wie viel brauchst du?"

„Genug für die Reise. Die Tickets und ein bisschen Kleingeld, damit ich dort zwei oder drei Tage zurechtkomme."

„Du hast es morgen auf dem Konto", sagte Alex und öffnete die Tür, um zu gehen. „Aber überleg es dir gut und vergiss mein Manuskript nicht. Sobald die erste Auflage deiner neuen Arbeit verkauft ist, möchte ich alles, was ich dir geliehen habe, mit Zinsen zurückbekommen", sagte Alex lächelnd.

„Du kannst beruhigt sein. Ich bestehe darauf, dir jeden Cent zurückzuzahlen."

„Sollte das Buch tatsächlich ein neuer Erfolg werden, kannst du deine Schulden als bezahlt ansehen und mit einem Überschuss rechnen."

Zwei Tage danach bestieg ich den Flieger nach Lissabon, von wo aus ich einen Anschlussflug nach Frankfurt nehmen würde.

## 54

Nachdem ich im Kölner Hauptbahnhof aus dem Zug gestiegen war, rief ich Klaus zu Hause an, doch niemand nahm ab. Ich beschloss, ein Taxi zu rufen.

Trotz beharrlichen Klingelns blieb die Gegensprechanlage stumm. Niemand war zu Hause. Ich ging zur Churrascaria, wo ich Manuel und zwei Ober antraf, die das Salatbuffet vom Mittagessen abräumten. Sobald er meine Anwesenheit bemerkt hatte, ließ Manuel alles liegen und stürzte auf mich zu.

„Eric Resende! Welch Überraschung. Bist du gekommen, um unser kleines Mädchen kennenzulernen?"

„Ja. Doch Klaus war nicht da. Ich habe vergeblich bei ihm zu Hause geklingelt."

„Er verbringt fast den ganzen Tag im Krankenhaus. Wenn du willst, bring ich dich hin, es ist ganz in der Nähe."

„Das ist nicht nötig. Du musst mir nur die Adresse geben."

„In Ordnung!", sagte Manuel und schrieb sie auf eine Serviette. „Hier ist sie."

„Danke."

Ich verließ das Restaurant und nahm ein Taxi zum Krankenhaus, es dauerte keine zehn Minuten, bis ich das St. Vinzenz-Hospital erreicht hatte.

An der Rezeption fragte ich nach Gisele und Luciana und wartete über zehn Minuten, bis das Mädchen jemanden gefunden hatte, der Englisch sprach. Eine sympathische Frau begleitete mich in den ersten Stock, in dem sich die Abteilung für Geburtshilfe befand. Durch ein Fenster im Flur sah ich mehrere Inkubatoren in einem Raum, den Besucher nicht betreten durften. Sie zeigte auf das letzte Baby auf der linken Seite. Ich konnte Luciana kaum erkennen, sah nur, dass ein paar Apparate an den Inkubator angeschlossen waren. Neugierig fragte ich die sympathische Frau, wofür die Maschinen wären. Sie lächelte und erklärte mir nacheinander die Funktion und den Nutzen jeder einzelnen. Als ich mich umdrehte, um Luciana noch einmal anzuschauen, sah ich Klaus am Ende des Flurs auftauchen. Ich bedankte mich und entschuldigte mich bei meiner netten Begleiterin, dann rannte ich auf ihn zu und umarmte ihn.

„Herzlichen Glückwunsch, Klaus. Auch wenn ich ihr Gesicht aus der Entfernung nicht deutlich erkennen kann, bin ich sicher, dass sie ein wunderschönes Mädchen ist."

„Ist sie. Ganz die Mutter", antwortete er.

„Du wirkst besorgt. Gibt es ein Problem?", hakte ich nach.

„Nein. Keins. Ich bin glücklich, dass du gekommen bist."

„Und ich bin glücklich, hier zu sein. Wo ist Gisele?"

„Sie ist im Zimmer. Komm, ich bring dich hin."

Gisele saß auf dem Bett und schaute abwesend auf einen Teller Suppe, der neben ihr stand. Gerührt begrüßte ich sie.

„Eric! Wie geht es dir?"

„Super!", sagte ich und umarmte sie behutsam. „Meine Glückwünsche!"

„Danke. Ich bin glücklich, dass du gekommen bist."

„Ich konnte es nicht lassen."

Gisele lächelte, Klaus sah mich besorgt an.

„Hast du das Untersuchungsergebnis mitgebracht?", fragte er.

„Natürlich!", erwiderte ich. „Aber du wirst es nicht gleich hier öffnen wollen, oder?"

„Nein. Natürlich nicht."

„Klaus macht sich Sorgen, denn Otto hat angerufen und gesagt, dass er in Deutschland ist, um seine Enkelin kennenzulernen", warf Gisele ein.

„Das ist doch kein Grund zur Sorge, sondern zur Freude", sagte ich und legte meine Hand auf seine Schulter, um ihn aufzumuntern.

„Er wollte seinen Vater nicht einmal über die Geburt von Luciana informieren", fuhr Gisele fort. „Ich musste darauf bestehen."

„Es ist Ottos Recht, seine Enkelin kennenzulernen", sagte ich.

„Die ganze Schwangerschaft über hat er sich nicht blicken lassen, nicht einmal als er erfahren hat, dass Gisele in die Klinik eingewiesen werden musste", hielt Klaus entgegen.

„Ich konnte ebenfalls nicht kommen", sagte ich und lächelte.

„Das ist etwas ganz anderes, Eric."

„Damit möchte ich nur sagen, dass er, genau wie ich, seine Probleme gehabt haben dürfte."

„Ok! Er wird bald da sein und dann kann er es erklären,

wenn er es für nötig hält. Lasst uns nicht mit solchen Diskussionen unsere Zeit verschwenden. Wie wäre es, wenn wir einen Kaffee trinken und danach zu Hause vorbeifahren, damit du den Koffer abstellen kannst?"

„Was den Koffer betrifft, bin ich einverstanden. Doch würde ich den Koffer lieber in einem Hotel abstellen. Ich möchte euch nicht zur Last fallen, außerdem wird Otto ebenfalls kommen und ich denke, das würde nicht gut aussehen…"

„Er ist bereits in Köln", unterbrach Klaus, „und hat Bescheid gegeben, dass er nicht zu Hause wohnen wird. Er möchte uns nicht unsere Privatsphäre nehmen. Das hat er zumindest gesagt. Aber ich weiß, dass dies nicht der wahre Grund ist. Er sorgt sich um seine eigene Privatsphäre und die von Harume, die mit ihm mitgekommen ist."

„Harume?", fragte ich.

„Klaus Stiefmutter. Die asiatische Freundin, erinnerst du dich?", scherzte Gisele und verärgerte Klaus damit.

„Wenn das so ist und ich euch wirklich keine Umstände mache…"

„Im Gegenteil", sagte Klaus. „Gisele wird morgen aus dem Krankenhaus entlassen, doch Luciana erst in fünf oder sechs Tagen. Du kannst uns beim Warten Gesellschaft leisten."

„Ausgezeichnet! Bis dann, Gisele."

„Ciao, Eric. Fühl dich wie zu Hause. Die Wohnung gehört dir."

„Danke."

Auf dem Weg nach Hause sprach Klaus begeistert über Luciana, verstummte jedoch, nachdem er zum MediaPark hinübergeschaut hatte. Erst in diesem Moment erblickte ich Otto und Harume, es war eine Ironie des Schicksals, dass sie auf derselben Bank auf dem Platz saßen, auf der ich so oft auf Klaus gewartet hatte. Otto erhob sich und zog Harume an der Hand hinterher, sie überquerten die Straße und kamen auf uns zu. Otto blieb vor uns stehen, umarmte Klaus und fragte etwas auf Deutsch, der Art seines Blicks nach zu urteilen, musste es sich um irgendetwas wie ‚Was macht der hier?' handeln. Ich bekam Gewissheit, als Klaus auf Englisch antwortete:

„Dasselbe wie du! Er wollte Luciana kennenlernen."

Otto fuhr fort, weitere Worte auf Deutsch zu sagen, als Klaus ihn erneut auf Englisch unterbrach.

„Wie wäre es, wenn wir Englisch sprechen? Eric ist mein Gast und ich finde es unhöflich, wenn er nicht versteht, was wir sagen. Da wir alle Englisch sprechen, wäre es höflicher, wenn du darauf Rücksicht nehmen würdest."

„In Ordnung!", antwortete Otto, dieses Mal auf Englisch.

Während wir zu Klaus Wohnung hochgingen, stellte ich fest, dass Otto ziemlich gealtert war, seit ich ihn das erste Mal gesehen hatte. Die Haare waren nicht mehr so blond wie vorher, sondern gingen eher ins Weiße, und die Falten um die Augen bildeten zwei fast violett aussehende Tränensäcke. Harume war noch genauso schön wie auf dem Foto, das Klaus mir einmal von ihr gezeigt hatte, wenn sie sich verändert hatte, dann nur zu ihrem Vorteil. Die glatten Haare glänzten noch stärker, genau wie ihr aufmerksamer Blick, der jede Bewegung zu verfolgen schien.

Nachdem wir eingetreten waren, blieb ich unschlüssig im Wohnzimmer stehen. Otto schien es ähnlich zu gehen, doch Harume zog ihn sofort auf das Sofa. Klaus ging in die Küche und kam mit zwei Flaschen Bier zurück, die er uns anbot, aber obwohl er mir fast eins aufdrängte, lehnte ich ab. Daraufhin nahm Otto beide Flaschen und gab eine Harume.

„Ich kann es kaum erwarten, meine Enkelin kennenzulernen", ließ Otto in perfektem Englisch hörbar verlauten.

„Wir kommen gerade aus dem Krankenhaus", sagte Klaus. „Aber wenn ihr wollt, könnt ihr Gisele und Luciana besuchen. Sie sind im St. Vinzenz."

„Prima. Dann fahren wir sofort los!", fuhr Otto fort. „Doch vorher möchte ich dir noch eine großartige Neuigkeit mitteilen."

„Ich höre!", sagte Klaus absolut unbeteiligt, etwas, das er besser als jeder andere beherrschte.

„Harume ist ebenfalls schwanger. Auch wir werden ein Kind bekommen."

„Wie schön! Herzlichen Glückwunsch", sagte Klaus noch eine Spur mürrischer.

„Freust du dich nicht darüber, dass du nach so langer Zeit eine Schwester bekommen wirst?", fragte Otto hoffnungsvoll.

„Wir wissen ja nicht einmal, ob dieses Baby wirklich mein Geschwister ist", sagte Klaus und schaute zu Harume, die bis dahin nur gelächelt hatte.

„Was willst du damit sagen?", fragte Otto irritiert.

„Vor einiger Zeit haben wir so viele Dinge herausgefunden, stimmt's?" Beispielsweise haben wir herausgefunden, dass lediglich die Mutterschaft ein eindeutiger Fakt ist, wohingegen die Vaterschaft ein Geheimnis bleiben kann."

„Willst du damit sagen, dass dieses Baby nicht mein Kind ist?", fragte Otto, jetzt offensichtlich nervös.

„Nein. Aber erinnerst du dich daran, dass ich nicht dein Sohn sein könnte? Oder hast du Mamas Brief bereits vergessen?", entgegnete Klaus.

„Deine Mutter war sehr krank, als sie diesen Brief geschrieben hat. Ich wusste immer, dass sie in Brasilien mit einem Mann zusammengelebt hatte", fuhr Otto fort und schaute in meine Richtung. „Vor ihrem Tod haben wir eine schwierige Phase durchgemacht. Deshalb hat sie diesen Brief geschrieben und all das erfunden. Sie wollte, dass er herkommt, wollte ihn ein letztes Mal sehen und sich dafür entschuldigen, dass sie ihn verlassen hat, das ist der wahre Grund. Geovanna und ich waren all diese Jahre sehr glücklich, ich bin sicher, dass sie mich geliebt hat, aber ebenso sicher bin ich, dass sie sich nie verziehen hat, dass sie diesen Mann auf diese Art verlassen hat und sie wusste, dass er nicht kommen würde, nur um ihre Entschuldigungen anzuhören, sie wusste, dass sie ihn tief verletzt hatte. Also hat sie diese ganze Geschichte erfunden, um ihn dazu zu bringen, zu kommen, sie wollte nicht sterben, ohne sich bei ihm entschuldigt zu haben, aber es war zu spät. Auch wenn ich sehr darunter gelitten habe, habe ich es verstanden und akzeptiert. Ihr beide solltet dasselbe tun und diesen ganzen Wahnsinn vergessen. Siehst du nicht, welche Ähnlichkeit du mit mir hast?"

„Alle sagen, ich sehe meiner Mutter sehr ähnlich. Und das finde ich auch", sagte Klaus.

„Glaubst du wirklich, dass deine Mutter schwanger nach Deutschland gekommen wäre und diesen Mann nicht früher kontaktiert hätte? Glaubst du etwa, dass ich, wenn ich all das gewusst und akzeptiert hätte, dich die ganzen Jahre wie meinen Sohn behandelt hätte, ohne dir zumindest die Wahrheit zu erzählen?"

„Und warum solltest du das nicht getan haben?", hakte Klaus nach. „Das erste Mal, dass Eric hierhergekommen ist, war aus Liebe zu meiner Mutter und nicht wegen mir. Du hättest mich aus demselben Grund als deinen Sohn annehmen können."

„Red keinen Blödsinn. Wir alle wissen, dass deine Mutter vor mir mit diesem Mann zusammengelebt hat, glaubst du wirklich, sie hätte Brasilien verlassen, wenn sie dort schon gewusst hätte, dass sie schwanger war?"

„Aus dem Brief geht hervor, dass sie es erst hier festgestellt hat."

„Auch wenn das der Wahrheit entspräche, glaubst du nicht, dass sie in diesem Fall nach Brasilien zurückgekehrt wäre, um bei ihm zu bleiben, oder ihm zumindest von der Schwangerschaft erzählt hätte?"

„Leider werden wir nie erfahren, was wirklich mit Mama passiert ist. Das Einzige, was wir jetzt herausfinden können, ist die Wahrheit über die Vaterschaft."

„Was meinst du damit?", fragte Otto.

„Mit einem DNA-Test", sagte Klaus mit der gewohnten Zurückhaltung.

„Hältst du das wirklich für nötig?", fragte Otto irritiert.

„Ich habe das Recht, die Wahrheit zu erfahren."

„In Ordnung! Wenn es tatsächlich das ist, was du willst, machen wir diese Untersuchung. Ich hoffe, das Ergebnis enttäuscht dich nicht", sagte Otto.

„Es hätte mich enttäuschen können, wenn ich es gleich nachdem ich den Brief gelesen hatte, getan hätte. Doch jetzt wird das nicht passieren, egal wie das Ergebnis ausfällt. Seit Mamas Tod arbeite ich daran, diese Geschichte ins Reine zu bringen. Ich möchte nur die Wahrheit wissen. Und mach dir keine Sorgen, du musst die Untersuchung nicht machen. Eric und ich haben es bereits getan. Und ich erinnere mich nicht daran, dass es in dieser Geschichte einen dritten Mann gegeben hätte, deshalb werden wir auf jeden Fall die Wahrheit erfahren", sagte Klaus und blickte zu mir, der ich wie Harume der ganzen Unterhaltung schweigend gefolgt war.

„Du respektierst deine verstorbene Mutter nicht! Das lasse ich nicht zu. Ich besuche jetzt meine Enkelin im Krankenhaus und danach fahre ich direkt ins Hotel. Mein Rückflug nach Japan ist für morgen gebucht. Wenn du die Wahrheit herausgefunden hast, kannst du mich anrufen, ich werde bereit sein, dir zu verzeihen. Ein wirklicher Vater würde alles für seinen Sohn tun, sogar akzeptieren, dass dieser an seinem Wort zweifelt."

Otto näherte sich Klaus, streichelte sein Gesicht und sagte etwas auf Deutsch. Klaus antwortete ebenfalls auf Deutsch, dann ging Otto in Begleitung seiner Frau hinaus. Obwohl ich neugierig war, wagte ich nicht zu fragen, über was sie gesprochen hatten.

## 55

Am nächsten Morgen machten wir uns früh auf den Weg zum Krankenhaus. Gisele spazierte über den Gang, sie trug ein langes Nachthemd, Hausschuhe und obwohl sie sich noch langsam bewegte, wirkte sie extrem ungeduldig. Sobald sie uns entdeckte, breitete sich ein Lächeln auf ihrem Gesicht aus.

„Hallo. Der Arzt hat gesagt, dass ich morgen entlassen werde!"

„Wie schön", gab Klaus zurück, „und Luciana?"

„Sie wird noch mindestens fünf Tage hier bleiben müssen, hat er gesagt", antwortete Gisele und das Lächeln verschwand von ihrem Gesicht.

„Das macht nichts. Wir werden sie jeden Tag besuchen. Und du wirst auch während des Stillens bei ihr sein. Wir werden noch Geduld haben müssen, bis wir sie mit nach Hause nehmen dürfen."

„Gestern waren dein Vater und seine Freundin hier."

„Ich weiß. Wir haben ihn im MediaPark getroffen. Er ist mit hochgekommen und wir haben uns ein bisschen unterhalten, bevor er ins Krankenhaus fuhr. Ich habe ihm von der DNA-Untersuchung erzählt."

„Ich glaub's nicht, dass du das getan hast!", sagte Gisele.

„Und warum nicht? Er hat das Recht, es zu erfahren. Ich hielt es nicht für fair, es vor ihm zu verheimlichen. Sonst hätte ich mich so verhalten, wie sie es all die Jahre mir gegenüber getan haben."

„Und was hat er gesagt?", hakte Gisele neugierig nach.

„Er sagte, ich könnte ihn anrufen, um mich bei ihm zu entschuldigen, wenn die Wahrheit bestätigt ist."

„Und wann hast du vor, die Wahrheit zu erfahren?"

„Morgen. Wenn du aus der Klinik entlassen wirst. Ich möchte, dass du bei mir bist, wenn wir den Briefumschlag öffnen." Gisele lächelte zaghaft und schaute in meine Richtung.

Am darauffolgenden Tag nach der Nachmittagsvisite entließ der Arzt Gisele aus dem Krankenhaus. Anders als am Tag zuvor war sie sehr gut gelaunt, den Koffer hatte sie bereits gepackt und als sie jetzt den Krankenhausflur entlang ging, sah man ihr die Geburt nicht an. Wir traten ans Fenster der Neugeborenenintensivstation und verabschiedeten uns von Luciana, Gisele liefen ein paar Tränen über das Gesicht, bevor wir uns von der Fensterwand entfernten, die wie eine große Beobachtungsstation wirkte, vor der noch andere Eltern sehnsüchtig ihre Kinder herbeiwünschten.

Als wir vor dem Haus aus dem Auto stiegen, bat Klaus

uns, draußen zu warten, bis er den Wagen geparkt hätte. Nachdem er abgeschlossen hatte, winkte er uns auf die andere Straßenseite herüber. Er setzte sich auf die letzte Bank im MediaPark, auf der ich so oft gesessen hatte, und bat uns, uns neben ihn zu setzen.

„Es ist soweit. Wo ist das Untersuchungsergebnis?", fragte er, als wollte er ein religiöses Ritual initiieren.

„Es ist in meiner Tasche", antwortete ich und zog den Umschlag heraus.

Gisele beobachtete uns schweigend, ihr Blick ging hin und her, als wollte sie uns zeigen, dass wir dabei waren, eine Sünde zu begehen.

„Warte eine Minute. Öffne ihn nicht, bevor ich wieder da bin", sagte Klaus, sprang auf und ging auf das Haus zu. Gisele und ich blieben still sitzen und schauten auf den verschlossenen Umschlag in meinen Händen, bis Klaus wieder zurück war.

Erneut setzte er sich zwischen uns, nahm den Umschlag in die Hand und inspizierte zunächst die zugeklebte Seite, dann die andere. Danach hielt er sich den Umschlag des Labors vor die Augen, als könnte er durch ihn hindurchschauen. Erst dann öffnete er ihn vorsichtig. Er nahm das Schreiben heraus. Es bestand aus einem Blatt, das dreifach gefaltet worden war, um den Inhalt zu verstecken. Klaus legte den Brief unter seinen linken Oberschenkel, neben Gisele, faltete den Umschlag sorgfältig zusammen und steckte ihn in die Hosentasche. Im Anschluss wandte er sich wieder dem Blatt unter seinem Bein zu, zog es vorsichtig hervor, erhob sich und umrundete die Bank, sodass er hinter uns stand. Gisele und ich folgten seinen Bewegungen, blieben jedoch sitzen. Hinter der Bank ging Klaus in die Hocke, faltete das Blatt auseinander und las den Inhalt. Mit einem Lächeln auf dem Gesicht faltete er es erneut zusammen und holte etwas aus seiner Hosentasche, ein Feuerzeug, mit dem er das Papier anzündete. Er stand auf und gemeinsam warteten wir darauf, dass sich das Papier in ein kleines, schwarzes Aschehäufchen verwandelte.

„Gehen wir?", fragte Klaus, als wäre nichts gewesen.

„Gehen wir!", sagte Gisele, drehte ihm den Rücken zu und lächelte mich an.

Nachdem wir in der Wohnung waren, ging Klaus direkt in die Küche und kam mit einer Flasche Wein in der Hand zurück.

„Eric, du weißt, dass ich normalerweise nicht trinke. Und ich habe festgestellt, dass auch du versuchst, weniger zu trinken, doch lass uns heute eine Ausnahme machen und auf die Geburt von Luciana anstoßen", verkündete Klaus und lächelte. „Weißt du, seit der Geburt meiner Tochter ist sie das Wichtigste in meinem Leben geworden, viel wichtiger als das Ergebnis dieser Untersuchung."

„Ich weiß, wie das ist", antwortete ich, „das passiert, wenn wir Eltern werden. Ich erinnere mich an einen Satz, den meine Mutter immer wiederholte, wenn ich ihr vorwarf, dass sie es mit ihrer Sorge und Fürsorglichkeit übertreiben würde: Du wirst meine Sorgen erst verstehen, wenn du Kinder hast."

„Das stimmt", gab Klaus zurück. „Ich sehe die Dinge jetzt auch viel klarer als vor einem Monat."

„Klaus! Ich möchte dich um etwas bitten."

„Bitte mich, um was du möchtest!"

„Ich habe Alex versprochen, dass ich mit einer fertigen Geschichte nach Brasilien zurückkehren würde. Als ich abgeflogen bin, hatte ich noch keine Idee. Aber ich musste ihn dazu bringen, mir das Geld zu leihen, damit ich kommen konnte, darüber hinaus war mein letztes Buch ein Misserfolg, wie du bereits weißt, und seit langem sitzt man mir mit einer neuen Veröffentlichung im Nacken. Durch unsere Unterhaltungen bei deinem letzten Aufenthalt in Brasilien wurde mir klar, dass ich, als ich ‚Zwei unvergängliche Ns' schrieb, auch wenn alles aus tiefstem Herzen kam, in dem Buch meine ganze Trauer über den Tod deiner Mutter verarbeitet habe. Ich wollte es Geovanna zu Ehren schreiben, oft habe ich mich während des Schreibens beim Weinen ertappt. Doch jetzt bin ich sicher, dass das nicht gut für mich war, nicht einmal für Geovanna und noch viel weniger für das Buch selbst. Deshalb würde ich dich gerne um Erlaubnis bitten, ein

Buch über unsere Geschichte schreiben zu dürfen. Natürlich wird es keine Autobiografie werden, ich würde Figuren erfinden, alles wäre Fiktion und an der ein oder anderen Stelle würde ich sogar übertreiben. Ich glaube, es würde eine gute Handlung abgeben. Was meinst du?"

„Ich sehe da keine Probleme. Solange du mir versprichst, die Namen deiner Romanfiguren zu ändern. Außerdem musst du mir versprechen, mir gleich nach Veröffentlichung ein Exemplar zu schicken. Auch möchte ich, dass du mir eine Widmung in das Exemplar von ‚Zwei unvergängliche Ns' schreibst, das ich auf dem Flughafen gekauft habe. Erinnerst du dich?"

„Abgemacht! Ich bleibe noch hier, bis Luciana aus der Klinik entlassen wird, danach fliege ich zurück nach Brasilien und beginne mit der Arbeit an dem Buch."

„Eric! Ein Schriftsteller kann an jedem Ort der Welt schreiben und seinem Verleger die Manuskripte schicken. Warum bleibst du nicht eine Zeit bei uns? Schreib dein Buch hier, schließlich spielt ein Großteil der Geschichte in Deutschland."

„Vielen Dank für die Einladung, Klaus. Aber ich kann nicht."

„Ich würde mich sehr freuen, wenn du bleiben würdest, aber ich kann dich nicht zwingen. Und glaub mir, für dich wäre es ebenfalls besser. Schließlich kommst auch du bald in ein gewisses Alter und dann, na, du weißt ja, wie das ist."

„Was willst du damit sagen?", fragte ich verwundert.

„Du weißt nicht, was morgen sein wird. Wenn du ein alter Mann bist, wirst du Hilfe brauchen. Ärzte, Behandlungen, Reisen von Deutschland nach Brasilien. Du könntest auf mich angewiesen sein, selbst wenn es nur darum ginge, das Altersheim zu bezahlen", fuhr Klaus lächelnd fort. „Ich bin zwar dagegen, alte Menschen ins Heim zu stecken, aber hier in Europa ist das absolut normal, es gibt sehr gute, sehr komfortable Altersheime, mit wunderschönen alten Witwen, sogar im Alter könnte Ludus dich noch einmal überraschen. Und solltest du nicht ins Altersheim wollen, wirst du jemanden brauchen, der sich um dich kümmert, benötigst vielleicht eine Spezialbetreuung. Wenn du hier bleibst, könntest du eine Zeit lang mit Margot zusammen sein. Ich weiß, dass sie deutlich jünger ist als du. Ich weiß auch, dass sie dich im Alter kaum pflegen wollen wird, ihre Flamme wird noch lange brennen und sie kann für sich allein sorgen. Du weißt, dass dieser Typ Frau sich äußerst selten damit abfindet, brummige Alte zu pflegen, schon gar nicht, wenn sie im Sterben liegen. Hoffen wir, dass ich mich täusche, aber wir haben bereits von einigen solchen Fällen gehört. Ich spreche von Fällen, die wir miterlebt oder von denen wir gehört haben. Geliebte eines erfolgreichen Mannes, berühmter Schriftsteller, Abenteurer. Der ideale Typ, den man ausnutzt, solange es sich lohnt und danach schaut man, dass man ihn loswird, alleinstehende Männer über vierzig, fünfzig werden zu Narren, halten sich für große Jungs, die alles können, für den tollsten Hengst im Stall. Das nutzen die Frauen richtig aus. Und wenn dann der Moment gekommen ist, an wen wenden sich die Alten? An die Familie. In diesem speziellen Fall wäre ich bereit, mich um dich zu kümmern, dich nicht deinem Schicksal zu überlassen, deshalb kannst du mein Angebot jetzt ganz ohne Schuldgefühle annehmen." Klaus brach in Lachen aus.

„Ich wusste, dass ich bereits von einem ähnlichen Fall gehört hatte!", sagte ich und lächelte. „Mach dir keine Sorgen, es wird noch etwas dauern, bis ich eine Belastung für andere sein werde. Außerdem habe ich meine Eltern, um die ich mich kümmern werde, bevor sich jemand um mich kümmert. Auch bin ich nicht daran interessiert, mit Margot zusammenzubleiben, es sei denn hin und wieder, wenn ich euch besuchen komme. Sobald das Buch in Brasilien veröffentlicht ist, werde ich einige Termine wahrnehmen müssen. Dessen bin ich mir sicher. Zumindest noch ein paar Jahre. Danach, wer weiß? Auf jeden Fall bedanke ich mich für die Fürsorge, wir werden uns bald wiedertreffen, spätestens, wenn das Buch in Europa erscheint."

„Wir warten darauf. Ich werde ein Zimmer mit zwei Betten reservieren."

„Zwei?", fragte ich lächelnd.

„Ja! Eins für dich und eins für Otto. Anstelle eines Vaters, werde ich zwei alte, mürrische Väter haben, um die ich mich in Zukunft kümmern muss, ein Privileg, das nicht jeder hat."

„Ich glaube nicht, dass das gutgehen wird. Wer wird sie trennen, wenn sie anfangen, miteinander zu streiten?", fragte Gisele. „Du weißt ja, dass Alte wie Kinder sind. Hübsch und lieb, aber wenn sie anfangen, sich zu streiten, sind sie eine wahre Belastung…"

„Da wir von Otto sprechen, wirst du mit ihm über das Untersuchungsergebnis sprechen?", fragte ich Klaus.

„Ja. Ich werde genau das tun, was er gesagt hat. Ich werde anrufen und mich entschuldigen. Und wenn du mich jetzt entschuldigen würdest, es ist Zeit, dass Gisele unser kleines Mädchen stillt. Möchtest du mitkommen oder lieber hier bleiben, Eric?"

„Wenn es euch nichts ausmacht, bleibe ich hier und lasse euch diesen Moment als Familie genießen. Ich nutze die Gelegenheit und drehe eine Runde durch die Stadt. Morgen begleite ich euch ins Krankenhaus."


Ich blieb noch zehn Tage in Deutschland, solange, bis Luciana aus dem Krankenhaus entlassen wurde. Am Abend vor meiner Rückreise nach Brasilien hatte Klaus ein Abschiedsfest in Manuels Churrascaria vorbereitet, der gemeinsam mit Dona Ofélia in der Wohnung der

Tochter auf Luciana aufpassen würde. Auf Klaus Bitte und zu meiner Überraschung war auch Margot auf die Party gekommen, sodass ich mich am nächsten Morgen verspätete und um ein Haar den Flug verpasste.

## 56

Kaum war ich zu Hause angekommen, setzte ich mich an den Computer und begann meine neue Arbeit. Anders als beim letzten Mal entwickelte sich der Text praktisch ohne mein Zutun, genau wie es bei den Büchern vor ‚Zwei unvergängliche Ns' der Fall gewesen war. Ich schrieb voller Lust und Hingabe. In weniger als dreißig Tagen war das Manuskript fertig. Allerdings dauerte es weitere sechs Monate bis das Lektorat abgeschlossen und ich der Meinung war, dass ich es Alex übergeben konnte. Es fehlte nur noch der Titel. Ich benötigte einen Namen, der zu der Geschichte passte. Doch die Idee kam mir nicht so schnell, wie ich das Buch geschrieben hatte. Viele Tage vergingen, bis ich einen Entschluss gefasst hatte. Nachdem ich über mehr als zehn verschiedene Titel gegrübelt hatte, wählte ich nach dem Ausschlussverfahren aus den zwei verbleibenden Optionen den folgenden aus:

*São Paulo – Köln.*

Ein halbes Jahr nach Erscheinen des Buches in Brasilien fuhr ich mit Alex im Taxi nach Hause, der Vertrag über die Übersetzungsrechte in mehr als drei Sprachen war unterzeichnet. Der Titel würde in sechs Ländern Europas erscheinen, darunter auch Deutschland. Als wir am Ibirapuera Park vorbeikamen, erinnerte ich mich an das erste Treffen mit Geovanna und daran, dass ich erst vor kurzem in Begleitung von Klaus und Gisele an diesem Ort gewesen war. Das Leben hatte es bis jetzt wirklich gut mit mir gemeint, ich hatte mein siebtes Buch veröffentlicht und die internationale Anerkennung zurückerobert, doch dieses Mal ließ ich mich nicht vom Höhenflug hinreißen. Die Tatsache, dass das Buch ins Deutsche übersetzt und in Deutschland erscheinen würde, machte mich glücklich, denn dann konnte ich meine Mutter zur Veröffentlichung mitnehmen, damit sie ihre Urenkelin kennenlernte. Und das machte mich noch glücklicher.

Wir fuhren die Rua Augusta hoch, ich schaute aus dem Fenster, Freitag, ein Uhr morgens, die jungen Leute übernahmen die Straße und alberten mit den Prostituierten herum. Ich stellte fest, dass ich keines dieser Mädchen mehr kannte. Ein paar Minuten später überquerten wir die Avenida Paulista und endlich fühlte ich mich wieder zu Hause. Wir hielten vor dem Gebäude, in dem ich wohnte, in der Alameda Franca, ich verabschiedete mich vom Taxifahrer und von Alex, den der Erfolg des Buches noch glücklicher gemacht hatte als mich selber.

Erschöpft betrat ich die Wohnung, einige Briefe waren unter der Tür durchgeschoben worden. Ich hob sie auf und schaute einen nach dem anderen durch, öffnete jedoch nur den von Klaus. Im Briefumschlag befand sich eine kleine Karte mit Glückwünschen zum Erfolg des Buches sowie ein Bild von Luciana und eine Einladung zu ihrem ersten Geburtstag, auf der am Ende stand: Eric, ich lege Wert darauf, dass du den ersten Geburtstag deiner Enkelin mit uns verbringst.

Auf der anderen Seite der Welt, in Tokio, erhielt Otto genau die gleiche Einladung im selben Wortlaut.

In dieser Nacht trank ich nicht wie gewohnt meinen Tee. Ich schaute auf die Wanduhr, zwei Uhr morgens. Nach einer warmen Dusche streifte ich meinen Seidenpyjama über, fiel ins Bett und sofort in tiefen Schlaf. Dabei träumte ich von den Tagen, die vor mir lagen.

# Weitere Titel im Arara Verlag

## Die Hälfte der neuen Welt

*Carola Lambelet*

Roman
*398 Seiten*

ISBN 978-3-9818090-0-8
eISBN 978-3-9818090-3-9

Drei Jahrhunderte, drei Ziele, drei Schicksale. Abenteuer, Liebe, Verrat.

Die junge deutsche Ärztin Júlia, die eigentlich nur den letzten Wunsch ihrer verstorbenen Mutter erfüllen will, der zu allem entschlossene Bauernjunge Benício aus den Bergen Portugals und der Kapitän Gaspar de Lemos, Mitglied der Flotte des Brasilienentdeckers Cabral, haben scheinbar nichts gemeinsam - doch ihre Schicksale sind auf rätselhafte Weise miteinander verbunden.

In Brasilien gerät Júlia in einen Strudel von Ereignissen und zwiespältigen Gefühlen für dieses an Gegensätzen reiche, faszinierende Land.

## GRENZENLOS
*Marcelo Nocelli (Hg.)*

Kurzgeschichten aus dem brasilianischen Portugiesisch
*196 Seiten*

eISBN 978-3-9815863-8-1
ISBN 978-3-9815863-9-8

Eine sensationelle Geschäftsidee, Reflexion eines Henkers auf dem Weg zum Schafott, Taxifahrt mit tödlichem Ausgang, zerstörerische Beziehung, große Liebe oder ein anderes existentielles Thema: Die humorvoll-ironischen Sichtweisen von dreizehn jungen brasilianischen Autorinnen und zwölf Autoren, fünfundzwanzig unverwechselbaren Stimmen, versprechen überraschende Sichtweisen auf Fragen, die uns bewegen.

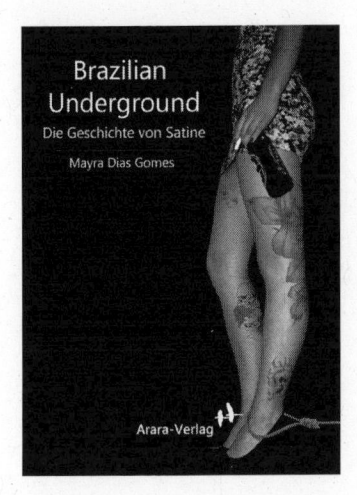

## BRAZILIAN UNDERGROUND
Die Geschichte von Satine
*MAYRA DIAS GOMES*

Ein Roman nicht nur für Jugendliche aus dem brasilianischen Portugiesisch
*336 Seiten*

ISBN 978-3-9815863-0-5
eISBN 978-3-9815863-5-0

Wie viele Hindernisse muss man überwinden, bis man endlich seinen Weg findet und wie viele Grenzen kann man austesten, bis endgültig alles zusammenbricht?
Die junge Brasilianerin Satine lebt mit ihrer wohlhabenden Familie in Rio de Janeiro und hat alles, was man sich wünschen kann. Doch der plötzliche Tod ihres Vaters wirft sie mit zwölf Jahren emotional aus der Bahn. Auf dem schwierigen Weg der Selbstfindung macht die Jugendliche viele, oft schmerzhafte Erfahrungen, nimmt Drogen, verstrickt sich in Lügen und lernt Ricky kennen – die große Liebe, für die sie durchs Feuer gehen würde. Beherrscht von ihren Gefühlen gerät Satine in eine Phase ihres Lebens, in der sie die Realität mehr und mehr aus den Augen verliert.
Eine Geschichte über die Schwierigkeiten des Erwachsenwerdens.

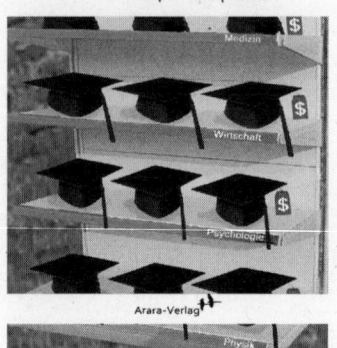

## DAS DIPLOMGESCHÄFT
*FELIPE PENA*

(Kriminal-)Roman aus dem brasilianischen Portugiesisch
*386 Seiten*

ISBN 978-3-9815863-1-2
eISBN 978-3-9815863-6-7

Eine Pharmaziestudentin wird auf dem Campus einer Universität in Rio de Janeiro angeschossen und schwer verletzt. Der Rektor der Universität beauftragt Antonio Pastoriza, den Direktor der Fakultät für Psychologie damit, die wahren Hintergründe der Tat aufzuklären. Bei den Ermittlungen gerät dieser in Verdacht, in das Verbrechen verstrickt zu sein, wird in einen Streit mit dem Polizeichef verwickelt und findet sich plötzlich inmitten eines Kriegs zwischen Milizen und Drogenhändlern wieder.

„Das Diplomgeschäft" ist das erste Buch der Campus-Trilogie des brasilianischen Autors Felipe Pena. Die spannende Handlung des fesselnd geschriebenen Romans gewährt einen tiefen Einblick in den universitären Alltag in Brasilien sowie die Verstrickung von Bildung, Wirtschaft und Drogenhandel.

## BRASILIANISCHE KURZGESCHICHTEN
*JOAQUIM MARIA BOTELHO*
*(Hg.)*

Kurzgeschichten aus dem brasilianischen Portugiesisch
*193 Seiten*

ISBN 978-3-9815863-3-6

Eine Auswahl zeitgenössischer brasilianischer Kurzgeschichten von mehrfach ausgezeichneten Autoren der brasilianischen Schriftstellervereinigung (União Brasileira dos Escritores, UBE) entführt die Leser auf eine literarische Reise durch Brasilien. Die Autoren stellen ihr Land aus unterschiedlichen Perspektiven vor und vermitteln dadurch sehr spannende Einblicke in die vielfältige Kultur Brasiliens.

# EIN ANGEKÜNDIGTER TOD
*SELMA NERUNG*

Kriminalroman aus dem brasilianischen Portugiesisch
*176 Seiten*

ISBN 978-3-9815863-4-3

Olavo und seine beiden Schwestern haben von ihrem Vater Fabrikanteile und Vermögen geerbt, die ihnen ein luxuriöses Leben gestatten. Doch kann man den Ehemännern der Schwestern trauen? Olavo will sich Klarheit verschaffen und so besucht er zuerst Elena und danach Cristina, die ihn zu einem Wochenende mit befreundeten Paaren einlädt.
Von düsteren Prophezeiungen, kriminellen Verstrickungen und mysteriösem Verhalten der Gäste zunehmend verunsichert, fragt sich Olavo: Wird das Leben je wieder so unbeschwert sein wie früher?

## SUCHE UND VERSUCHUNG
Abenteuer Brasilien
*FRANZ FLICK*

Roman
*320 Seiten*

ISBN 978-3-9815863-2-9

„Auf dem Weg begann ich über den Grund meines Aufenthaltes nachzudenken. Ein Haus als Zuflucht oder eine kleine Pousada als Existenz, letztendlich war dies nicht nur eine Frage des Geldes. Mehr eine Frage, wie oder ob man überhaupt in diesem Land, an diesem Ort leben könnte."

Ein Mann, der alles erreicht hat. Die Langeweile des Alltags. Seine Suche nach einem neuen Anfang in einem Land, das er als junger Mann kennen und lieben lernte: Brasilien, Land der Abenteuer und Versuchungen, Land der Licht- und Schattenseiten. Ein Roman voller Spannung und Ironie, der den Leser in seinen Bann zieht.

ARARA VERLAG